DOOR HET VERLEDEN INGEHAALD

Ina van der Beek

Door het
verleden ingehaald

Spiegelserie

Zomer &Keuning

ISBN 978 90 5977 458 2
NUR 340

www.spiegelserie.nl
Omslagillustratie: Bas Mazur
©2009 Zomer & Keuning familieromans, Kampen

1

Terwijl hij z'n stropdas losmaakt loopt Gerben fluitend de trap op. Op de bovenste tree wordt hij bijna omvergelopen door zijn achttienjarig dochter Monique.

'Oeps, sorry pap. Maar ik ben al laat, over een halfuurtje speel ik mijn eerste wedstrijd, je komt toch wel kijken?'

'Jawel, ik kleed me even om, dan kom ik ook richting tennisbaan. Wacht je even op me, of...'

'Nee, ik ga vast, tot zo!' Ze is al beneden.

'Dag mam, ik ga hoor, groeten aan oma,' hoort hij haar nog roepen, dan slaat de voordeur achter haar dicht.

Met een glimlach op zijn gezicht gaat Gerben de slaapkamer binnen. Hij loopt naar het open raam om z'n dochter na te kijken en wil juist nog een groet roepen, als hij haar stem hoort.

'Kom je voor mij, of voor mijn ouders? Ik heb namelijk nogal haast...'

'Maakt niet uit wie, ik wil alleen wat vragen,' zegt een onbekende stem.

'Bel dan maar even aan, dan komt m'n moeder wel, dáág!'

Gerben heeft z'n stropdas op het bed gegooid, de bovenste twee knoopjes van z'n overhemd losgemaakt, maar nu blijft hij bij het raam staan. Hij kijkt naar beneden. Bij de voordeur staat een donkergetinte jongeman, z'n vinger gaat nu naar de deurbel. Bijna direct wordt de deur geopend.

'Ja?' hoort hij Rita zeggen. 'Als je voor Monique komt, die fietst net weg.'

'Nee mevrouw, ik wilde alleen wat vragen.'

Gerben is zo gaan staan dat hij de jongen net kan zien, Rita staat buiten zijn beeld, hij hoort wel haar stem. 'Zeg het maar.'

De jongen tikt met zijn wijsvinger tegen het naambordje naast de deur, tenminste, dat veronderstelt Gerben. Hij kan alleen zien dat de jongen z'n hand omhoogbrengt, terwijl hij vraagt: 'G. Geluk... ik ben op zoek naar Guus Geluk, woont die misschien hier?'

Even blijft het stil, dan begint Rita te lachen. Gerben merkt dat hij zijn adem heeft ingehouden en die nu langzaam laat ontsnappen.

'Nee, hier woont Gerben Geluk,' zegt ze. 'Guus Geluk is volgens mij een stripfiguur, de neef van Donald Duck. Hoewel het natuurlijk niet onmogelijk is dat er ook een echte Guus Geluk bestaat. Waarom zoek je hem eigenlijk?'

'Ik moet een boodschap overbrengen van mijn moeder. Ik weet alleen dat hij in dit dorp zou moeten wonen...' De stem van de jongen klinkt wat aarzelend, maar tegelijk heel serieus.

Rita is ook ernstig geworden. 'In deze streek wonen erg veel mensen met de achternaam Geluk, maar ik ken geen enkele Guus. Ik zou het aan m'n man kunnen vragen, heb je een ogenblikje?'

Met grote stappen is Gerben bij het raam vandaan gelopen, naar de badkamer. Hij draait de kraan open en fluit weer terwijl hij zich snel verder uitkleedt.

'Gerben?'

'Riep je? Ik ga even douchen. Ga je zo naar je moeder? Doe haar de groeten.' Hij steekt zijn hoofd om de hoek.

'Nee, er is een jongen aan de deur, hij vraagt of wij ene Guus Geluk kennen. Weet jij of er iemand in jullie familie die voornaam heeft?'

'Guus Geluk woont in de Donald Duck, verder zou ik het niet weten.' Hij sluit de deur weer en kleedt zich verder uit. Even later staat hij onder de warme straal, hij merkt dat hij trilt. Heel lang blijft hij staan. Allerlei beelden schieten door zijn hoofd om steeds weer terug te komen bij dat ene: zijn neef Gijsbert en dat meisje, Maria. Maria met haar huid als van melkchocolade...

Gijs... Waar is hij gebleven, wat is er van hem geworden? Hij heeft jaren niet meer aan hem gedacht en ook niet aan Maria. Er niet meer aan willen denken. Maar nu opeens, door het verschijnen van die jongen en zijn vraag, staat alles hem weer voor ogen alsof het gisteren was.

Eindelijk draait hij de kraan dicht en droogt hij zich af. Half aange-kleed zakt hij weer neer op de rand van het bed. Honderd gedachten gaan door zijn hoofd. Opeens krijgt hij haast. Monique zal zich afvra-gen waar hij blijft.

Monique, zijn oogappeltje! Hij is trots op zijn mooie dochter met haar vrolijke lach, haar prachtige blonde krullen en haar lieve karakter. Eigenlijk is vooral zij nog de schakel tussen hem en Rita. Hij ziet er dan ook vreselijk tegenop dat ze binnenkort op kamers zal gaan wonen. Maar ze gaat studeren in Utrecht en het op-en-neerreizen zal te veel tijd gaan kosten. Ze is druk op zoek naar geschikte woonruimte. Eerlijk gezegd hoopt hij dat het nog even zal duren voor dat lukt. Dit voorjaar is ze achttien geworden en afgelopen maand heeft ze haar vwo-diploma gehaald. Soms speelt hij met de gedachte om een etage in Utrecht te kopen voor haar en haar vriendin, maar hij heeft er nog niet over gesproken. Zolang ze niets heeft, blijft ze nog even thuis wonen.

Want wat zal het stil zijn als ze weg is... Rita en hij hebben allebei hun eigen leven, zij met het huishouden, het bezoeken van haar moeder en schoonvader en het vrijwilligerswerk van de kerk. Hijzelf vooral met de zaak en soms als hij in het weekend eindelijk eens tijd overheeft, de tennisclub.

Tennisclub! Ja, hij moet opschieten, Monique wacht op hem. Snel trekt hij een gemakkelijk shirt en een linnen broek aan, sokken, schoenen, hup: naar de baan, zijn meisje aanmoedigen!

Hij trekt de deur achter zich dicht. Even aarzelt hij, dan stapt hij toch maar snel in de auto en rijdt weg. 'Meer bewegen,' heeft z'n arts pas nog gezegd. Maar hij is al zo laat, hij laat z'n fiets maar weer staan.

Tien minuten later staat hij aan de kant van de tennisbaan. Hij blijft maar aan de achterkant van Monique, dan leidt zijn aanwezigheid haar in elk geval niet af. Zijn blik valt op haar tegenspeelster: een meisje met donker kroeshaar, kortgeknipt als bij een jongen. Hè verdraaid, nu moet hij weer denken aan die jongen, net aan z'n voordeur! Hij probeert zich te concentreren op de bal die over het net zoeft. Maar hij kan zijn aandacht niet bij het spel houden. Steeds moet hij aan zijn neef Gijs denken.

Monique is snel naar de tennisbaan gefietst. Leuke jongen, denkt ze nog, dan is ze hem weer vergeten. Ze moet stevig doorfietsen, want ze wil op tijd zijn en nog even een paar balletjes slaan voor de eerste set begint.

Het is heerlijk weer, ze treffen het voor de clubkampioenschappen. Leuk, dat pappa komt kijken, meestal komt daar niks van. Hij is vaak laat thuis van de zaak, zeker sinds hij algemeen directeur is geworden na het overlijden van opa. Maar deze vrijdagavond was hij lekker op tijd en heeft hij beloofd aan het begin van de eerste set aanwezig te zijn om haar aan te moedigen. Mamma komt eigenlijk nooit kijken, ze houdt zelf al helemaal niet van tennis en vindt het vervelend tussen de soms wat lawaaierige jongeren te staan.

Monique heeft al een paar keer op haar horloge gekeken, waar blijft pap nou? Als haar eerste wedstrijd begint is hij er nog steeds niet. Waarschijnlijk weer een belangrijk telefoontje tussengekomen of zo. Nou ja, ze ziet hem zo wel.

Pas als ze na de eerste set bezweet van het veld af komt, ziet ze hem staan. Hij heeft vrijetijdskleding aan en hij staat met een lach om zijn mond met iemand naast hem te praten. Toch ziet ze aan zijn houding dat hij niet echt ontspannen is. Er ligt een frons boven zijn wenkbrauwen en zijn schouders zijn opgetrokken. O, ze kent haar vader zo goed! Wat zou er zijn? Waarschijnlijk weer irritaties tussen hem en mamma. Ze zucht en terwijl ze naar hem toe loopt denkt ze: Zo gauw mogelijk een kamer in Utrecht!

'Hoi pap, wat was je laat!'

'Ha meisje, ik sta hier al een poosje te kijken, hoor. Maar ik heb toch nog even snel gedoucht voor ik wegging en er kwam ook nog iemand aan de deur.'

'Die donkere jongen, ja, wat kwam hij vragen?'

'O, de weg of zo, je moeder heeft het afgehandeld.'

Ze kijkt hem onderzoekend aan. 'Nou, dan ben jij daar toch niet later door!'

'Wat bedoel je?'

'Als mamma dat heeft afgehandeld, die jongen... Laat ook maar. Vind je dat ik goed speel?'

'Prima, maar je moet goed opletten, dat meisje speelt heel kort over het net. Wie is zij eigenlijk? Je ziet hier in het dorp niet veel van die donkere figuren. Ik heb het er niet zo op.'

'Pap! Je discrimineert!' Verbaasd en verontwaardigd kijkt ze haar vader aan. 'Ik vind het echt erg, dat je zulke dingen zegt!' Ze zijn op een bankje gaan zitten, Monique drinkt water. Haar vader haalt zijn schouders op. 'Het spijt me,' zegt hij, 'maar dat is nou eenmaal mijn mening.'

Monique kijkt haar vader van opzij aan. 'Als ik straks in Utrecht studeer en woon, zal ik wel in contact komen met heel wat meer mensen van buitenlandse afkomst. Het lijkt mij juist een verrijking. Hier in het dorp zijn we eigenlijk geen goede afspiegeling van de Nederlandse samenleving meer. En pap...' haar stem hapert even, 'ik denk dat het ook niet zo christelijk is wat je nu zegt.'

'Poehpoeh, wat een grote woorden! Kom, volgens mij moet je de baan weer op. Denk aan wat ik gezegd heb, hè, let op de ballen kort over het net.'

Monique kan zich niet meer goed concentreren, ze is geschrokken van de woorden van haar vader. Denkt hij echt zo, is hij werkelijk zo ouderwets en kortzichtig? Het is haar nooit eerder opgevallen. Nu is het waar, in hun dorp wonen nauwelijks mensen met een andere huidskleur of nationaliteit. Dus het is waarschijnlijk nooit eerder ter sprake gekomen. Ze kijkt naar haar tegenstandster op de baan. Ze heet Myra, kortgeleden is ze met haar familie hier in het dorp komen wonen en lid geworden van de tennisclub. Myra vertelde onlangs dat ze hiervoor in Amsterdam woonden en het gezin vanuit Suriname naar Nederland is gekomen toen zij, Myra nog heel klein was.

Ze voelt de ogen van haar vader terwijl ze speelt, ze moet steeds aan zijn woorden denken. Komt het daardoor dat ze verliest? Even later schudt ze haar tegenspeelster de hand. 'Mooi gespeeld, Myra, gefeliciteerd!'

Moeder Rita is vlak na het vertrek van Monique ook op de fiets gestapt. In de verte ziet ze de jongen nog lopen, die zojuist bij haar aan de deur stond. Guus Geluk! Ze moet nog een beetje in zichzelf lachen.

Als je achternaam Geluk is, noem je je zoon toch niet Guus? Het klonk echt als een grap, wilde iemand hem voor de gek houden? Toch keek hij heel serieus bij z'n vraag. Ach, waarom ook niet. Als Guus een familienaam is, wordt hij toch gewoon doorgegeven? Niet iedereen leest trouwens de Donald Duck, dus dan zegt zo'n naam je al helemaal niks.

Een familienaam... De naam van haar familie wordt niet doorgegeven. Haar vader was de laatste Berend Voskuijl. Het bedrijf 'Voskuijl & Zn.', dat jarenlang met die naam van vader op zoon ging, heeft inmiddels al sinds jaren een andere naam gekregen: 'Voskuijl & Geluk'. Gerben opperde laatst, kort na het overlijden van zijn schoonvader, om het in te korten tot 'G. Geluk'. Maar daar heeft ze zich sterk tegen verzet. Het bedrijf van haar familie is de afgelopen dertig jaar enorm uitgebreid door haar vader, kortgeleden zijn er zelfs vestigingen in Duitsland en Zweden gekomen, zou zijn naam dan nu van de gevel en het briefpapier moeten verdwijnen? Nee, daarvoor zal ze nooit haar toestemming geven. Gelukkig dat zij, doordat er een groot aantal aandelen op haar naam staat, toch nog wat zeggenschap heeft. Zelfs al is haar man de directeur, in wezen kan hij niks doen zonder haar goedkeuring.

Rita heeft de rust van de fraaie buitenwijk achter zich gelaten en fietst nu naar het centrum van het dorp. Zeker twee tot drie keer per week gaat ze naar haar moeder, die sinds een halfjaar de ruime bungalow aan de buitenkant van het dorp verruild heeft voor een kleine vrijstaande woning midden in het dorp. Toen haar moeder met de verhuisplannen op tafel kwam en zij, Rita, bezorgd had gevraagd of haar moeder dit echt wel zeker wist, antwoordde deze: 'Kind, het is ideaal nu ik ouder word en alleen ben. Dicht bij de winkel, de kerk, de bibliotheek en de dokter. Wat wil ik nog meer? Des te langer blijf ik onafhankelijk.'

'Tja, dat is waar, maar dat hoeft toch geen reden te zijn om uit uw huis te gaan? Wij willen alles voor u doen en u brengen waar u maar wilt.'

'Jij wel, ja en Monique ook, maar je man zit niet te wachten op een schoonmoeder die steeds meer beslag op jullie tijd gaat leggen naarmate ze ouder wordt.'

'Moeder!'

'Meisje, het is toch zo. Laten we eerlijk zijn. Maar het geeft niet, ik vind het gewoon fijn om mezelf zo lang mogelijk te redden. Trouwens, zo hulpbehoevend ben ik nog niet, hoor, voorlopig kan ik alles nog zelf.'

Zo was het geregeld, het huisje was leuk en gelukkig had moeder het prima naar haar zin. Toch bleef het jammer dat het zo slecht boterde tussen haar moeder en Gerben. Maar dat is altijd al zo geweest.

Toen Gerben na de middelbare school, waar hij en Rita al bij elkaar in de klas zaten, bij haar vader op kantoor kwam werken, bleek dat hij bijzondere aandacht voor Rita had en al snel hadden ze stevige verkering. Haar moeder had haar gewaarschuwd voor hem. 'Die jongeman is vooral geïnteresseerd in de dochter van z'n baas en dan pas in de persoon Rita.'

Rita had dat belachelijk gevonden. Ze keek zelfs tegen Gerben op: een jongen uit een veel lager milieu, die toch maar het atheneum had doorlopen en nu een paar jaar wilde werken om geld te verdienen voor zijn verdere studie, dat verdiende respect. Ze was dan ook als een blok voor hem gevallen en al snel was Gerben kind aan huis bij haar en haar ouders. Soms bracht hij ook zijn neef Gijsbert mee. Gijs was behalve de neef van Gerben, ook altijd zijn beste vriend geweest. Maar dat begon al snel te veranderen. Gerben begon zich te schamen voor Gijs.

Rita glimlacht in zichzelf als ze aan die tijd terugdenkt. Gijs was net zo'n jonge hond, altijd vol gekke invallen en grappen. Haar ouders zagen hem graag komen en één keer had haar moeder voorzichtig gevraagd of zij niet beter bij Gijsbert dan bij Gerben paste. Heel boos was ze geworden en mam was er nooit meer op teruggekomen. Maar zelf heeft ze later nog erg vaak aan die woorden moeten denken. Nu ook weer, terwijl ze van haar fiets stapt. O mam, u weet niet half hoezeer u gelijk had met die woorden! Er ligt een bittere trek op haar gezicht als ze dit denkt. Maar dan dwingt ze zichzelf weer tot een

glimlach en gaat door de achterdeur naar binnen. 'Joehoe, ik ben het!'
'Ha Rita, gezellig dat je er bent. Koffie, of liever wat fris? Ik wilde juist
voor mezelf wat vruchtensap inschenken.'
'Lekker, doe voor mij ook maar. Zat u buiten?'
'Ja, het is nog zo lekker, ga maar vast zitten, ik kom eraan.' Even later
komt ze met een blad, waarop twee glazen staan met daarnaast een
koekschaaltje, het terras weer op. Ze zet het blad voorzichtig op de
tuintafel.
'Lekker, bitterkoekjes! U krijgt de groeten van Monique. Ze moest
tennissen, clubkampioenschappen of zoiets.'
'Dank je, doe haar de groeten terug. En je man, nog op kantoor?'
'Nee, hij was vroeg thuis, zes uur al. Hij is nu naar de tennisbaan, kijken bij Monique.'
Moeder Voskuijl knikt. 'Dat is leuk voor haar. Verder nog nieuws?'
'Nee, niet echt.' Dat is nou zo goed van haar moeder: nooit zal ze iets
negatiefs over Gerben zeggen, zich bemoeien met hun huwelijk, hun
gezin. Hoewel ze best weet dat het vaak niet allemaal zo soepel verloopt. Zeker toen Monique jonger was, liet zij weleens wat los over de
thuissituatie. Mopperde ze omdat haar vader nooit thuis was, dat hij
twee gezichten had: naar buiten toe de joviale, gezellige man, maar
thuis, voor zover hij al thuis was, de snel geïrriteerde, autoritaire man.
Later had ook Monique de stilzwijgende afspraak overgenomen: de
vuile was binnenhouden en zeker oma daar niet mee belasten.
'Monique lekker van haar vakantie aan het genieten? Ze heeft toch
ook een vakantiebaantje, wat was het ook alweer?' onderbreekt haar
moeder haar gedachten.
'Postbode, vanaf volgende week gaat ze drie weken post bezorgen en
daarna gaat ze met drie vriendinnen op vakantie naar Frankrijk.'
'Dus niet meer met jullie mee?'
'Ach nee, trouwens, wij gaan voorlopig helemaal niet. Gerben kan niet
weg, zegt hij. Misschien in het najaar nog een weekje of zo, we zien
wel.'
Gedachteloos pakt Rita nog een koekje van de schaal, opeens schiet ze
in de lach. 'Vlak voor ik wegging kwam er een jongen aan de deur. Hij

was op zoek naar Guus Geluk en vroeg of hij op het goede adres was.'
'Guus Geluk, dat klinkt wel bekend.'
'Ja, uit de Donald Duck! Maar niet in het echt, denk ik.'
'Hoe kwam hij dan bij jullie terecht? En was het iemand uit het dorp?'
'Nee, ik kende hem niet. Hij zal wel in het telefoonboek gezocht hebben en wij staan er natuurlijk in als G. Geluk. Maar ook Gerben kent geen Guus in zijn familie, zei hij.'
'Bedoelde hij niet gewoon Gijs Geluk?' vraagt haar moeder nuchter.
'Dat scheelt maar één letter, nou ja, twee dan.'
Verbaasd kijkt Rita haar aan. 'Nou, daar heb ik helemaal niet aan gedacht. Dat zou natuurlijk best kunnen. We hebben zó lang niks gehoord van Gijsbert dat ik hem bijna vergeten was.'
'Echt?'
Meer zegt haar moeder niet, maar Rita voelt dat ze een kleur krijgt onder haar moeders onderzoekende blik. Zo rustig mogelijk zegt ze: 'Nou ja, niet echt vergeten natuurlijk, maar we hebben zo lang niks van hem gehoord, dat ik bij de vraag naar Guus niet gelijk aan Gijs heb gedacht.'
'Het was toch een leuke knul, jammer dat hij helemaal uit beeld verdwenen is. Maar die jongen waar je het over had, was hij ook familie van Gerben?'
Rita schiet weer in de lach, 'Nou nee, het was een buitenlandse jongen, ik denk Surinaams of zo. En waarom hij Guus of wellicht Gijs zocht, weet ik ook niet. Hij moest een boodschap overbrengen van zijn moeder, zei hij...'
Even kijken moeder en dochter elkaar aan, dan zegt moeder Voskuijl: 'Gijs is toch al jaren geleden naar het buitenland vertrokken, hoe oud was die jongen ongeveer?'
'Denk je...' Meer zegt Rita niet. Met grote ogen kijkt ze haar moeder aan.
'Ik zeg niks, maar het zou toch kunnen? Gijsbert is al sinds jullie getrouwd zijn weg, wie weet waar en hoe zijn leven verder is gegaan? Ach,' valt ze zichzelf dan in de rede, 'ik praat ook maar wat, ik heb te veel fantasie. Het past me helemaal niet zulke dingen te zeggen.

Maar goed dat Gerben me niet hoort.'

Nu glimlachen ze allebei. Want Gerben, wat zijn zwakke punten ook mogen zijn, zal nooit roddelen over anderen en zeker over zijn eigen familie wil hij geen slechte dingen horen, waar of niet waar. Want was dat ook niet een van de redenen dat alle contacten met Gijsbert zijn verbroken? Gijs, die weleens een beetje een losbol was, wat gemakkelijk van vriendinnetje wisselde in het verleden en ook al niet wilde studeren, maar zich meer thuis voelde bij de hippies in Amsterdam in zijn jonge jaren?

Wat er echt mis is gegaan tussen die twee bevriende neven, weet ook Rita niet, maar waarschijnlijk heeft het met deze dingen te maken. Toch zijn ze tot hun twintigste ook goed bevriend geweest, of was het alleen de familieband?

Rita gaat staan. 'Ik ga zo weer eens op huis aan, ma, kan ik nog iets voor u doen?'

'Nee kind, fijn dat je er was. En Rita, als je wat minder vaak wilt komen is dat ook goed, hoor, voel je niet verplicht zo vaak hier naartoe te komen.'

Rita kust haar moeder op de wang. 'Ik kom veel te graag! En wacht maar, als straks Monique in Utrecht zit, kom ik misschien nog wel vaker, anders vereenzaam ik helemaal.' Het moet een grapje zijn, maar er klinkt een ondertoon van ernst in.

Diep in gedachten rijdt Rita naar huis. Stel dat het waar is wat haar moeder insinueerde. Dat die jongen een zoon van Gijsbert zou zijn. Ach nee, dat zal wel niet. Hij vroeg tenslotte duidelijk naar Guus en dat is heel wat anders dan Gijs. En Gijs is trouwens ook niet naar Suriname gegaan, dat weet ze wel. In het begin hoorden ze nog weleens wat over hem via de vader van Gerben, Gijs zat toen in Canada. Nu komen haar gedachten weer bij Gerben. Gerben, de streber. O ja, de harde werker, dat zeker ook. De perfectionist, voor zichzelf maar ook voor anderen. In zijn gezin of omgeving moet alles en iedereen perfect zijn, op het abnormale af.

Vaak had ze gewild dat hij ook iets van z'n neef had. Van diens warmte en hartelijkheid, aandacht en humor. Maar geen van die eigenschappen heeft haar man. En als hij er misschien een klein beetje van heeft, dan merkt alleen Monique dat af en toe, maar zij, Rita, zeker niet. En onwillekeurig komen opeens die al zo lang geleden gesproken woorden van haar moeder weer in haar hoofd: 'Hij is allereerst verliefd op de dochter van de baas en dan pas op de persoon Rita'. Ze schaamde zich eigenlijk voor de gedachte, maar ze heeft in het verleden ook weleens gedacht dat hij ouderling in de kerk werd omdat hij daardoor in aanzien kwam bij de gemeente, en daarna pas uit liefde tot God. Hij kan zo goed het woord voeren op gemeenteavonden en dergelijke bijeenkomsten, zo goed een vergadering leiden, maar nooit hoort ze hem spreken over Gods liefde en de blijdschap van het geloof. Nu heeft hij zelfs daar geen tijd meer voor. Hij kon op bijeenkomsten prachtige gebeden uitspreken, in mooi gekozen zinnen en woorden, maar nog nooit heeft hij samen met haar thuis gebeden in moeilijke situaties en verdriet.

Ze weet dat ze eigenlijk niet zo mag denken over hem, zo oordelen. Maar ze is vaak zo alleen, ook al is hij thuis. De verwijdering tussen hen is begonnen toen Monique een paar jaar was. Hoewel hij vanaf het begin dol was op zijn dochtertje, bleef hij uitzien naar een zoon. De zoon die het familiebedrijf zou moeten overnemen. Maar die zoon is nooit gekomen. Toen Rita maar niet meer zwanger werd en ze ten slotte voor onderzoeken bij de gynaecoloog terechtkwam, kregen ze te horen dat het eigenlijk een wonder was dat ze ooit zwanger was geworden en de kans dus heel klein was dat er nog een kindje zou komen.

Rita had het erg gevonden, ze wilde zo graag een gezin met zeker twee of drie kinderen. Gerben had het vréselijk gevonden, hij wilde een zoon! En hoewel hij het niet hardop uitsprak, liet hij regelmatig doorschemeren dat hij het haar verweet dat er niet meer kinderen kwamen. In het begin had ze niet gereageerd, maar ten slotte had ze een keer tegen hem geschreeuwd dat ze God niet was. Daar was hij van geschrokken en daarna heeft hij er nooit meer toespelingen op gemaakt. Maar ze was het stille verwijt blijven voelen. Alsof zij er wat aan kon doen. Ze was al verdrietig genoeg. Maar tegelijk ook heel gelukkig met haar dochtertje, beseffend dat het dus een wonder was dat ze haar hadden gekregen. Zijzelf was ook steeds meer een muur om zich heen gaan bouwen, een sterke muur van zelfbeheersing, bang om gekwetst te worden.

Gerben was zich steeds meer op het bedrijf gaan richten, tot plezier van zijn schoonvader, die in hem de zoon vond die ook hij nooit gekregen had.

Toen Gerben, nadat hij zijn middelbare school afgerond en bijna anderhalf jaar in het bedrijf gewerkt had, een oproep voor militaire dienst kreeg, had vader Voskuijl hen samen bij zich geroepen. 'Ik heb een voorstel voor jullie, luister goed en denk er dan rustig over na.' Hij had even gepauzeerd en ging toen verder: 'Gerben gaat binnenkort in dienst, doe dat maar gewoon, dat is goed voor een jonge kerel.'

'Ik zal wel moeten...' kwam Gerben ertussendoor.

Vader Voskuijl hief zijn hand op. 'Laat me uitpraten, jongen. Als je gaat studeren, kun je uitstel krijgen. Maar ik vind het een prima idee als je eerst in dienst gaat. Zoals ik al zei, daar word je een echte kerel van en je hebt het maar alvast gehad. Als je over zo'n pakweg ander-half jaar uit dienst komt en jullie verkering is nog steeds aan, kunnen jullie trouwen. Ik koop een huis voor jullie, jij gaat economie stude-ren. Uiteraard betaal ik ook je studie, maar ik verwacht van je dat je al tijdens je studie gaat meedenken in ons bedrijf. Als alles goed gaat en je rondt je studie op tijd af, kun je zo in het bedrijf stappen. En dan niet zoals nu als administratief medewerker, nee, dan kom je naast mij te werken en wellicht wordt het nog wat later niet langer míjn bedrijf, maar óns bedrijf. En hopelijk krijgen jullie nog eens een zoon, die het familiebedrijf op zijn beurt kan voortzetten.'

Rita weet nog dat Gerben en zij beiden een tijdje sprakeloos waren en toen Gerben even later opstond en wat wilde zeggen, legde haar vader hem opnieuw met een handgebaar het zwijgen op. 'Zoals ik al zei: zet alles op een rijtje en denk erover na.'

Alsof er wat te denken viel... Het was voor Gerben de kans van zijn leven. En zijzelf was ook door het dolle heen, die lieve, goede paps! Alles had hij voor haar en Gerben over.

Pas jaren later was langzaam het besef gekomen dat haar vader vooral zichzelf een plezier had gedaan: voortzetting van het familiebedrijf. En zijn dochter? Ze was verkocht! Zij was de prijs die Gerben moest betalen voor zijn studie, zijn huis en opname in de directie. Natuurlijk, ze hielden van elkaar, maar stel dat tijdens hun verkeringstijd die liefde toch niet zo groot zou blijken te zijn als eerst gedacht? Zou Gerben dan ooit een eind aan hun relatie maken en zoveel voor zichzelf weggooien? Hij, de eerzuchtige jongen, die zo heel graag hogerop wilde?

Het was gegaan zoals besproken. In het vroege voorjaar van 1970 was Gerben in dienst gegaan en nadat hij aan het eind van de zomer van 1971 was afgezwaaid, was hij direct in september met zijn studie begonnen. In mei 1972 was de nieuwe woning klaar en werd de bruiloft gevierd.

Rita zucht als ze haar fiets in de garage zet en de achterdeur van hun fraaie villa opent. Nee, geld maakt niet gelukkig, daar is ze wel achter.

2

Het is koopavond in het dorp. Monique heeft een paar boodschappen gedaan bij de drogist, zonnebrandolie en een nieuwe deodorant. Morgen gaat ze op vakantie naar Frankrijk, ze heeft er echt zin in. Ze gaan met vier meiden: Marieke, Wendy en Barbara, de twee jaar oudere zus van Wendy. Barbara heeft al ruim een jaar haar rijbewijs en de ouders van de zussen vonden het goed dat ze de auto van hun moeder meenemen.

Vader Gerben heeft wel even bedenkelijk gekeken toen hij van de plannen hoorde, maar mamma is voor haar opgekomen door te zeggen dat Barbara echt een serieus en rustig meisje is en dus heus wel voorzichtig zal rijden.

Weet je wat, ze gaat nog even bij oma langs. Ze loopt achterom, maar terwijl ze naar binnen kijkt ziet ze al dat het er erg stil uitziet. Zou oma in de tuin zijn? Nee, ook daar is alles verlaten. Ze voelt nog aan de achterdeur: op slot. Oma is niet thuis. Dan maar terug naar de fiets en naar huis. Ze is net de hoek om gereden als ze letterlijk tegen iemand opbotst, die juist over wil steken.

'Oeps! Hé Myra, ben jij het, heb je je bezeerd?'

'Monique! Nee hoor, sorry, het was ook mijn eigen schuld. Ik loop zomaar van de stoep af. Nog een geluk dat je met de fiets bent en niet met de auto, dan was ik plat geweest.'

Monique schiet in de lach. 'Steek er de gek maar mee. Maar hoe is het met je? Ik heb je de laatste weken niet op de tennisbaan gezien.'

'Ik ben ziek geweest, flinke griep. Maar nu gaat het weer goed. Behalve dan nu een paar blauwe plekken!' Ze wrijft over haar been, maar ze lacht erbij. 'Binnenkort zie je me wel weer. Met jou alles goed?'

'Ja prima, maar ik ben vanaf morgen op vakantie, dus je ziet me voorlopig niet op de baan. Ga jij nog weg?'

'Nee, ik denk het niet. Ik heb een vakantiebaantje, ik wil voorlopig een heleboel geld verdienen en dan misschien met Kerst naar Suriname naar mijn oma en opa.'

'Mijn oma woont hier vlakbij, dat is dus heel wat simpeler,' denkt Monique hardop. 'Jij zult de jouwe niet zo vaak zien.'

'Nee, het is vier jaar geleden dat we in Suriname waren. Maar wat staan we hier, heb je soms zin om met me mee naar huis te gaan, even wat drinken?'

'Ja, prima. Waar woon je precies?'

'Hier!' Ze zijn overgestoken en Myra haalt de sleutel uit haar zak. 'Je hebt me zo ongeveer voor mijn eigen huisdeur omvergereden.'

Monique zet haar fiets tegen het huis en wil al achter Myra naar binnen lopen. Maar die draait zich om en zegt: 'Staat je fiets op slot? Het stikt hier in huis van de Surinamers en die kun je niet vertrouwen.'

Monique blijft stokstijf staan en kijkt Myra met open mond aan. Die begint te lachen, maar het is geen vrolijke lach. 'O, ik weet het heus wel, hoor. In Amsterdam kregen we dat af en toe te horen, maar hier is het nog honderd keer zo erg. Weet je dat wij de enige niet-blanken hier in het dorp zijn? En heb je enig idee hoe er door sommige mensen naar ons gekeken en op ons gereageerd wordt?'

'Kom op, Myra, het is 1992! Ik denk dat je overdrijft!' Terwijl Monique dit zegt flitsen de woorden van haar vader door haar hoofd, onlangs op de tennisbaan toen hij Myra voor de eerste keer zag. 'Mensen zullen weleens kijken, gewoon omdat ze het hier niet gewend zijn. Maar ik geloof niet dat ze op jullie neerkijken. En in Amsterdam? Daar wonen toch tientallen soorten culturen en huidskleuren door elkaar?'

'Zeker, maar ook daar hadden vaak de Surinamers in de wijk waar wij woonden de naam van onbetrouwbaar, lui en weet ik wat nog meer te zijn. Weet je, ik was zo blij dat we daar weggingen, ik dacht echt dat het in een dorp anders zou zijn. Maar dat was een beetje naïef, daar ben ik wel achter.'

Monique heeft inmiddels haar fiets op slot gezet en loopt nu achter Myra aan naar binnen. 'Er worden hier echt wel fietsen gestolen, hoor, denk maar niet dat die Nederlanders zo braaf zijn.' Het klinkt een beetje zwak, ze hoort het zelf.

Myra reageert niet, maar gaat haar voor de woonkamer in. Op de bank zit Myra's moeder, dat zie je meteen, Myra lijkt sprekend op haar. Ze staat op als Monique binnenkomt en geeft haar glimlachend een hand. 'Ik ben Lidia, de moeder van Myra. Wat leuk, dat Myra een vriendin meebrengt. Willen jullie wat drinken?'

'Zo meteen, we gaan eerst even naar mijn kamer, kom je?'

Monique knikt. Ze lopen alweer de kamer uit, de trap op, waar harde muziek hen tegemoetkomt. Bovengekomen geeft Myra een harde klap tegen een deur. 'Zachter, Jeffrey, Lise slaapt!' Dan opent ze een andere deur, laat Monique binnen en sluit de deur weer achter zich. Ze laat zich op het bed vallen en klopt met haar hand op de plaats naast zich. 'Ga zitten! Dit is dus onze familie: mamma, die altijd wil praten, Jeffrey die te veel lawaai maakt en Lise die al slaapt.'

Monique weet even niet wat ze moet antwoorden, dan trekt ze alleen maar even haar wenkbrauwen op en vraagt: 'Slaapt, in die herrie?'

Nu is het Myra die even stilvalt, dan begint ze te lachen. 'Hè, dat is nou eens een leuke reactie! Als ik ooit iemand mee naar huis neem, vragen ze standaard: 'O, en waar is je vader?' Maar jij vraagt je alleen af hoe Lise kan slapen in die herrie. Waarschijnlijk omdat ze eraan gewend is.'

Dan wordt ze ernstig en gaat verder: 'Jeffrey is veertien en vreselijk aan het puberen, mamma kan hem niet aan, hij gaat gewoon zijn eigen gang. En Lise is acht, zij is een schatje. En onze vaders? Ja, je hoort het goed: vaders, we hebben namelijk met z'n drieën twee vaders. De ene is dood en de andere ervandoor. De vader van Jef en mij is gewoon vertrokken toen mamma zwanger was van Jef, we woonden toen nog in Suriname. Kort na de geboorte van Jeffrey zijn we naar familie in Nederland gegaan. Daar heeft mijn moeder Ben leren kennen, hij is de vader van Lise. Drie jaar geleden is hij verongelukt. Dus we zijn een aardig bij elkaar geraapt zootje! Ziezo, dat weet je, nog steeds zin om gezellig beneden wat te drinken en de familie beter te leren kennen?'

'Ja, natuurlijk, waarom niet?'

Even kijkt Myra haar onderzoekend aan, dan springt ze op van het bed. 'Nou, kom op, dan gaan we theedrinken bij mamma.' Achter elkaar lopen ze de trap af. Vanachter de deur van Jeffreys slaapkamer klinkt nog steeds muziek, maar toch wat zachter dan eerst.

Als ze de huiskamer weer binnenkomt, ziet Monique dat Myra's moeder niet langer alleen is. Op de bank zit een jongen.

'Hoi Sander,' hoort ze Myra verrast zeggen. 'Wat leuk!' Ze keert zich om naar Monique.

'Monique, dit is mijn neef Sander. Hij is sinds een paar jaar ook vanuit Suriname hier in Nederland komen wonen, hij gaat...'

'Ja, zo is het wel genoeg, hoor. De rest vertel ik zelf wel.' De jongen is gaan staan en steekt z'n hand uit naar Monique. 'Nou, je hoort het, hè, ik ben dus Sander. Maar ik ken jou ergens van! Woon je in Amsterdam?'

Monique heeft de uitgestoken hand gepakt. 'Monique Geluk,' zegt ze. 'Nee, ik woon hier in het dorp, maar ik weet al waar we elkaar gezien hebben, jij was...'

'... bij jullie aan de deur,' vult Sander aan.

'Zocht je je familie hier?' vraagt Monique met een armgebaar naar Myra en haar moeder.

'Eh, ja, ik wist het niet precies meer.'

'Nou, dan was je een eind uit de richting. Ik woon helemaal aan de buitenkant van het dorp. Het is een week of drie geleden, je kwam zeker voor de eerste keer?'

Sander geeft geen duidelijk antwoord, hij mompelt maar wat.

'Je was toch al een keer eerder geweest, toen met de verhuizing?' zegt Lidia. Monique ziet dat Myra en haar moeder wat verbaasd naar hen kijken en Sander lijkt zich ongemakkelijk te voelen. Een beetje vreemde familie is het wel...

'Oké,' zegt ze, 'eigenlijk moet ik gaan. M'n moeder denkt dat ik alleen even naar de drogist ben en inmiddels is het al bijna tien uur. Ze is heus niet zo gauw ongerust, maar toch... Die thee houd ik graag te goed, mag dat? En dan wil ik ook graag kennismaken met Jeffrey en Lise.' Ze knikt naar Myra's moeder, steekt haar hand op naar Sander en loopt dan naar de gang. Myra gaat met haar mee naar de voordeur.

'Je fiets staat er nog, valt mee.'

Monique draait zich om naar Myra. 'Doe niet zo cynisch, dat is heus niet nodig. Er wonen echt genoeg aardige mensen in dit dorp.'

'Je hebt gelijk, fijne vakantie en tot ziens.'

Vóór Monique nog wat kan zeggen, is de voordeur al dichtgevallen. Ze stapt op en rijdt naar huis, ze heeft genoeg om over te denken onderweg. Wordt de familie echt gediscrimineerd hier in hun dorp, of verbeeldt Myra zich dat maar? En die Sander, waarom deed die zo schichtig? Dan is ze thuis en ze vergeet de hele familie Doelwijt.

Pas als ze 's avonds naar bed gaat en haar ouders welterusten wenst, schiet de ontmoeting met Sander haar weer te binnen.

'Weten jullie wie ik vanavond tegenkwam? Die jongen die hier pas aan de deur stond, je weet wel, die Surinaamse jongen.'

'O,' reageert Rita verrast, 'heb je hem gesproken en heeft hij degene gevonden naar wie hij op zoek was?'

'Ja hoor, maar hij deed wel een beetje vreemd, alsof het een schande is als je op zoek bent naar je familie.'

Rita haalt haar schouders op. 'Nou ja,' zegt ze, 'het belangrijkst is dat hij hem gevonden heeft.' Ze pakt de lege glazen van tafel en loopt naar de keuken.

Gerben is blijven staan. 'Wie zocht hij?' vraagt hij aan Monique.

'Z'n tante en nichtjes en neefje, daar was hij vanavond op bezoek. Bij Myra, je weet wel, dat meisje van de tennisbaan.' Monique hoort haar moeder in de keuken de vaatwasser inruimen. Ze kijkt een beetje verbaasd naar haar vader die met gekruiste armen voor haar staat en haar bijna dreigend aankijkt. 'Wat doe je raar, pap! Je vertelde me toen toch zelf dat hij de weg kwam vragen en nu doe je of je helemaal niet weet wat hij kwam doen. Of ben je boos dat ik vanavond even bij Myra was? Die vooroordelen moet je echt eens opzijzetten, hoor, het is een heel normaal gezin.' Over de twee ontbrekende vaders praat ze maar niet, anders heeft pappa daar ongetwijfeld gelijk weer commentaar op. 'Nou, welterusten pap.' Ze kust hem op z'n wang. 'En niet zo boos kijken, hoor, dan krijg je rimpels!'

Maar hij lacht niet om haar grapje. 'Eén ding, Monique,' zegt hij, 'ik wil absoluut niet dat je contact hebt met dat gezin of die jongen, heb je me begrepen?'

Verbaasd kijkt ze hem aan. 'Sorry, pap, ik ben geen acht jaar meer, als je een erg goede reden hebt voor dit verbod hoor ik het graag. Anders kan ik het je niet beloven, tenminste wat Myra en de rest van het gezin betreft. Die Sander zal ik zo gauw niet meer zien.' Dan gaat ze de kamer uit, zegt haar moeder welterusten en loopt langzaam de trap op.

In bed ligt ze nog een poos na te denken over haar vaders woorden en over de reactie van Sander toen ze over hun vorige ontmoeting begon. Ach, het is zoals haar moeder zei: het is het belangrijkst dat hij z'n familie gevonden heeft. Nee, dat zei mamma niet, ze zei: dat hij hèm gevonden heeft. Er klopt iets niet, maar wat? Nou ja, lekker belangrijk! Pappa is gewoon overbezorgd voor haar en ja, hij discrimineert, daar kan ze niet omheen. En weer bedenkt ze dat het goed is dat ze binnenkort naar Utrecht gaat, want steeds vaker verschilt ze met haar vader van mening over echt wezenlijke dingen. En ze wil geen ruzie met hem, daarom zal het beter zijn als ze binnenkort alleen de weekenden thuiskomt. Ze weet dat haar ouders hopen dat ze voorlopig nog even thuis blijft wonen en op en neer gaat reizen, maar zelf ziet ze dat helemaal niet zitten. Ten eerste gaat er ontzettend veel tijd in het reizen zitten en eigenlijk wil ze ook gewoon erg graag het huis uit. Maar het valt niet mee om in Utrecht zo snel een kamer te vinden. Toch is er goede hoop dat het gaat lukken: Wendy's zus Barbara, die sinds anderhalf jaar in Utrecht woont, heeft gehoord dat er waarschijnlijk zelfs twee kamers leeg komen in het grote studentenhuis waar ze zelf woont, en met een beetje geluk kunnen Wendy en Monique daar een plekje krijgen. Het is nu vakantietijd, maar direct na de zomer kunnen ze beiden op zicht komen, 'hospiteren' noemen ze dat, en zal door de rest van de bewoners besloten worden of ze wel of niet in aanmerking komen. Ze zijn natuurlijk niet de enige belangstellenden, maar Wendy heeft verteld dat Barbara's mening wel van flinke invloed is bij de andere studenten. Nou ja, ze ziet wel, eerst de vakantie! Dan valt Monique in slaap.

Moeder Rita is ook naar boven gegaan, zoals meestal alleen. Gerben is dikwijls of nog niet thuis, of hij zit nog in zijn studeerkamer. Vanavond was hij redelijk op tijd thuis, hij zat in de krant te bladeren toen Monique thuiskwam.

'Kom je ook zo?' vraagt Rita voor ze naar boven gaat.

'Ja, ik kom...'

Maar als ze van de badkamer naar de slaapkamer loopt, hoort ze het plopgeluid van een wijnfles die wordt opengetrokken. 'Dus niet...' mompelt ze. Dan gaat ze maar, zoals eigenlijk altijd, alleen naar bed.

Gerben is achtergebleven in de kamer. Hij heeft zich een flink glas wijn ingeschonken en leunt achterover in z'n stoel. Duizend gedachten en onwelkome herinneringen dwarrelen de laatste weken door zijn hoofd. Gijs, steeds weer Gijs, Gijs en Maria.

Die namen passen niet meer in zijn leven van nu. Hij, de gerespecteerde directeur van een mooi bedrijf, vader van een vooraanstaand gezin hier in het dorp. Vanaf het moment dat hij Rita ontmoette, kennismaakte met de familie Voskuijl, wist hij dat hij zijn eigen eenvoudige achtergrond zo snel mogelijk wilde vergeten en deel wilde uitmaken van die stijlvolle, welgestelde familie.

Veel eigen familie had hij niet, hij was enig kind van oude ouders. Zijn vader en moeder hadden elkaar ontmoet toen zijn vader al tegen de vijftig liep en zijn moeder bijna veertig was. In hun huwelijk hadden ze nauwelijks meer gerekend op kinderen, maar toch was Gerben nog geboren. Zijn moeder was toen drieënveertig. Hij, Gerben was nog niet eens van de lagere school af, toen zijn moeder een hersenbloeding kreeg en stierf. Hij bleef alleen met zijn vader achter. Vandaar waarschijnlijk dat hij zo vaak in het gezin van zijn oom en tante en neef Gijsbert was. De vader van Gijs was de jongere broer van Gerbens vader en ook zij hadden maar één zoon: Gijs. De jongens waren bijna broers, tot ze volwassen werden. Al in de puberteitsjaren bleek dat ze wel erg verschillend waren. Gerben was eerzuchtig, hij wilde leren en studeren en zijn vader was trots op hem. De kansen die hijzelf niet had gehad moest zijn jongen wel krijgen. Gerben ging naar de HBS en wilde daarna naar de universiteit. Hij besloot om eerst een jaar te gaan werken om geld te verdienen om zo zijn studie te bekostigen. Hij zocht en vond die baan bij de firma Voskuijl in het naburige dorp en vandaar uit liep zijn toekomst heel anders dan hij ooit had kunnen dromen.

Gijs hield niet van leren. Hij deed zes jaar over de vierjarige ULO en had toen nog geen diploma. Hij begreep ook Gerben niet, die zo fanatiek doorging. Toch bleven ze nog steeds vrienden in die tijd. Gijs ging in Amsterdam wonen, hij studeerde niet, maar woonde in een kraakpand en nam allerlei tijdelijke baantjes aan om in zijn levensonderhoud te voorzien. Toen hij negentien was, moest hij in dienst. Hij was gekeurd en aangenomen bij het korps mariniers, na een korte opleiding in Doorn ging hij naar Aruba. Prachtig vond Gijs dat, hij wilde graag wat van de wereld zien, dus dit was een schitterende kans.

Inmiddels was ook hijzelf, Gerben, ingedeeld bij de mariniers, maar in tegenstelling tot zijn neef hoopte hij dat hij gewoon in Nederland zijn tijd kon uitdienen en niet ergens in het buitenland geplaatst zou worden. Hij wilde in de buurt van Rita blijven, af en toe een weekend wachtlopen was al erg genoeg, vond hij.

Gerben wrijft over zijn voorhoofd en schenkt zijn wijnglas nog eens vol. Hij wíl helemaal niet aan die tijd terugdenken! Het komt allemaal door die jongen die een paar weken geleden aan zijn deur stond. En dat meisje Myra, dat gezin waaruit ze komt. Waren ze maar nooit hier in het dorp komen wonen, dan had Monique ook die jongen niet ontmoet en was het gebleven bij die ene vluchtige ontmoeting bij hun voordeur.

Had Gijs maar nooit... Ho stop! Hij wil niet verder denken, het is voorbij! Hij heeft zijn dochter zojuist duidelijk gemaakt dat hij niks meer wil merken van enig contact tussen haar en die Surinamers. En hij is nog altijd de baas in huis. Misschien is het toch niet zo'n gek idee om voor huisvesting in Utrecht te zorgen voor Monique en Wendy. Ze is toe aan nieuwe, andere contacten dan deze.

Lang zit hij nog in de kamer stil voor zich uit te staren. Dan pakt hij het lege glas op en brengt het naar de keuken. Hij doet de lichten uit en loopt langzaam de trap op.

3

MARIEKE EN MONIQUE ZITTEN ACHTERIN, WENDY NAAST BARBARA. Barbara toetert als ze wegrijden en nagezwaaid door vader Gerben en moeder Rita rijden ze de nog stille laan uit.

Gerben draait zich als eerste om en loopt naar binnen. Halfzes, de moeite niet meer om nog terug naar bed te gaan, hij gaat gelijk maar douchen en aankleden, dan kan hij lekker vroeg naar kantoor, werk genoeg.

Rita kijkt tot het rode autootje helemaal uit het zicht verdwenen is. Ze zucht zachtjes en gaat ook naar binnen. Ze rilt even, het is nog fris zo 's morgens vroeg. 'Ga jij nog terug naar bed?' vraagt ze aan Gerben, die voor haar uit de slaapkamer in loopt.

'Nee, ik ga douchen en aankleden, ik kan toch niet meer slapen. Dan kan ik misschien vanavond op tijd thuis zijn en kunnen we samen eten, goed?'

Rita is verrast door zijn opmerking. 'Dat zou gezellig zijn! Het zal stil in huis zijn zonder Monique.'

'Tja, ons voorland, binnenkort zit ze in Utrecht.' Hij pakt een schoon overhemd uit de kast en met zijn rug naar haar toe gaat hij verder: 'Misschien moet ik toch maar kijken of ik niet wat kan kopen of huren voor die meiden daar in Utrecht. Dat heen-en-weerreizen wordt ook niks.' Zonder antwoord af te wachten gaat hij de aangrenzende badkamer in en doet de deur achter zich dicht.

Rita trekt het dekbed over zich heen, ze gaat op haar rug liggen, de handen onder het hoofd.

Nou, de wonderen zijn de wereld nog niet uit, denkt ze. Gerben heeft zich steeds verzet tegen het idee van Monique om zo snel mogelijk woonruimte te zoeken in Utrecht en nu komt hij zelf met dit voorstel. Toch wel lief van hem, ach, ze oordeelt vaak ook te hard over hem. Hij is dikwijls niet gemakkelijk in de omgang, maar ze weet dat het allemaal voortkomt uit het minderwaardigheidscomplex dat hij eigenlijk nog steeds met zich meedraagt. Nog altijd heeft hij, wellicht onbewust, het idee dat hij zich moet bewijzen, zich waarmaken in het milieu waarin hij door zijn huwelijk terecht is gekomen. Tel daarbij op zijn soms overdreven gevoel van fatsoen en zijn wat autoritaire aard, dan komt het vanzelf tot botsingen af en toe. Meestal houdt ze haar mond, laat ze hem maar praten en gaat ondertussen rustig haar eigen gang. Het gevolg daarvan is wel, dat ze elk hun eigen leven leiden en dat doet haar vaak verdriet.

Maar vanavond eten ze samen, ze zal iets klaarmaken wat Gerben lekker vindt. Haar ogen zakken weer dicht, ze hoort nog vaag hoe Gerben uit de badkamer komt en zich aankleedt.

'Verdraaid, Rita, er is een knoop van mijn overhemd af!'

Ze is gelijk weer wakker. 'Dan pak je een ander, er hangt nog zo'n crème overhemd in je kast, ik heb het blijkbaar niet gezien bij het strijken.'

'Let daar dan op, zoveel heb je verder niet te doen, dacht ik.'

Au! Ze geeft geen antwoord, het ene woord zal het andere weer uitlokken, het heeft geen zin. De minste kunnen zijn, dat is een grotere kunst dan je gelijk te halen, heeft haar moeder haar vroeger al geleerd. En dat heeft de praktijk van haar huwelijk zeker wel bewezen.

'Tot vanavond,' zegt ze als hij de slaapkamerdeur al bijna achter zich dicht heeft getrokken.

Hij mompelt een groet terug.

Even later heeft hij de auto uit de garage gereden en nu rijdt hij door de stilte van de vroege ochtend. Hè, dit was nou een morgen geweest om met de fiets te gaan, het is zulk heerlijk weer. En het is nauwelijks drie kilometer van huis naar de zaak. Maar het idee, de directeur op de fiets... nee, dat gaat niet in zijn ogen. Hij rijdt langzaam, het raampje naar beneden gedraaid. Er is nauwelijks verkeer in de toch al rustige wijk, alleen een krantenjongen op een fiets. Kwart over zes, tja, zo'n joch moet elke ochtend vroeg op. Lang geleden was hijzelf ook zo'n krantenjongen. Geld verdienen, altijd had hij geld nodig. Hij wilde erbij horen op de middelbare school en voor al die extra's kon hij bij z'n vader niet aankloppen. Z'n vader... Sinds vier jaar woont zijn vader in een verpleeghuis. Hij is vierennegentig jaar, maar de laatste jaren is hij totaal dement geworden. Hij herkent zijn enige zoon niet eens meer, maar het gekke is, dat hij Rita wel herkent als ze komt. Vreemd, want Rita is toch veel later zijn leven binnengekomen dan zijn eigen zoon.

Rita... Gerben stuurt de auto zijn gereserveerde parkeerplaats op. Waarom deed hij nou net weer zo chagrijnig tegen haar? Om zo'n stom knoopje, ging het echt om dat knoopje? En zijn opmerking dat ze verder toch niet veel te doen heeft, slaat ook nergens op. Ze heeft geen hulp in het grote huis, ze houdt alles zelf schoon en daarnaast is ze altijd op pad om andere mensen te helpen.

Hij blijft nog even in de auto zitten op de lege parkeerplaats. Waarom irriteert ze hem toch zo vaak? Ze is lief, ziet er nog geweldig uit voor haar tweeënveertig jaar, menig jongere vrouw zou jaloers zijn op haar figuur en haar gratie. Ja, dat is het: haar natuurlijke charme en gratie die verraden dat ze uit een gegoede familie komt. Iets dat hij nooit zal kunnen aanleren of krijgen. En diep in zijn hart weet hij, dat juist dat hem altijd al dwarszit en hem vaak onredelijk maakt tegenover haar. Hij is jaloers, hij voelt zich altijd de mindere, ook al is hij de directeur van het grote familiebedrijf en zij 'alleen maar' zijn echtgenote.

Ach, wat een diepzinnige gedachten op de vroege morgen, weg ermee! Hij zorgt toch maar dat dat bedrijf van haar vader en voorvaderen het zo goed doet vandaag de dag. Zonder hem zou zij nergens zijn! Hij stapt uit en met een klap gooit hij het portier achter zich dicht. Hij gaat aan het werk.

Voordat hij om halfzes naar huis rijdt, gaat hij eerst langs de bloemenwinkel in het dorp. Met een mooi gemengd boeket stapt hij even later weer in en rijdt naar huis.

Rita staat in de keuken als hij binnenkomt. Verrast kijkt ze op als ze de deur hoort. 'Jij bent lekker vroeg, ik wilde juist aan het eten beginnen, was je al klaar?' Als ze de bloemen in zijn hand ziet, kijkt ze nog verbaasder.

Hij steekt ze haar toe: 'Alsjeblieft, een bloemetje. Ja, ik kon op tijd weg, ik dacht: we kunnen wel een hapje buiten de deur eten samen.'

Dat laatste bedenkt hij ter plekke, maar het is lang geleden dat ze samen uit eten zijn geweest. Wel waren er zakelijke dinertjes met relaties, maar zo samen zijn ze lang niet in een restaurant geweest. Rita heeft de bloemen aangepakt en zegt: 'Leuk, dan trek ik even wat anders aan. Heb je al ergens gereserveerd?'

'Nee, ik ga eerst douchen en me omkleden, dan bel ik wel naar het een of andere restaurant. Het is vakantietijd, dus zo druk zal het nergens zijn, er is vast nog wel een tafel te krijgen, al is het vrijdag.'

Rita hoort hem de trap op gaan, ze pakt een vaas en schikt de bloemen in het water. Zachtjes schudt ze het hoofd. Bloemen, uit eten, ze weet gewoon niet wat ze ervan moet denken. Ach, ze moet er gewoon van genieten!

Als ze om halfacht aan tafel zitten en de ober hun een glas rode wijn heeft ingeschonken, ze hun bestelling hebben gedaan en er wat stokbrood met kruidenboter op tafel is neergezet, schraapt Gerben zijn keel. 'Om nog even terug te komen op ons gesprek van vanochtend, ik denk dat ik deze week maar eens ga kijken bij een paar makelaars in Utrecht, om te zien of er op korte termijn wat te koop is. Dat op-en-neerreizen is toch eigenlijk niks. Als ik iets kan kopen, dan kunnen Monique en Wendy en misschien nog wel een meisje – die laatste twee natuurlijk voor een redelijke huurprijs – daar gaan wonen. Wat denk jij daarvan?'

Rita kijkt hem even zwijgend aan, dan zegt ze: 'Natuurlijk is het fijn voor Monique als ze daar een eigen plek heeft en niet elke dag zo lang onderweg zal zijn. Er is alleen één ding wat ik niet begrijp... Eerst was je faliekant tegen het vertrek van Monique en nu lijkt het of je niet kunt wachten om huisvesting voor haar te zoeken. Waarom is dat opeens?'

'Weer niet goed!' Geïrriteerd kijkt hij haar aan. 'Eerst zitten Monique en jij erover te zeuren dat ze toch op den duur wel in Utrecht wil gaan wonen, en nu regel ik iets en is het niet goed. Wat wil je dan?' Hij trommelt met zijn vingers op tafel.

'Precies wat je zegt: op den duur, in de loop van dit aanstaande studiejaar, het hoeft niet per se per 1 september. Maar daar gaat het niet om, ik vraag me gewoon af waarom jij opeens van gedachten bent veranderd, dat is toch niet zo'n rare vraag?' Haar stem klinkt rustig. Hè, dat irriteert hem nu weer zo aan haar, altijd blijft ze rustig, nooit praat ze met stemverheffing en daarom voelt hij zich altijd de mindere van haar.

'Dan niet!' Met nijdige bewegingen begint hij een stukje brood te smeren en stopt het in zijn mond, zonder Rita ook iets aan te bieden.

Tot het voorgerecht wordt geserveerd zwijgen ze. Als de ober de carpaccio heeft neergezet en hun 'smakelijk eten' heeft gewenst, zegt Rita zacht: 'Zullen we even beginnen?'
Na een kort gebed kijkt ze naar Gerben, hij heeft de ogen nog gesloten, er ligt een boze trek op zijn gezicht. Ze zucht zachtjes, waarom gaat het toch steeds weer mis tussen hen? Wat had ze anders moeten doen? Hij had tenslotte zijn best gedaan: bloemen gekocht, dit etentje bedacht... Zit zij dan te veel te zeuren, zoals net over het eventuele wonen van Monique in Utrecht? Maar je moet toch gewoon iets aan elkaar kunnen vragen, zonder dat de ander meteen boos wordt?
'Eet smakelijk,' zegt ze als zijn ogen ook open zijn.
Hij mompelt alleen iets en begint zwijgend te eten. Ze legt haar mes en vork neer en zegt zacht: 'Sorry, Gerben, als mijn vraag vervelend overkwam, ik vind het echt leuk dat je bloemen meebracht en dit etentje hebt bedacht.'
Zijn gezicht ontspant nu ook. 'Het is goed, we praten er nog wel over.'

Maar in plaats van praten gaat Gerben over tot daden. Zonder er verder met Rita over te spreken rijdt hij de volgende donderdagmiddag richting Utrecht. Hij heeft bij verschillende makelaars informatie gevraagd en hij heeft het idee dat er wel wat interessants bij zit.
Even nog heeft hij overwogen om met Rita te overleggen, haar zelfs mee te vragen, maar ten slotte heeft hij besloten om alleen te gaan en er pas weer over te praten als alles in kannen en kruiken is. Hij is bang voor kritische vragen van Rita, bang dat ze hem van zijn plannen af

wil houden, maar nog veel banger is hij voor de schaduw van het verleden, die zomaar opeens over hem heen lijkt te vallen. En daarom is dit de enige en beste oplossing: Monique moet verhuizen naar Utrecht en de contacten met dat Surinaamse gezin en daarmee met die jongen verbreken. Hopelijk verdwijnen dan ook die dromen van hem weer, die dromen waaruit hij badend in het zweet wakker wordt. Gijs... Het is allemaal de schuld van Gijs! Er mag geen smet over zijn naam en gezin vallen!

Als hij enkele uren later Utrecht weer achter zich laat, slaat toch de twijfel weer toe. Kan hij achter Rita's rug om dat appartement kopen? Gaat dat niet te ver?

Op zich is het een aardige portiekwoning met een ruime woonkamer, twee flinke slaapkamers en nog een derde klein kamertje. Het ligt in een wijk dicht tegen het centrum aan, dus heel geschikt voor een paar studentes. Hij heeft tegen de makelaar gezegd dat hij erover wil denken, maar hij heeft wel laten merken dat hij geïnteresseerd was. Ten slotte had hij toch maar om een optie gevraagd en die heeft hij tot maandag gekregen.

Nu rijdt hij naar huis, wat zal hij doen? Er dit weekend met Rita over spreken? Maar zij zal ongetwijfeld zeggen dat hij er niet alleen met haar, maar ook met Monique over moet praten. Want de meiden hebben ook al half en half een afspraak met Barbara, wellicht kunnen ze in hetzelfde studentenhuis een kamer krijgen. Alleen is dat nog helemaal niet zeker en als dat niet doorgaat, kan het wel eens een hele poos duren voor er weer iets komt. En dan blijft Monique dus voorlopig nog thuis wonen...

Zijn gedachten blijven maar ronddraaien, maar ten slotte besluit hij om alles toch maar op een laag pitje te zetten, geen overhaaste beslissingen te nemen en er inderdaad eerst maar eens met Monique en Rita over te praten. Als die kamer bij Barbara niet doorgaat, is het immers nog vroeg genoeg om bij een makelaar aan te kloppen? En die jongen... ach, hij woont hier immers niet, wellicht zien ze hem nooit meer.

Maar twee dagen later verandert hij weer van gedachten. Het is zaterdag en Gerben is 's ochtends nog een paar uur naar kantoor geweest. Als hij thuiskomt, zet Rita net haar fiets in de garage. 'De groeten van moeder, ze vroeg wanneer je weer eens meekomt, ze heeft je zo'n tijd niet gezien.' Klinkt er een licht verwijt in haar stem?

'Morgenochtend in de kerk ga ik wel voor haar zitten, dan kan ze de hele dienst naar me kijken.' Hij maakt er een grapje van, er komt nou eenmaal weinig van om naar zijn schoonmoeder te gaan.

'Morgen uit de kerk komt ze bij ons koffiedrinken, ik heb gezegd dat we haar gelijk uit de kerk meenemen, goed?'

'Natuurlijk, prima.' Samen lopen ze naar binnen.

'Weet je wie ik trouwens net zag lopen in het dorp?' En zonder antwoord af te wachten gaat ze verder: 'Sander, je weet wel, die Surinaamse jongen die hier pas aan de deur was. Eigenlijk had ik hem aan willen spreken, want ik begrijp het nog steeds niet helemaal. Hier vroeg hij naar ene Guus Geluk, maar volgens Monique was hij toen op zoek naar zijn tante. Weet je,' zegt ze terwijl ze een doosje aardbeien uit haar tas pakt en in de koelkast zet, 'later dacht ik: zou hij Gijs niet bedoeld hebben? Het zou toch kunnen dat...'

'Wat een onzin!' valt hij haar bruusk in de rede. 'Guus of Gijs, dat is nogal een verschil. Je leest te veel romannetjes. Houd toch op over die jongen, ik word er doodziek van!'

Verbaasd draait Rita zich om. 'Wind je niet zo op, altijd als je neef ter sprake komt doe je zo raar. Ik vind het jammer dat hij zo helemaal verdwenen is, dat zeg ik je wel! Ik vond het een leuke vent vroeger.'

'Was dan met hem getrouwd, dan had je nu gezellig in een kraakpand gewoond.'

Even kijkt ze hem aan, dan glijdt er een nauwelijks merkbare glimlach over haar gezicht. 'Ik dacht het niet, Gerben Geluk.' Meer zegt ze niet, maar hij voelt zich weer even helemaal op z'n plek gezet. Natuurlijk, het bedrijf is van haar familie, soms voelt hij zich zozeer de directeur dat hij dat even vergeet. Met boze stappen beent hij de keuken uit, de trap op naar boven. Eén ding weet hij zeker: hij gaat maandag direct een bod uitbrengen op dat appartement in Utrecht.

Als ze de volgende dag na de kerkdienst samen aan de koffie zitten, begint tot overmaat van ramp ook zijn schoonmoeder nog eens over datzelfde onderwerp.

'Vlak bij mij om de hoek woont tegenwoordig een Surinaams gezinnetje,' zegt ze. 'Eigenlijk wel apart, dat het zo lang heeft geduurd eer er ook eens mensen van een andere cultuur in ons dorp zijn komen wonen. Wat dat betreft zijn we toch wel een echt durrepie.'

'Een wát? Dat is toch geen woord, moeder,' praat Gerben er gelijk overheen.

'Ik hoorde van Monique dat ze met een dochter van die mensen kennis heeft gemaakt op de tennisclub, een meisje van haar leeftijd, kennen jullie die ouders ook al?' gaat zijn schoonmoeder gewoon verder.

'Ja, ik heb die vrouw weleens in de winkel gezien, samen met een klein meisje,' zegt Rita. 'Tja, we zijn inderdaad echt een klein dorp als dat zo opvalt als er iemand komt wonen met een iets andere huidskleur.'

'Ik heb het niet zo op die buitenlanders,' mompelt Gerben.

Geschokt kijken zowel Rita als haar moeder hem aan.

'Gerben!' zeggen ze tegelijk, en Rita gaat verder: 'Wat is dat nou voor een idiote uitspraak! Ik vind het echt erg dat je dit zegt.' Ze heeft er gewoon een kleur van gekregen en kijkt wat gegeneerd naar haar moeder.

'Ik heb mijn reden om dat te vinden.' Meer zegt hij niet, maar hij staat op en loopt de tuin in.

'Ik schaam me gewoon voor hem, mam,' zegt Rita zacht.

'Dat hoeft niet, jij bent niet verantwoordelijk voor zijn uitspraken, meisje.'

'Weet u, soms denk ik wel eens dat er vroeger, toen hij in dienst zat, dingen zijn gebeurd die ik niet weet en die niemand weet. Behalve misschien Gijs...'

Twee weken later komt Monique weer thuis. Ze ziet lekker bruin en haar haren zijn nog blonder dan toen ze wegging.

'Dag mam, ha pap, het was fantastisch! We hebben het zo leuk gehad. Hoe is het hier?'

Met een plof gooit ze haar grote rugzak neer en daarnaast de sporttas. 'De helft is nog schoon, niet gebruikt, het was constant prachtig weer.' Ze omhelst haar moeder en vader en laat zich dan op de bank zakken. 'Was het erg stil zonder mij?'

Rita schiet in de lach, 'Een beetje wel, ja, ik ben tenminste blij dat je er weer bent. Alles goed gegaan, geen pech met de auto en geen ruzie gehad?'

'Nee hoor, alles ging goed, vanochtend om acht uur reden we weg van de camping en nu zijn we er al, dat is... eens kijken, net veertien uur, vlot gegaan, hè?'

'Veel te hard gereden zeker', moppert Gerben, maar hij is eigenlijk alleen maar blij dat Monique weer heelhuids voor hen staat.

'Nee hoor, Barbara heeft zich keurig aan de toegestane snelheid gehouden en om de paar uur zijn we even gestopt. Het zou natuurlijk wat gemakkelijker geweest zijn als Wendy of Marieke of ik ook had-den kunnen rijden, dan hadden we elkaar kunnen afwisselen.'

'Dat... dat kan volgend jaar hopelijk. Hoeveel rijlessen heb je nu gehad, vier of vijf toch?' zegt Rita.

'Vijf ja, ik hoop inderdaad dat ik gauw m'n rijbewijs heb, toch wel erg gemakkelijk, dan pik ik regelmatig je auto in, hoor pap!'

'Nou, dat zullen we dan nog wel eens zien. Je ziet het aan je moeder: ze had al jaren een rijbewijs op zak, voor ze eindelijk durfde te rijden.'

'Dat is geen vergelijk, toen ik net mijn rijbewijs had mocht ik nooit rijden van mijn vader, toen durfde ik al snel niet meer. Als Monique binnenkort slaagt is het belangrijk dat ze gelijk regelmatig achter het stuur gaat, denk ik.'

'Pap, als je me nu voor sinterklaas een klein, oud autootje geeft en ik haal snel mijn rijbewijs, kan ik op en neer blijven rijden tot ik een kamer heb in Utrecht. Dan ben ik niet zo lang onderweg.' Monique zegt het lachend, maar dan gaat ze serieus verder: 'Nee, dat is gekheid, hopelijk is het ook niet nodig en vind ik gauw wat in Utrecht, ik hoop in het studentenhuis bij Barbara, dat lijkt me echt heel tof.'

'We zullen zien.' Gerben voelt zich wat ongemakkelijk. Zal ik het nu gelijk zeggen? vraagt hij zich af. Nee, later maar. 'Willen de dames wat drinken?' gaat hij op een veiliger onderwerp over.

'Ja, lekker, een colaatje graag, pap.'

Vragend kijkt hij Rita aan. 'En jij?'

'Geef mij maar wat jus d'orange, alsjeblieft.'

Monique zakt achterover op de bank. 'Ik ga zo gauw m'n bed in, ik ben echt heel moe. Morgen hoor je alle verhalen wel, mam, is dat goed? Ik heb ook nog een lekkere Franse wijn voor jullie meegenomen, maar die zit ergens onder in mijn rugzak.'

Als Monique haar glas leeg heeft staat ze op, kust nogmaals haar ouders en gaat naar boven. 'Heerlijk pitten in mijn eigen bedje! Welterusten.'

Gerben staat ook op. 'Ik heb nog wat werk te doen, ik ga nog een uurtje naar mijn studeerkamer.' Rita knikt, ze zit weer alleen.

Gerben zit boven achter zijn bureau, zijn hoofd gesteund in zijn beide handen. Hij ziet niets van de verslagen die voor hem liggen. Hij houdt de ogen gesloten en achter zijn oogleden ziet hij een wit strand, een blauwe zee en een tenger bruin meisje.

Dan vloekt hij hardop en hoewel het een woord is dat nog zelden eerder uit zijn mond kwam, schrikt hij er niet eens van. Hij weet eigenlijk niet of het een vloek of een soort gebed is.

Een paar dagen later gaat Monique aan het eind van de middag naar de tennisbaan. Ze zet juist haar fiets in het rek als ze vlak achter zich iemand 'hoi Monique' hoort zeggen. Ze draait zich om en ziet Myra, die ook haar fiets op slot zet. Monique grijnst en zegt: 'Ha, die Myra, zet je fiets goed op slot, hoor, het krioelt hier van de Nederlanders!'

Myra lacht ook. 'Hoe is het?' vraagt ze dan. 'Leuke vakantie gehad?'

'Ja, geweldig. En hoe is het met jou, hard aan het werk? Wat heb je eigenlijk voor een vakantiebaantje?'

'Ik werk bij het tuincentrum buiten het dorp. Wel leuk werk, lekker met die plantjes bezig en klanten helpen. Ik had nooit gedacht dat ik het zo leuk zou vinden. Misschien had ik een opleiding in de bos- of tuinbouw moeten zoeken.'

'Wat doe je dan voor opleiding?'

'Ik doe pedagogiek in Utrecht, ik ga aan m'n tweede jaar beginnen.'

'Aan de universiteit?' Verbaasd kijkt Monique Myra aan.

'Tja, dat verbaast je zeker, hè, je had me zeker eerder op een fabriek aan de lopende band verwacht.' Nu klinkt Myra bitter.

'Waar slaat dat nou op! Jij hebt echt een minderwaardigheidscomplex, zeg. En ja, ik ben inderdaad verbaasd, maar dat komt omdat je er nog zo jong uitziet, ik had je niet ouder dan zeventien geschat. Maar waarom zet je steeds al je stekels op en ben je zo wantrouwend?'

'Sorry, Monique, maar je weet niet hoe vaak ik negatieve reacties krijg van mensen sinds wij hier wonen. En jong? Ja, ik zie er misschien wel jong uit, maar ik ben toch echt al negentien. Kom,' ze pakt Monique bij de arm, 'vergeet mijn gezeur en laten we gaan spelen, of had je al met iemand afgesproken?'

'Nee, ik dacht, ik ga maar gewoon kijken wie er is, jij dus!'

Een uurtje later fietsen ze samen weg bij de tennisbanen. 'Na de vakantie ga ik ook naar Utrecht, heb jij daar eigenlijk een kamer of reis je op en neer?'

'Ik woon thuis. Gelukkig is er sinds vorig jaar de ov-jaarkaart, dus het reizen kost me niks. En een kamer is te duur, thuis woon ik gratis. Maar de afstand breekt me soms wel op, hoor, ik ben zo lang onderweg elke dag. En als het nou één lange treinreis was, dan kon ik nog wat leren onderweg, maar nu ben ik steeds maar aan het overstappen. Eerst de bus, dan de stoptrein en dan de intercity naar Utrecht. Maar ja, het is niet anders. Wat ga jij doen, een kamer zoeken zeker?'

'Ja, dat is wel de bedoeling, hoewel mijn ouders nog niet echt staan te juichen. Maar er is een redelijke kans dat mijn vriendin Wendy en ik elk een kamer kunnen krijgen in het huis waar ook de zus van Wendy woont. En anders moeten we maar verder zoeken, je moet eigenlijk een kruiwagen hebben, dus via via horen dat er een kamer beschikbaar komt.'

'Jij woont toch in dat grote huis aan de Austerlitzlaan?' vraagt Myra, en als Monique knikt gaat ze verder: 'Dan zal de huur van een kamer voor jouw ouders geen probleem zijn, neem ik aan.'

Ze zegt het gewoon als een vaststelling, maar Monique voelt zich er vervelend onder. 'Ik krijg echt niet alles zo maar, hoor,' zegt ze, 'ik heb deze vakantie ook een baantje voor de extra's.'

Myra knikt. 'Ik heb in Utrecht ook een baantje, ik werk twee avonden in een restaurant in de bediening.'

'En moet je daarna dan nog naar huis? Dat is toch ook bijna niet te doen?'

Myra haalt haar schouders op. 'Ik moet m'n studie betalen en ik wil graag een keer naar Suriname, dus...'

'Wanneer studeer je dan?'

'O, ergens tussen alles door, het kost me nooit zoveel moeite om dingen te onthouden. Hé, ik sla hier rechts af, kom je nog eens dat kopje thee bij ons drinken?'

'Doe ik, doei!' In gedachten rijdt Monique naar huis.

Als ze een paar dagen later een uurtje bij haar oma is geweest, fietst Monique in een opwelling naar het huis van Myra. Langzaam rijdt ze erlangs en probeert naar binnen te kijken. Ze ziet binnen wat bewegen en besluit gewoon maar te proberen of Myra thuis is.

Als ze heeft aangebeld, doet Myra's moeder open. Ze herkent Monique blijkbaar direct, want verrast zegt ze: 'Hé Monique, dat is leuk, kom erin.'

Achter Lidia loopt Monique naar de kamer. 'Is Myra thuis?' vraagt ze. 'Nee, maar ik verwacht haar elk moment, wil je wat drinken? Koffie, thee of liever wat fris?'

'Wat fris, alstublieft.' Als Lidia naar de keuken is gelopen kijkt Monique de kamer eens rond, daar is ze de vorige keer dat ze hier was niet echt toe gekomen. Het ziet er gezellig uit, met veel warme kleuren en aan de wand een hele rij foto's. Niet van personen, zoals meestal gebruikelijk, maar met landschappen, stranden en bossen. Suriname waarschijnlijk, denkt ze.

Daar is Lidia alweer. 'Ik vind het zo fijn dat Myra contact heeft met jou, ze heeft hier in het dorp nog helemaal geen vriendinnen. Jeffrey kan zijn draai ook nog niet zo vinden, eigenlijk gaat het met Lise nog het beste. Maar ach... zo lang wonen we hier ook nog niet en ja, we zijn nou eenmaal anders dan de rest van het dorp, de mensen kijken toch een beetje vreemd tegen ons aan.'

Monique weet even niet wat ze antwoorden moet. Ten slotte zegt ze, en ze hoort zelf hoe zwak dat klinkt: 'Ach, wat zegt onze huidskleur nou...'

'Voor de meeste mensen maakt dat toch wel verschil als je het niet gewend bent. En weet je, Monique, het is niet alleen ons bruine velletje, maar onze cultuur, onze leefstijl is anders.' Ze glimlacht en wijst op haar wijde gekleurde rok. 'Draagt jouw moeder zulke kleuren?'

Monique schiet in de lach. 'Nee, maar dat zegt toch verder helemaal niks over hoe iemand is, dat is gewoon... Nou ja, ik weet niet. Ik denk inderdaad dat het een kwestie van wennen is. Dit is natuurlijk best een klein dorp, waar nog steeds alleen maar de families wonen die er vijftig jaar geleden ook woonden. En dat komt weer omdat hier nauwelijks nieuwbouw is. Wat dat betreft zijn we echt een achtergebleven dorpje. Hoe komt u hier eigenlijk terecht vanuit Amsterdam?'

Maar voor Lidia haar kan antwoorden gaat de deur open en komen Myra en Lise binnen.

'Hoi, ik dacht je fiets al te zien staan. Kijk, dit is onze kleine zus Lise.'

'Pfff, ik ben niet klein.'

'En dit, Lise, is Monique, m'n tennisvriendinnetje,' gaat Myra verder. Het valt Monique op dat Lise een veel lichtere huid heeft dan haar zus en moeder. Eigenlijk net zo'n kleurtje als Sander, schiet opeens door haar hoofd. Hoe zou het met hem zijn?

'Je blijft toch wel eten?' onderbreekt Lidia haar gedachten.

Verschrikt kijkt Monique op haar horloge: 'Ben ik te lang gebleven?'

'Welnee, maar dat is bij ons heel gewoon, hoor. Net zo gewoon als bij de Nederlanders een kopje koffie aanbieden.'

'Dat is heel aardig van u, maar mijn moeder rekent met eten op me. En mijn vader komt dikwijls pas laat thuis van zijn werk, dus als ik er ook niet ben, zit ze helemaal alleen.'

'Ik zou het leuk vinden om eens kennis te maken met je ouders. En als je moeder vaak alleen is met eten, komen jullie dan samen eens of met z'n drieën, ik vind het heerlijk om voor veel mensen te koken. Dat gebeurt me tegenwoordig ook veel te weinig.'

Monique is opgestaan. 'Bedankt voor de uitnodiging, ik zal het overbrengen. En wat mezelf betreft: ik kom zeker graag binnenkort een keer eten.'

Myra loopt met haar mee naar de deur. 'Jouw vader komt hier echt niet eten,' zegt ze. En als Monique haar vragend aankijkt gaat ze verder: 'Ik kwam hem pas een keer tegen en zijn blik zei nou niet direct: ha, daar gaat een vriendin van mijn dochter.'

Monique zwijgt even, dan zegt ze: 'Hij is niet zo kwaad als hij eruitziet. Maar over sommige dingen heeft hij een beetje een vooroordeel of een ouderwetse instelling. Maar hij heeft echt niks tegen jou persoonlijk, hoor.' Ze pakt haar fiets en zwaait naar Myra. 'Ik zie je zaterdag op de tennisbaan.' Dan rijdt ze naar huis.

Het eind van de vakantie komt in zicht. Monique heeft er zin in om aan haar studie te beginnen. Op een maandagmiddag gaat ze samen met Wendy naar Utrecht, ze mogen komen kennismaken met de huisgenoten van Barbara. 'Wat zou het mooi zijn als we die kamers kunnen krijgen,' zucht Wendy als ze in de trein zitten. 'Ik hoop dat Barbara het voor elkaar krijgt. Het zou natuurlijk een unieke kans zijn om in hetzelfde studentenhuis terecht te komen.'

'Tja, het is afwachten. Dat hospiteren is natuurlijk toch altijd een speciaal gebeuren: de andere bewoners kiezen wie ze erbij willen hebben in het huis. Misschien ook wel goed, je moet elkaar toch een beetje liggen als je zo dicht bij elkaar woont.'

Ze zijn die middag niet de enigen die komen kennismaken. In het grote huis wonen nu drie jongens en vier meisjes en er komen inderdaad twee kamers vrij omdat er twee jongens verhuisd zijn. De kennismaking verloopt gezellig, maar als Barbara met hen meeloopt naar de deur beneden zegt ze: 'Reken er nog niet te hard op, hoor, eigenlijk willen ze minstens één jongen erbij om het evenwicht wat te houden. Maar ik doe m'n best.'

'Stel dat een van ons wordt aangenomen en de ander niet, wat doen we dan?' vraagt Wendy als ze weer op straat lopen.

Monique haalt haar schouders op. 'Ik weet niet, gewoon toch maar doen, denk ik. De kans dat we vlak bij elkaar komen te wonen is best klein, daar kun je niet op blijven wachten. Als een van ons alvast iets heeft, kan de ander misschien zo af en toe eens blijven logeren tot er weer ergens iets vrijkomt. Nee zeggen is dom, denk ik, het lijkt me een gezellig huis.'

Thuisgekomen vindt Monique haar moeder in de keuken, ze roert in de pastasaus. Enthousiast vertelt Monique haar over haar bevindingen van die middag. 'Ik heb niet tegen pappa gezegd dat we gingen kijken,' besluit ze, 'hij is er volgens mij nog steeds op tegen dat ik snel in Utrecht wil gaan wonen. Maar nu zal ik het hem toch maar vertellen, hè, pappa zal het ten slotte toch wel goedvinden?'

Voor Rita kan antwoorden gaat de keukendeur open. 'Wat moet ik goedvinden?'

Verrast kijken Rita en Monique om. 'Fijn dat je op tijd voor het eten bent. Kom, Monique, als jij de tafel even dekt kun je tijdens het eten rustig aan pappa vertellen waar je vanmiddag bent geweest.' Rita geeft haar dochter het tafellaken in handen en duwt haar zachtjes naar de kamer. Dan geeft ze haar man een kus. 'Dag Gerben, hoe is het, drukke dag gehad?' Het valt haar weer op dat hij er de laatste tijd slecht uitziet. Hij heeft donkere schaduwen onder zijn ogen en er ligt een voortdurende frons boven zijn wenkbrauwen. Opeens heeft ze medelijden met hem. 'Je werkt te hard!' zegt ze. 'Ga lekker zitten, het eten is zo klaar.'

'Waar slaat dat nou op!' Geïrriteerd kijkt hij haar aan. 'Vertel liever wat er met Monique aan de hand is, waar is ze geweest?'

'Niks bijzonders, je hoort het zo wel van haar.' Rita neemt de schaal met pasta mee naar de kamer. 'Hier, als jij de salade meeneemt kunnen we aan tafel.'

Gerben heeft nauwelijks amen gezegd of hij kijkt zijn dochter aan. 'Nou, vertel, wat moet ik goedvinden?'

'Ik ben vanmiddag wezen hospiteren in Utrecht, samen met Wendy.'
'Hospiteren? O ja, dat doen ze tegenwoordig in die studentenhuizen, hè? En, wat denk je ervan? Maak je een kansje?'
Monique laat haar vork ergens in de lucht zweven en kijkt haar vader verbaasd aan. 'Vind je het goed dat ik misschien al gauw in de stad ga wonen?'
Gerben glimlacht. 'Sterker nog, dat hospiteren heeft geen enkele zin. Ik heb een paar weken geleden een huis gekocht in Utrecht. Daar ga jij wonen samen met nog een of twee meisjes, die natuurlijk wel huur moeten betalen. Misschien Wendy en die zus van haar, Barbara?'
Monique weet gewoon niet wat ze zeggen moet. En ook Rita kijkt haar man alleen maar aan, zij is de eerste die weer wat zegt. 'Gerben, ik dacht dat we dat eerst zouden overleggen. Zowel wij tweeën als Monique, jij en ik. Het is geen kleinigheid wat je zo maar even koopt.'
Gerben reageert niet op de woorden van zijn vrouw, maar kijkt Monique nog steeds glimlachend aan. 'Nou, wat zeg je ervan? Mooi toch?'
'Ik weet het eigenlijk niet, waar staat dat huis? Eerlijk gezegd lijkt wonen in een echt groot studentenhuis me ook wel erg leuk.' Maar als ze de glimlach van haar vader ziet veranderen in een boze uitdrukking gaat ze vlug verder: 'Je overvalt me heel erg, pap, natuurlijk ben ik blij dat jullie het goedvinden dat ik in Utrecht ga wonen, maar... Nou ja, ik weet het gewoon niet.'
De rest van de maaltijd wordt zwijgend doorgebracht. Als ze hebben gedankt vraagt Monique: 'Waar staat dat huis ongeveer, pap, is het een flat en hoeveel kamers zijn er?' Ze vindt het toch wel zielig voor hem dat ze zo lauw heeft gereageerd op zijn verrassing.
Terwijl haar vader aan het vertellen is gaat de telefoon. Hij neemt op en geeft hem dan aan Monique. 'Voor jou,' zegt hij.
Monique hoort Wendy's stem, die drie keer zo hard klinkt als normaal: 'We hebben hem! Monique, we zijn allebei aangenomen, goed hè? O, ik ben zo blij! Barbara belde net. Zal ik straks nog even bij je langskomen, dan kunnen we plannen gaan maken. Wat zeiden je ouders trouwens?' Bij die laatste vraag klinkt haar stem opeens

bezorgd. 'Je reageert helemaal niet, is er stront aan de knikker? O, wat zeg ik nou, goed dat je vader me niet hoort!' Ze giechelt, dan is ze eindelijk stil. Monique zegt: 'Ik kom straks wel even naar jou toe, oké?'
'Is goed, ik zie je wel. Als je vader moeilijk doet, wil mijn pa wel eens met hem praten, hoor.'
'Ik spreek je straks.'. Dan legt Monique neer. Langzaam loopt ze terug naar de tafel waar haar vader nog steeds zit. 'We zijn ook aangenomen in het studentenhuis,' zegt ze. 'Waarom heb je nou niet eerst overlegd, pap, of even gewacht met iets te kopen? Ik had toch voor de vakantie al verteld dat dit misschien iets zou worden en toen was je er zo tegen.' Ze zakt neer op een stoel tegenover hem.
Gerben staat met een ruk op. 'Ik doe het niet gauw goed, hè? Je bent een verwend nest. Welke vader koopt er nu een huis voor zijn dochter als ze wil gaan studeren? Waardeer het maar eens een beetje, al die extra's!' Met grote stappen loopt hij de kamer uit.
Monique blijft alleen achter. 'Misschien ben ik helemaal niet zo blij met al die extraatjes...' mompelt ze.
Een halfuurtje later fietst ze langzaam naar het huis van Wendy. Voor ze heeft gebeld, wordt de deur al opengedaan. 'En, mag je?'
Monique schudt verdrietig het hoofd. 'Ja en nee,' zegt ze. En dan vertelt ze over het huis dat haar vader heeft gekocht en waar ze verondersteld wordt te gaan wonen.
'Nou ja, dat is toch geen ramp? Je mag in elk geval naar Utrecht, daar deed hij eerst toch zo moeilijk over, waarom is hij trouwens opeens zo van gedachten veranderd?'
'Geen idee, misschien wil hij in de hand houden bij wie ik in huis woon of zo.'
'Misschien wilde hij je gewoon verrassen, hij wist toch helemaal niet of die kamers bij Barbara in huis door zouden gaan. Waar staat dat huis trouwens in Utrecht? Ik ga natuurlijk met je mee, Barbara zal geen zin hebben om te verkassen, maar dan zoeken wij samen een derde erbij, een knappe jongen, wat dacht je daarvan?'
'Weinig kans, daar zal m'n pa wel voor zorgen. Maar vind je het niet jammer dat dat andere niet doorgaat, het leken zulke leuke lui van-

middag. Met z'n tweeën of drieën is toch veel saaier?'

'Misschien wel, maar misschien ook wel veel rustiger. En dat heeft soms ook z'n voordelen als je wilt studeren. De gezelligheid kunnen we altijd opzoeken, toch?'

Monique voelt zich door het enthousiasme van Wendy weer wat vrolijker. 'Ga je met me mee naar huis, dan kunnen we aan mijn vader vragen waar het precies is en hoe groot het is en zo. Pas als het echt ook naar jouw zin is, kunnen we dat andere huis afbellen. Jij hebt tenslotte nog keus, ik helaas niet.'

Monique zucht, maar Wendy lacht haar uit. 'Ik veronderstel dat jij geen huur hoeft te betalen, dame, dus zucht maar niet zo diep. Laten we maar eens gaan horen of jouw vader mij ook niet het vel over m'n oren zal trekken wat dat betreft. Kom op, we gaan!'

Als ze bij het huis van Monique aankomen, wil Gerben net weggaan. 'Pap, heb je nog een paar minuutjes, we willen graag wat meer weten over dat huis.'

Gerben kijkt op zijn horloge en zegt: 'Kan dat morgen niet, ik moet eigenlijk nog even naar kantoor.'

'Heel even maar, Wendy moet zo snel mogelijk weten of ze het ziet zitten en wat de huurprijs is en zo, want voor dat andere aanbod moet ook vanavond beslist worden. Voor ons zo tien anderen.'

'Nou, kom dan vlug even mee naar mijn kamer.'

Ze lopen achter Gerben aan de trap op naar zijn studeerkamer, waar hij een grote envelop pakt met daarin een mapje. 'Kijk, dit is het appartement, het ligt dicht tegen het centrum aan, wel een stukje van de universiteitsgebouwen, maar daar rijden bussen genoeg naartoe en met de fiets is het ook prima te doen. Er zijn twee aardige slaapkamers en een klein kamertje, dat zouden jullie als berghokje kunnen gebruiken. Verder is er een ruime woonkamer, een keukentje en natuurlijk een badkamer met zelfs een bad. Net groot genoeg voor jullie tweeën dus, als het jou tenminste lijkt.' Vragend kijkt hij Wendy aan.

'Het klinkt heel mooi, maar de huur? U zult wel iets meer willen hebben dan voor een simpele kamer in een studentenhuis.'

'Ik weet niet wat je daar zou moeten gaan betalen, maar deze kamer kun je huren voor vijftig gulden minder dan ze daar vragen.' Hij is alweer gaan staan, stapelt de papieren op en zegt: 'Ik moet nu weg, denk er maar over, ik hoor het wel. Zo niet, even goede vrienden, dan zoeken we iemand anders.'

Als hij de kamer uit is gelopen en ze zijn voetstappen op de trap horen, blijven de vriendinnen even stil en kijken elkaar alleen maar aan. Dan begint Wendy te lachen. 'Dank u, dit is geheel duidelijk!' zegt ze.

'Ja, lach jij maar, ik kan wel janken! Zie je nu wat een despoot hij is. Als jij dus besluit om niet mee te doen, wat natuurlijk je goed recht is,' haast ze er achteraan te zeggen, 'ben ik dus veroordeeld tot wonen met een mij onbekend persoon die paps wel voor me zal uitzoeken, lekker is dat!'

Maar Wendy lacht nog steeds. 'Meid,' zegt ze dan, 'het is toch hele-maal toppie! We krijgen samen een prachtig huis en ik een lekker lage huur, wat willen we nog meer! In onze riante woonkamer geven we feesten en wie te dronken is om naar huis te gaan kan in het rom-melkamertje slapen! Nee, dat is gekheid natuurlijk,' zegt ze dan rustig, 'maar zie het nou eens positief, ik ben er hartstikke blij mee!' Ze trekt Monique mee. 'Kom, we gaan gelijk Barbara afbellen, dan kunnen ze iemand anders blij maken, twee iemanden zelfs.'

Monique kan er nog steeds niet om lachen. Ze krijgt steeds meer zin in dat huis, dat wel, maar de manier waarop zit haar dwars. En het is ook een beetje overdreven: zij samen in een vierkamerflat terwijl er zoveel studenten zijn die op zoek zijn naar een kamer.

Opeens schiet de naam van Myra door haar hoofd, zij zou al heel blij zijn met dat kleine kamertje, zou zij... Ach nee, dat kan ze wel verge-ten. Als pappa iemand uit haar buurt wil houden is het Myra wel, al begrijpt ze nog steeds de reden daarvan niet. Ha, pap moest eens weten dat Myra ook in Utrecht studeert. Al zullen ze elkaar op de universiteit misschien niet tegenkomen, ze zal haar zeker eens uitno-digen in hun nieuwe huis en wie weet, kan Myra weleens blijven sla-pen in het rommelkamertje als ze bijvoorbeeld in haar restaurant gewerkt heeft. Nou ja, dat zien ze allemaal nog wel. Het biedt in elk geval perspectieven, dat 'privéhuis' van haar en Wendy.

'Kom je?' Wendy is al onder aan de trap en kijkt omhoog.

'Ja, ik kom!' Ze krijgt er opeens meer zin in.

Intussen rijdt Gerben naar kantoor. Ook hij is tevreden, dit is mooi geregeld zo. Zijn Monique gaat een heel ander leven beginnen daar in Utrecht. Ze zal het druk krijgen met haar studie Frans, nieuwe vrienden en vriendinnen, die ongetwijfeld meer van haar niveau zijn dan dat kind van de tennisbaan. Dat meisje, dat hem steeds als hij haar ziet doet denken aan die jongen die pas aan hun deur stond, op zoek naar Guus Geluk. Ho, stop! Hij wil er niet meer aan denken!

4

Op 1 SEPTEMBER IS DE OVERDRACHT VAN HET HUIS, MAAR ER MOET NOG wel het een en ander opgeknapt worden, dus de eerste weken reizen Wendy en Monique nog op en neer naar Utrecht. Soms kunnen ze samen reizen, maar dikwijls ook niet, ze hebben op heel verschillende tijden college. Als ze op een middag samen in de trein zitten zegt Monique: 'Nou, ik zal blij zijn als we straks in ons huisje zitten, dit word je echt gauw zat, hè? Ik zou dit tenminste niet graag altijd zo doen.'

'Nee, ik ook niet. Toch zijn er genoeg studenten die wel elke dag een eind moeten reizen. Ik zat vanochtend in de trein met Myra, je weet wel, dat meisje uit ons dorp, zij gaat elke dag op en neer.'

'Ja, ik weet wie je bedoelt, ik tennis weleens met haar, heb ik dat niet verteld? Ik ben ook weleens bij haar thuis geweest, leuke mensen. En ze heeft ook nog een...' Monique stopt.

'Ze heeft ook nog? Een knappe broer of zo?'

Monique lacht: 'Bijna goed! Een leuke neef, de eerste keer dat ik daar kwam was hij er ook.'

'Hé, je krijgt een kleur, ruik ik romantiek?'

'Welnee, die jongen woont in Amsterdam, dus die zal ik niet gauw meer tegenkomen.' Monique staat op. 'We zijn er, ik hoop dat de bus niet net weg is, anders kunnen we nog een halfuur wachten ook. Kom op, rennen!'

Het is bijna halfacht als ze eindelijk thuis is, de bus was toch net weggereden toen ze bij de halte aankwamen.

'Ha, meisje, wat ben je laat, je zult wel trek hebben, of heb je onderweg al wat gekocht?' vraagt Rita als Monique de achterdeur binnenkomt.

'Nee, we hebben net de bus gemist, maar gelukkig vond ik nog een platgedrukte krentenbol in m'n tas, die smaakte als een taartje! Maar nu heb ik inderdaad reuzenhonger! Wat zit er in die pannen? Jullie hebben toch zeker al wel gegeten?' Monique tilt een deksel op. 'Zoveel eet ik echt niet op, hoor!'

'Pappa belde net dat hij ook onderweg is, dus ik heb maar gewacht, anders zitten we allemaal achter elkaar te eten. Ik heb wel een kopje soep genomen om een uur of zes, wil jij dat soms ook alvast?'

'Lekker.' Monique is neergeploft op een keukenstoel. 'Pappa gaat ook maar door, hè? Als ik straks in Utrecht woon, wordt het wel erg stil voor jou, mam.'

'Tja... niks aan te doen. Zo was het bij ons thuis vroeger ook. Opa was altijd aan het werk en oma zat ook vaak alleen. Misschien kan ze er daarom nu zo goed tegen, ze is niet anders gewend dan alleen te zijn. En jij komt toch voorlopig de weekenden wel thuis?'

'Ja, natuurlijk. Zal ik de tafel dekken?' Monique zet haar lege soepkom op het aanrecht, pakt het tafellaken en loopt naar de kamer.

Tien minuten later zitten ze met z'n drieën aan tafel. 'En hoe was het vandaag in Utrecht?' vraagt Gerben.

'Ja, goed, alleen dat reizen begin ik al aardig zat te worden. Ik zal blij zijn als ons huisje klaar is.'

Gerben kijkt zijn dochter met een voldane blik aan. 'Precies, dat heeft je vader toch maar goed voor je geregeld, dacht ik!'

'Ja, natuurlijk, maar anders hadden we toch ook een kamer gehad? Maar je zult jaren op en neer moeten reizen! Ik hoorde van Wendy dat Myra elke dag op en neer gaat...' Terwijl ze het zegt kan ze het puntje van haar tong wel afbijten. Oeps, dat had ze nou net niet moeten zeggen, kijk, daar begint het al.

'Wil je zeggen dat dat Surinaamse kind ook in Utrecht studeert, of werkt ze er soms?' Gerben praat met stemverheffing en Monique ziet dat er een paar aderen aan de zijkant van zijn voorhoofd opzwellen.

'Nou ja, pap doe niet zo raar... Wat is er nou mis met haar? Elke keer als haar naam valt doe je zo boos. Als er wat is, vertel het me dan gewoon.'

Gerben geeft eerst geen antwoord maar staat op van tafel, hij gooit z'n servet naast zijn bord en zegt dan: 'Is het niet genoeg als ik zeg dat ik niet wil dat je met die lui omgaat?' Zijn stem slaat een beetje over, maar dan zucht hij diep en op normalere toon zegt hij dan: 'Ik heb nog werk te doen, sorry, ik kan niet zo lang aan tafel zitten.' Hij loopt weg van tafel, maar nu wordt het Rita te gortig. 'Gerben! We moeten nog lezen en danken, wat is dit?'

'Sorry, maar na al dat gezeur past het niet om uit de Bijbel te lezen. Eindigen jullie samen maar.' Met een klap gaat de deur achter hem dicht.

'Het spijt me, mam, ik wilde hem niet kwaad maken.' Monique heeft tranen in haar ogen.

Rita zit met een bleek gezicht aan tafel, maar ze glimlacht naar Monique. 'Dit is jouw schuld niet, hoor, ik denk dat pappa aardig op weg is om overspannen te raken. Hij werkt veel te hard en soms denk ik wel eens...' Ze legt haar hand op die van haar dochter. 'Maak je maar geen zorgen. Wil je een toetje? Ik heb bitterkoekjespudding.'

'Wat wilde je zeggen, wat denk je soms?'

'Ach niks, ik denk dat Gerben nodig eens een flinke vakantie moet inplannen, want zelfs daarvoor is bijna nooit tijd. Het komt wel goed.' Ze stapelt de borden op elkaar, het nog halfvolle bord van Gerben bovenop en loopt naar de keuken. Even later komt ze weer binnen met twee dessertschaaltjes.

'Mam, wat heeft pappa tegen Surinamers, of tegen buitenlanders in het algemeen, weet jij dat?' vraagt Monique terwijl ze kleine hapjes neemt van de pudding.

'Nee, ik weet het echt niet. Het gekke is ook, dat ik er nooit eerder iets van heb gemerkt, ik bedoel dat hij überhaupt iets tegen mensen van een ander ras of andere huidskleur heeft. Het is echt iets van de laatste tijd en daarom denk ik: hij is zichzelf gewoon niet. Want welke fouten je vader ook mag hebben – en wie heeft die niet – hij is altijd eerlijk naar andere mensen toe.'

Monique knikt maar wat, ze is niet tevreden met de antwoorden van haar moeder. Verbergt zij iets voor haar?

'Pak de Bijbel maar, wij gaan de maaltijd afsluiten, het is al acht uur geweest.'

Terwijl Monique naar de woorden luistert die haar moeder voorleest, hoort ze ook nog een ander geluid: haar vader die de trap af loopt, de deur met een klap achter zich laat dichtvallen en dan zo hard wegrijdt

met zijn auto dat er wat grind opspat tegen het raam van de serre.
Monique kijkt naar haar moeder, maar die leest rustig verder en zegt
dan: 'Zullen we danken?'
Pfff, denkt Monique, mamma heeft toch een ijzersterke zelfbeheersing!

Gerben komt laat thuis, het hele huis is al donker op een klein sche-
merlampje in de hal na, dat Rita aan heeft gelaten. Zacht kleedt hij
zich uit en stapt in bed. Naast hem hoort hij de regelmatige ademhaling van Rita. Op zijn kussen ligt het dagboekje, waaruit ze altijd lezen
voor het slapengaan. Rita heeft het blijkbaar voor hem klaargelegd;
zachtjes legt hij het op het nachtkastje en gaat liggen. Hij heeft nu
andere dingen aan zijn hoofd.
Het duurt lang voor hij in slaap valt, hij draait van zijn ene naar zijn
andere zij. Ten slotte gaat hij op zijn rug liggen, de handen onder het
hoofd. O, als hij die ellendige gedachten maar eens kon stopzetten!
Hij probeert aan andere dingen te denken, dingen van kantoor, het
opknappen van het appartement in Utrecht, maar steeds weer komen
zijn gedachten bij hetzelfde uit.
Dit wordt niks! Zachtjes stapt hij weer uit bed en op de tast loopt hij
naar beneden. Zonder licht aan te doen pakt hij een fles cognac uit de
kast en schenkt zich een glas in. Gelukkig schijnt er wat maanlicht
naar binnen, zodat hij kan zien wat hij doet. Met het glas in z'n hand
gaat hij op de bank zitten en langzaam nipt hij van de drank. Hè, dat
doet hem goed, eindelijk ontspant hij zich wat en na een tweede glas
heeft hij het gevoel dat het allemaal wel mee zal vallen. Wat maakt hij
zich druk! Niemand weet toch wat er ooit is voorgevallen? Alleen
Gijs, maar die is allang buiten beeld. En die jongen? Ach, wie zal er
geloof hechten aan het verhaal van zo'n jochie met een vage zoektocht
naar Guus Geluk? Wie zegt trouwens dat hij een verhaal heeft?
Misschien ooit wat losse kreten opgevangen, meer waarschijnlijk niet.
Kom, hij gaat naar bed, morgen wacht hem weer een drukke dag.
Opnieuw stapt hij in het donker voorzichtig in bed en deze keer
slaapt hij zo, maar het is geen rustige slaap.

Na een overstap op Curaçao landt het vliegtuig dan eindelijk op Aruba. Het was een lange reis, hij is vierentwintig uur onderweg geweest. Wat een ellende, was hij maar gewoon thuis in de kazerne in Doorn. Maar nee, ook hij moest naar Aruba. Het enige leuke hiervan is, dat z'n maatje Gijsbert hier ook is, hij ziet hem vast snel. De hitte valt als een deken op hem, ze zijn met koel septemberweer van huis gegaan, maar hier is het warm, hoewel er een heerlijke wind waait.

Hij ziet Gijs nog eerder dan hij had verwacht. Ach ja, dat had hij kunnen weten: Gijs is chauffeur hier, hij bestuurt nu ook een van de auto's die de nieuwe lichting van het vliegtuig komen halen. Een stevige klap op zijn schouder, 'Hé, marinier!'

'Gijs! Hoe is het?'

'Goed man, heerlijk hier, dat zul je wel merken! Heerlijke temperatuur, lichte dienst en prachtige vrouwen, wat wil een soldaat nog meer!' Hij knipoogt naar Gerben.

'Ik ben verloofd, weet je wel? Maar de rest klinkt goed.'

'Dat is het ook... als je door je ontgroeningen heen bent.' Gijs lacht.

'Ontgroeningen? We zijn toch geen studenten?' Gerben kijkt wat moeilijk, hier heeft hij geen zin in.

'Wacht maar af, je zult je even moeten bewijzen, maar dan komt het goed.' Gerben krijgt weer een klap op de schouder, 'Tof dat je er bent, man.'

'Geluk! Opschieten!'

Voor Gijs zich omdraait naar zijn truck zegt hij nog zachtjes: 'Ze heet Maria, zo mooi als een engel met de kleur van melkchocola en ik houd van d'r...'

Voor Gerben kan reageren is Gijs in de cabine van de truck gestapt en start de motor.

Maria...

Zwetend gaat Gerben rechtop zitten, heeft hij die naam hardop gezegd? Hij gooit het dunne dekbed van zich af en blijft even zitten.

'Wat doe je toch?' Rita komt omhoog en leunt half zittend op een elleboog.

'Niks, het is hier ook zo warm.' Hij gaat weer liggen, zijn hart gaat als een razende tekeer.

'Voel je je wel goed?' Rita's stem is bezorgd.

'Ja hoor, ik heb het gewoon warm, ga toch slapen.' Hij is weer gaan liggen, met z'n rug naar Rita toe en probeert rustig adem te halen.

Rita is ook weer gaan liggen en na een poosje hoort hij aan haar ademhaling dat ze weer slaapt.

Het komt gewoon door die cognac, denkt hij, daar ga je van dromen. Niet meer drinken 's avonds. Eindelijk valt ook hij in een droomloze slaap.

Begin oktober kunnen Monique en Wendy hun nieuwe huis betrekken.

'Sjonge, wat een luxe, zeg, een heel huis voor ons samen!' zegt Wendy als ze zich op de bank laat ploffen.

'Toch had ik net zo lief in een echt studentenhuis gewoond,' vindt Monique.

'Joh, we maken er zelf een echt studentenhuis van, mogelijkheden genoeg. Moet je kijken hoe riant we hier zitten.' Wendy wijst met een armgebaar om zich heen naar de meubels, deels afkomstig uit een kringloopwinkel, andere bij IKEA vandaan.

'Ja, maar toch... Gewoon het idee dat mijn pa alles heeft geregeld, daar baal ik van.'

Monique staat voor het raam. Ze zwaait haar ouders na die de laatste spulletjes hebben gebracht.

'Morgenochtend niet vroeg je bed uit om naar college te gaan, het scheelt ons minstens een uur langer slapen, denk daar nou maar aan.'

'Je hebt gelijk.' Monique draait zich om naar Wendy en zegt dan: 'Mijn vader ziet er slecht uit, vind je ook niet?'

'Dat is me eigenlijk niet opgevallen, maar jij kent hem natuurlijk beter dan ik. Voelt hij zich niet goed of zo?'

Monique haalt haar schouders op. 'Mijn moeder denkt dat hij te hard werkt, maar ik weet het niet, hard werken doet hij altijd al. En hoewel hij nooit zo gemakkelijk is geweest, dat weet jij ook wel, kan hij tegenwoordig zo onredelijk en boos zijn. Ik ben echt blij dat ik niet meer thuis woon, hoewel ik het voor mamma eigenlijk wel heel rot vind.'

'Ze zijn ook helemaal niet op vakantie geweest, hè, dat zou hem misschien ook wel goeddoen en je moeder trouwens ook. Maar verder kun je daar toch niks aan doen, je kunt niet thuis blijven wonen om je moeder gezelschap te houden, dat zou ze vast ook niet willen, toch?'

'Nee, dat zeker niet. Kom, we gaan onze eerste avond hier gelijk in de stad vieren, ik trakteer.' Even later lopen ze samen richting centrum.

Een paar weken later komt Monique onverwacht Myra tegen in de stad. Het is donderdag aan het eind van de middag en Monique is onderweg om wat te gaan winkelen in het centrum.

'Hé Myra, hoe is het? Heb je zin om even mee te gaan, ergens wat drinken of zo?'

Myra schudt het hoofd. 'Nee, ik ben onderweg naar mijn werk, ik moet om vijf uur beginnen in het restaurant. Maar ik vind het wel heel leuk om een andere keer wat af te spreken, als ik tijd heb tenminste,' laat ze er met een scheef lachje op volgen.

'Tot hoe laat moet je werken?' vraagt Monique.

'Meestal tot een uur of tien, halfelf, het ligt eraan hoe druk het is.'

'En dan moet je nog helemaal naar huis?'

'Ja, maar dat ben ik gewend, hoor, dat doe ik elke donderdag en vrijdag zo.'

'Joh, blijf vannacht bij Wendy en mij slapen, dan bel je je moeder zo even, kan dat? Dan kunnen we na je werk lekker bijkletsen. Je kunt bij ons op de bank slapen, en ik heb nog wel een tandenborstel en een schone onderbroek voor je. Lijkt dat je wat?'

Myra aarzelt even. 'Hoe vindt je vriendin dat, jullie huren toch samen dat huis?'

'Wendy vindt dat beslist ook prima, ze kent jou toch ook?' Monique wil niet zeggen dat het huis van haar vader is en dat Wendy alleen een kamer huurt.

'Nou, het klinkt wel heel aanlokkelijk. Ik heb morgen geen andere boeken nodig dan vandaag, dus dan hoef ik vanavond niet naar huis. Misschien kunnen we wat in de stad gaan drinken als ik klaar ben?'

'Afgesproken, vanaf een uur of tien zit ik bij Het Neutje, ik kijk wel of Wendy ook zin heeft om mee te komen.'

'Leuk, ik ga zo gelijk mijn moeder bellen! Tot vanavond.'

Als Monique en Wendy later samen eten, vertelt Monique over haar ontmoeting en afspraak met Myra. 'Jij vindt het toch ook geen probleem?' vraagt ze Wendy.

'Nee, natuurlijk niet, trouwens, het is jouw huis.'

'Doe niet zo idioot, het is van mijn pa, niet van mij.'

'Dat is ongeveer hetzelfde,' zegt Wendy. Maar dan gaat ze verder: 'Balen zeg, als je twee keer per week zo laat nog naar huis moet reizen, die bus gaat dan natuurlijk ook nog maar één keer per uur, wat een ellende. Kan ze niet gewoon altijd die twee nachten bij ons in het rommelkamertje logeren?' stelt ze voor. 'Als ze een goed luchtbed of een matras koopt met daarbij een slaapzak, kan ze zo blijven pitten. Of misschien wil je vader voor een zacht prijsje dat kleine kamertje wel aan haar verhuren, dan hoeft ze helemaal niet meer op en neer te reizen.' En als Monique niet gelijk antwoordt, gaat Wendy verder: 'Ik geloof dat ze niet echt veel geld heeft, hè, maar het is zo'n klein kamertje, je vader vraagt daar vast niet zoveel voor, toch?'

Monique is even in tweestrijd. Zal ze Wendy vertellen over de racistische opmerkingen van haar vader? Nee, hoe hecht hun vriendschap ook al jaren is en hoeveel Wendy ook weet over hun thuissituatie, dit kan ze niet vertellen, ze schaamt zich zo voor haar vader.

'Nou, voor vast is niet gelijk nodig, denk ik. Myra vindt het volgens mij best fijn om door de week thuis te zijn bij haar familie. Maar inderdaad, de avonden dat ze werkt zou ze best bij ons kunnen blijven logeren. Ik zal het haar vanavond wel voorstellen. Vannacht kan ze wel op de bank slapen, maar als ze vaker wil blijven, ligt een luchtbed vast beter.'

Wendy heeft al een andere afspraak en zo zitten Monique en Myra tot laat samen in de stad. Als ze eindelijk in de richting van het appartement lopen zegt Myra: 'Als ik naar huis reis, lig ik bijna nog eerder op bed dan nu.' Ze lacht. 'Maar dit is wel heel wat relaxter en gezelliger, zeg! Ik vind het soms best vervelend om zo laat bij die bushalte te staan, zeker als hij net weg is, dan sta je soms bijna een uur te wachten. Nou ja, dat weet jij natuurlijk ook!' Ze kijkt Monique van opzij aan en vraagt dan: 'Vond Wendy het trouwens geen probleem, ik bedoel, dat ik bij jullie slaap vannacht?'

'Integendeel, ze stelde zelfs voor om je te vragen om voortaan elke donderdag en misschien vrijdagavond te blijven logeren als je dat zou willen. We hebben een kamertje over, dus als je een luchtbed koopt, hoef je niet op de bank te slapen.'

'Nou, ik weet het niet...' aarzelt Myra.

'Denk er maar over en kijk eerst maar eens hoe het vannacht bevalt.'

Als ze thuiskomen is Wendy al naar bed. 'Hier, ik heb al een extra dekbed opgezocht, dat kun je vannacht gebruiken, ik hoop dat de bank een beetje ligt.'

Ze zitten nog even te praten. Dan vraagt Monique zo nonchalant mogelijk, maar ze voelt dat ze toch een kleur krijgt: 'Hoe is het eigenlijk met die neef van je, die Sander? Hij studeert toch in Amsterdam, komt hij vaak bij jullie?'

Myra schiet in de lach en zegt: 'Ha, je wordt rood! Dat is het voordeel van mijn kleurtje, je kunt nooit zien of ik bloos! Ja, hij studeert bedrijfskunde in Amsterdam en nee, hij komt niet zo heel vaak, hij heeft het erg druk. Dit voorjaar is hij vier weken naar Suriname geweest, zijn moeder die daar woonde, was erg ziek en is ook overleden. Daarna is hij teruggekomen, maar natuurlijk heeft hij daardoor een flinke achterstand opgelopen met z'n studie. Die achterstand probeert hij zo snel mogelijk in te halen. Dus veel tijd voor uitstapjes zijn er niet, zeker niet helemaal naar ons dorp. Maar een tijdje terug sprak ik hem en toen vertelde hij dat hij binnenkort eens naar Utrecht wilde komen. Een vriend van hem studeert en woont hier, daar zou hij een keer naartoe gaan en dan gelijk bij onze universiteit komen kijken. Dus,' ze kijkt Monique ondeugend aan, 'als ik een afspraakje moet regelen?'

'Doe niet zo gek, ik vroeg het gewoon uit belangstelling.'

'Jaja! Nou, ik zal je in elk geval een seintje geven als hij een keer deze kant op komt, goed?'

Al snel wordt het een gewoonte dat Myra donderdags bij Monique en Wendy blijft slapen. Ze heeft zelf voor een luchtbed gezorgd, want de bank bleek toch niet echt comfortabel te liggen.

Vrijdags gaan Monique en Wendy meestal voor het weekend naar hun ouders, dus dan reist ook Myra na haar werk naar huis.

'Je hebt nu een sleutel, dus je kunt ook de nacht van vrijdag op zaterdag blijven slapen, hoor,' heeft Monique haar aangeboden. Maar daar wil Myra absoluut niet van horen. 'Ik voel me soms al een beetje bezwaard dat ik iedere donderdag bij jullie logeer,' zegt ze.

'Doe niet zo raar, we vinden het alleen maar gezellig. Trouwens, je bent hier maar een paar uurtjes.' Dat is ook zo, meestal is het halfelf of later voor Myra er is, soms drinken en kletsen ze dan nog wat, maar meestal is Myra zo moe dat ze al snel naar het kleine slaapkamertje vertrekt.

'Vinden je ouders het eigenlijk geen probleem?' vraagt ze op een keer aan Monique. 'Ze kunnen die kamer net zo goed verhuren.'

Monique zegt niet dat haar ouders er niet van weten en haar vader er zeker niets van mag weten, ze gaat alleen in op het laatste gedeelte van de vraag. 'Ze willen dat kleine kamertje niet verhuren, ze zijn bang dat het dan te vol en te onrustig wordt in huis, zodat ik dan niet meer braaf kan studeren,' zegt ze luchtig.

'Je boft toch maar met zo'n pa!' zegt Myra.

'Och...' Meer zegt Monique niet. Je moest eens weten, denkt ze. Ze heeft Wendy op het hart gedrukt, niks te vertellen over hun wekelijkse logee, niet bij Monique thuis, maar ook niet tegen haar eigen familie. 'Je weet nooit hoe zoiets ter sprake kan komen en mijn vader vindt het misschien niet goed, dus wat niet weet, wat niet deert, toch?'

'Waarom zou hij daar iets op tegen hebben, denk je?' vraagt Wendy.
'Ik weet niet, maar laat het maar zo.'

Op een donderdag staat Myra eind van de middag bij Monique en Wendy voor de deur.
'Is Monique er?' vraagt ze als Wendy opendoet.
'Ja, kom erin.'
'Nee, ik moet naar m'n werk, ik wil haar alleen even snel iets vragen.'
Monique heeft haar stem gehoord en komt al naar de deur. 'Hé Myra, kom verder.'
'Nee, ik moet naar het restaurant, ik wilde alleen vragen of je zin hebt vanavond na mijn werk nog even de stad in te gaan? Het is weer zo'n poos geleden...'
En als Monique een beetje verbaasd knikt, zegt ze nog vlug: 'Goed, tien uur bij Het Neutje? Tot vanavond!' Dan is ze weg.
'Nou moe!' Monique doet de deur dicht en loopt weer naar de keuken waar Wendy juist met koken was begonnen. 'Wat raar en waarom vraagt ze dat niet aan jou?'
'Wat?'
'Ze vroeg of ik vanavond mee ga wat drinken als ze klaar is met werken. Maar waarom vraagt ze dat alleen aan mij en niet aan ons allebei? Lekker aardig!'
'Joh, misschien wil ze je ergens over spreken onder vier ogen, dat kan toch? Jij kent haar en haar familie immers veel beter dan ik? Ik voel me echt niet gepasseerd, hoor! Al wonen we in één huis, daarom hoeven we nog niet alles samen te doen, toch?' Wendy snijdt de champignons in plakjes en gooit ze bij de uien en paprika in de pan. 'Zullen we een beetje vroeg eten, ik wil nog even de stad in vanavond.'
Monique zegt niks meer, ze heeft er toch een wat raar gevoel over. Maar misschien is het inderdaad zoals Wendy zegt en wil Myra haar ergens over spreken. Ze hoort het vanavond wel.

Om tien uur stapt Monique het café binnen. Het is er, zoals altijd op donderdagavond, vol studenten. Even kijkt ze zoekend rond. Nee,

Myra is er nog niet, zo te zien. Dan maar kijken of ze een plekje kan bemachtigen. Opeens wordt ze op haar schouder getikt. 'Hé Monique!'

Als ze zich omdraait kijkt ze in het gezicht van Sander. Ze voelt dat ze een kleur krijgt terwijl ze zegt: 'Hoi Sander, dat is toevallig! Of misschien toch niet zo heel toevallig, heb je hier met Myra afgesproken?'

'Ja, ik ben vanmiddag naar Utrecht gekomen en slaap vannacht bij een vriend. Morgenochtend heb ik geen college, dus in de loop van de ochtend ga ik weer terug naar Amsterdam. Ik dacht: vanavond ga ik ook nog een biertje drinken met m'n nichtje.'

Monique kijkt op haar horloge en zegt: 'Nou, ze zal zo wel komen, dan ga ik ervandoor. Ik spreek je nog wel.'

Maar voor ze weg kan lopen pakt Sander haar bij de schouder. 'Hé, ga nou niet weg, ik vind het juist leuk jou ook weer eens te zien. En eigenlijk...' Het lijkt of hij even niet weet wat hij zeggen moet, maar op dat moment komt Myra eraan. Ze lacht breed terwijl ze zegt: 'Hé allebei, is dat een verrassing of niet? Sander heeft al een paar keer naar jou gevraagd, Monique, en toen jij pas ook al naar Sander vroeg dacht ik: ik zal jullie een beetje helpen! Maak er een gezellige avond van, ik ga naar m'n bedje als jullie het niet erg vinden.' Voor Sander en Monique iets kunnen terugzeggen is ze al tussen de mensen verdwenen.

'Nou ja!' zegt Monique. 'Ik vind dit gewoon een beetje gênant! Sorry hoor, Sander, dit was niet mijn idee.'

Sander grinnikt. 'Het mijne ook niet, maar wel leuk! Wat wil je drinken, een biertje?'

'Nee, doe maar cola.' Als Sander met twee glazen in zijn handen terugkomt, heeft ze twee stoelen gevonden. 'Proost!' Sander heft zijn glas. 'Op onze kennismaking.'

Al snel zijn ze, de hoofden dicht bij elkaar vanwege het lawaai om hen heen, in druk gesprek met elkaar.

Sander vertelt over zijn studie, zijn familie en over zijn moeder, die kortgeleden in Suriname is overleden.

'En je vader?' vraagt Monique.

'Die ken ik niet,' zegt Sander kortaf.

'O sorry.' Monique schrikt en denkt bij zichzelf: Ook al geen vader, het zit die familie van Myra en Sander niet mee wat dat betreft.

'Het geeft niet, ik ben op zoek naar hem, misschien vertel ik je daar nog wel eens iets over. Maar vertel eens wat over jouw familie? Hoewel, je moeder ken ik eigenlijk al een beetje.'

En als ze hem verbaasd aankijkt gaat hij verder: 'Ik ben toen toch bij jullie aan de deur geweest, weet je wel?'

'O ja, je zocht toen het adres van je tante.' Ze lacht even en gaat dan verder: 'Volgens mij vonden Myra en haar moeder je niet zo slim toen dat ter sprake kwam, je was er toch al een keer geweest? En wij wonen inderdaad nogal een stukje uit de buurt van hen. Geen richtingsgevoel dus!'

Hij geeft geen antwoord en verschrikt kijkt ze hem aan. Zij ook met haar grote mond, wat kent ze die jongen nou helemaal. 'Dat is maar een grapje, hoor, ik weet helemaal nergens de weg te vinden, al ben ik er al tien keer geweest.'

Maar hij legt heel even zijn hand op de hare en zegt: 'Het geeft niet, ik snap best dat het een geintje is. Maar het zat heel anders, ik zocht mijn familie helemaal niet, in elk geval niet díe familie...' Het lijkt of hij verder wil gaan, maar hij staat op en zegt: 'Kom, zullen we naar buiten gaan, het is hier zo lawaaierig, je kunt elkaar bijna niet verstaan. En ik wil nog wel wat over jouw studie horen. Dan lopen we alvast richting jouw huis, of is dat te ver om te lopen?'

'Nee, dat kan goed.' Even later lopen ze langs de donkere gracht. 'Wat doe jij, ook pedagogiek, net als Myra?'

'Nee, Frans, m'n eerste jaar pas.'

'Zo, da's interessant. Wat wil je er later mee gaan doen, lesgeven of heel wat anders?'

'Ik heb nog geen idee, ik vind het gewoon een prachtige taal en interessante cultuur.' Ze lacht. 'Als ik een jongen was geweest had ik economie of bedrijfskunde moeten doen en mijn vader moeten opvolgen in zijn bedrijf. Dus het heeft alleen al daarom z'n voordelen om een meisje te zijn!'

Hij kijkt haar van opzij aan en probeert in het donker de uitdrukking op haar gezicht te zien. 'Het klinkt een beetje bitter, is het echt zo? En nu, moet nu een broertje die studie kiezen?'

'Er is geen broertje, dus er is een probleem! Mijn vader is echt wel dol op me, maar soms heb ik het gevoel dat hij het wel erg jammer vindt dat ik geen jongen ben.'

'Een vrouw aan de top van een bedrijf kan toch ook? Of had je daar geen zin in?'

'Dat lijkt me niks en bovendien: in mijn vaders ogen zou dat nooit kunnen. Stel je voor: een vrouw! Nee, zijn enige hoop is nu gevestigd op een geschikte schoonzoon, zo is hij zelf ook het familiebedrijf in gekomen, en daar maakt hij tegenwoordig regelmatig een toespeling op.'

Ze hoort het zichzelf zeggen, o wat een blunder! Vertelde Sander niet dat hij bedrijfskunde studeert? Hij zal wel denken!

Ze hoort hem grinniken en hij legt met een speels gebaar zijn arm even over haar schouder terwijl hij zegt: 'Hé, dat is toevallig, ik studeer bedrijfskunde.' Maar gelijk haalt hij zijn arm weer weg en zegt serieus: 'Dat lijkt me heel lastig, zo'n druk op je schouders, maar ik denk persoonlijk dat liefde belangrijker is dan een geschikte opvolger voor je vader, toch?'

'Zeker weten!'

Ze staan inmiddels voor de voordeur van haar huis.

'Tof, dat Myra hier mag slapen als ze heeft gewerkt,' zegt Sander, 'anders is ze de halve nacht onderweg.'

'Ja, nou, dat kamertje is er toch en het is ook nog gezellig, als ze tenminste niet hard wegrent en haar neef op me afstuurt.' Ze kijken elkaar aan en lachen dan allebei.

'Monique, vind je het goed als ik binnenkort weer eens kom? Ik vind je een leuke meid en er is ook iets waar ik met je over wil praten. Iets, waarover ik niet met mijn familie wil praten, maar ik geloof dat ik dat wel met jou kan.'

'Goed,' zegt ze, 'we hebben telefoon hier in huis, ik zal je het nummer geven, dan kun je bellen. Een enkele keer blijf ik ook wel eens in de

stad tot zaterdagavond, dus misschien een keer op een zaterdag?'
Hij heeft een pen uit zijn zak gehaald en zegt: 'Wat is het nummer?'
Bij het licht van de lantaarnpaal schrijft hij het aan de binnenkant van
zijn hand. Hij geeft haar een vluchtige kus op haar wang. 'Bedankt
voor de gezellige avond en tot gauw!' Dan is hij weg.

5

HET GAAT NIET GOED MET GERBEN. RITA HEEFT AL VERSCHILLENDE keren geprobeerd om hem aan het praten te krijgen over wat hem dwarszit, maar het lukt haar niet.

'Ik heb het druk, zeur niet!' is het enige dat ze te horen krijgt als ze voorzichtig vraagt of het wel goed met hem gaat. Hij maakt lange dagen op kantoor, langer dan ooit tevoren, en als hij al thuis is, loopt hij rusteloos heen en weer. 's Nachts hoort Rita hem vaak uit bed gaan en de trap af lopen. Meestal doet ze maar of ze het niet merkt, want als ze hem achternagaat en vraagt wat er toch is, krijgt ze ook dan een grauw en een snauw. En als hij slaapt, hoort ze hem vaak onrustig mompelen en zit hij later weer zwetend op de rand van het bed.

Op een dag zegt ze: 'Zo gaat het niet langer, ik wil dat je naar de dokter gaat en je eens goed laat nakijken. Laat je bloeddruk eens meten en dat soort dingen. Of misschien moet je gewoon eens vakantie nemen, laten we er een paar weken tussenuit gaan, dat zal je ook goeddoen.'

'Er is niks aan de hand, dit is gewoon een drukke periode op de zaak, volgend voorjaar gaan we wel eens een weekje weg. En doe me een plezier: let niet zo op me!'

Rita zegt niks meer, het helpt toch niet. En misschien let ze inderdaad wel te veel op hem. Ze mist Monique nog meer dan ze had gedacht, het is stil in huis en ze betrapt zich erop dat ze elke week de dagen aftelt tot het weer vrijdagavond is. Misschien heeft Gerben ook wel gelijk en concentreert ze zich nu te veel op hem.

'Zullen we dit weekend eens samen naar je vader gaan?' vraagt ze op een donderdagavond. 'Hij noemt steeds je naam als ik er ben, ik denk toch wel dat hij je mist, al lijkt hij je niet te herkennen als je er bent. Misschien moet je eens proberen oude herinneringen van vroeger met hem op te halen, misschien reageert hij daar wel op.'

'We zien nog wel, ik heb geen behoefte aan oude herinneringen!' mompelt Gerben.

Die nacht wordt Rita wakker door het onrustig draaien en mompelen van Gerben. '... Gijs, niet... het strand...' Dan schiet hij met een schok rechtop. Rita hoort hem diep zuchten, dan gaat hij weer liggen. Rita blijft ook stilliggen, maar opeens schieten de woorden van eerder die avond haar weer te binnen: 'Ik heb geen behoefte aan oude herinneringen...'

Als ze aan de ademhaling van Gerben hoort dat hij weer slaapt, ligt zij nog lang wakker en langzaam komt er een plan in haar op.

De volgende dag rijdt ze naar het verpleeghuis waar haar schoonvader verzorgd wordt. Ze is er eerder deze week ook al geweest, maar dat is hij vergeten zodra ze weer buiten is. Ze vindt hem in de huiskamer, samen met enkele andere ouderen. Zoals altijd licht zijn gezicht op als hij haar ziet. 'Rita,' zegt hij. Daar heeft niemand een verklaring voor, dat hij alleen haar direct herkent als ze komt en zijn eigen zoon of andere oude kennissen niet.

'Dag vader, hoe is het?' Ze kust hem op de wang.

'Je moeder is boodschappen doen, ze komt zo, hoor, dan krijg je limonade,' zegt hij.

'Goed hoor.' Ze klopt hem zachtjes op de hand. 'U krijgt de groeten van Gerben,' zegt ze.

'Dat is mooi...'

'Vader,' probeert ze dan, terwijl ze hem aankijkt, 'weet u nog dat Gerben naar Aruba ging toen hij soldaat was?'

'Jaja, ik ben soldaat geweest. dat was in de oorlog, ik was negentien.'

'Ja, in de Eerste Wereldoorlog, hè, maar Gerben, uw zoon, die moest toch naar Aruba toen hij marinier was?'

'Ja, en Gijs ook,' zegt hij opeens heel helder. 'Eerst ging Gijs en toen Gerben, ze zijn altijd vrienden geweest. Dat is goed, want de jongen heeft geen moeder meer.' Hij kijkt Rita ongerust aan. 'Spelen ze nog steeds samen, ze hebben toch geen ruzie gemaakt?'

Rita knikt. 'Nee hoor, niks aan de hand.' Ze zucht onhoorbaar, nee, hier wordt ze niets wijzer wat betreft de tijd op Aruba.

Ze drinkt een kopje koffie mee en staat dan weer op om naar huis te gaan. 'Een volgende keer komt Gerben ook weer mee, hoor,' zegt ze als ze hem weer een kus geeft.

Hij knikt, maar ze vraagt zich af of het tot hem doordringt, hij lijkt weer heel ver weg.

'Goed kind, de groeten aan je man, je bent toch wel getrouwd?'

Ze knikt, dan zwaait ze en loopt de deur uit.

Ongeveer op diezelfde tijd zit Gerben achter zijn bureau. Hij doet zijn stropdas wat losser en maakt het bovenste knoopje van zijn overhemd open. Hij heeft het benauwd. Zou Rita toch gelijk hebben, mankeert hij echt iets? Opeens wordt hij bang, stel dat zijn hart het begeeft door alle spanningen? Hij voelt zelf wel dat hij op zijn tenen loopt, maar het komt doordat hij zo slecht slaapt, zo droomt.

'Oude herinneringen ophalen,' zei Rita gisteren. Als er iets is wat hij nou juist níet wil, is dat het wel! En toch zijn ze er voortdurend, die herinneringen. Als opgedoken uit het niets, spoken ze door zijn hoofd. Overdag als hij aan het werk is, besprekingen voert, beslissingen moet nemen en 's nachts als hij wakker ligt of in zijn dromen als hij slaapt. Gèk wordt hij ervan!

Met een ruk schuift hij zijn bureaustoel achteruit en staat op. Hij loopt naar de kamer van zijn secretaresse en steekt even zijn hoofd om de hoek van de deur. 'Ik ben een uurtje weg, hoor, tot straks.' Voor ze kan reageren heeft hij de deur alweer dichtgedaan. Hij loopt naar de lift en beneden aangekomen gaat hij naar buiten en stapt in zijn auto. Zonder duidelijk plan rijdt hij weg. Als hij buiten het dorp is komt hij een beetje tot zichzelf. Hij rijdt een stille weg in en stopt zijn auto op een parkeerplaats. Hij leunt met zijn armen op het stuur en legt zijn hoofd daar bovenop.

Waarom maakt hij zich nou eigenlijk zo druk? Het is toch allemaal Gijs z'n pakkie-an? Gijs heeft toch de schande in de familie gebracht en al heet hij nou toevallig ook 'Geluk', daarom treft hemzelf toch geen blaam? Is zíjn goede naam toch niet bezoedeld? Gijs is niet voor niks met de noorderzon vertrokken.

Waarom dan die onrust bij hem, Gerben? Waarschijnlijk omdat het allemaal weer boven is gekomen toen hij die jongen zag die bij hem aan de deur stond. Die jongen, hoewel met een getinte huidskleur, toch met de stem van Gijs. Dát is het! Eindelijk durft hij het zichzelf toe te geven: hij wíl geen confrontatie met die tijd. Wat zouden ze wel niet van hem denken, z'n personeel, de mensen in de kerk, z'n familie. Altijd blijft hij zich het omhooggevallen jongetje voelen, dat door zijn schoonvader in het zadel is getild. En daarbij past geen donker verleden, ook geen neef met een donker verleden.

Hij weet dat hij niet helemaal eerlijk is, maar het kan niet anders, hij kan niet anders!

Is hij toch even in slaap gevallen?

Hij is al snel gewend in de kazerne, hoewel de eerste dagen niet meevielen. De ouderen lieten duidelijk voelen, dat hij een 'verse baal', een nieuweling was, dat hij niks te vertellen had. Maar nu heeft hij zijn plekje gevonden. Na diensttijd trekt hij ook hier veel met Gijs op, hoewel Gijs ook andere dingen aan zijn hoofd heeft! Gijs heeft een vriendinnetje, Maria. Maria is een Surinaams meisje, dat hier op Aruba in een hotel werkt. Ze is nog jong, zestien of zeventien, maar heel mooi, dat moet Gerben onmiddellijk toegeven. En voor het eerst in zijn leven lijkt Gijs echt verliefd.

Gerben en Gijs gaan vaak naar het strand. In de weekenden die Maria niet hoeft te werken, is zij er ook bij. Maar Gerben krijgt ook andere kennissen. Al vanaf de eerste zondag gaat hij naar de kerkdienst in het kamp. Daar ontmoet hij behalve zijn maten, ook de beroepsmilitairen die met hun gezin op het eiland wonen en samen de diensten bezoeken. Dat schept een band en de gezinnen vragen de jongens vaak uit de kerk mee om bij hen thuis koffie te drinken. Bij een van die gezinnen blijft Gerben vaak de hele verdere zondag. Het is een gezellig, gastvrij gezin en andersom past hij soms 's avonds op de kinderen, als Fred en Gonnie weg moeten.

Tussen dat alles door schrijft Gerben lange brieven, twee keer per week aan Rita en af en toe ook één aan zijn vader. Natuurlijk mist hij Rita wel, maar tegelijk geniet hij van het leventje op het eiland, waar altijd de zon schijnt.

In maart 1971 zal Gijs afzwaaien, dus onherroepelijk komt het afscheid van hem en Maria dichterbij. 'Ik ga flink aan het werk als ik terug ben in Nederland en dan laat ik je overkomen en trouwen we,' hoort Gerben Gijs tegen Maria zeggen, vlak voor hij terug naar Nederland zal vliegen. Hij, Gerben, moet er stiekem om lachen: Gijs en hard werken, het zal wel! Diep in zijn hart is hij jaloers op zijn neef, het is het tegenovergestelde van zijn eigen relatie met Rita. Kijkt Gerben altijd op tegen zijn schoonfamilie, heeft hij het gevoel altijd op zijn tenen te moeten lopen om erbij te kunnen horen, hier is het anders. Maria kijkt duidelijk op tegen Gijs, ze adoreert hem en voelt zich afhankelijk van hem.

Dan gaat Gijs weg...

Heeft hij geslapen, of dagdroomt hij? Langzaam tilt hij het hoofd op. Was het daar maar bij gebleven, was het verhaal toen maar afgelopen geweest...

Hij tilt zijn hoofd op en wrijft in zijn ogen. Het verhaal ís afgelopen! Hij kijkt in het autospiegeltje, strijkt zijn haar glad. Hij moet terug naar de zaak, hij moet gewoon ophouden met al dat tobben, er is niks aan de hand! Misschien is hij echt overspannen aan het worden. Waarom zou hij zich anders zo druk maken over iets van vroeger, iets waar hijzelf nota bene niks mee te maken heeft gehad, toch...?

Hij start de auto, keert en rijdt rustig terug naar kantoor. Het is echt afgelopen, neemt hij zich voor, vanaf nu wil hij er niet meer aan denken!

Nauwelijks twee weken later belt Sander al op. 'Hoi, met Sander, alles goed?'

Monique is verrast zijn stem te horen. 'Ja, met jou ook?'

'Ja, best...' Even blijft het stil, dan vraagt hij: 'Ben je aanstaande zaterdag toevallig in de stad?'

'Ik was het niet van plan, maar plannen kunnen veranderen.'

Ze hoort hem lachen, dan zegt hij: 'Betekent dat dat we iets kunnen afspreken?'

'Ja, leuk. Hoe laat kom je hier naartoe, 's middags of 's avonds pas? Ik wil dan wel aan het eind van de avond naar mijn ouders gaan.'

'Wat dacht je van een uur of vijf? En dan samen ergens wat eten en daarna nog even de stad in?'

'Goed, maar kom dan maar bij mij eten, je weet waar ik woon, of ben je vergeten waar het was?'

'Nee, ik weet het nog. Fijn, Monique, tot zaterdag.'

Als hij heeft neergelegd, blijft ze nog even met de telefoon in haar hand staan. Sander... Wat verwacht ze van hun afspraakje? En wat verwacht hij ervan? Ze heeft de vorige keer best gemerkt dat hij haar leuk vindt en zij vindt hem ook wel een erg leuke jongen. Is ze verliefd op hem aan het worden en wil ze dat wel? Want ze kan daar niet aan denken zonder direct aan haar vader te denken. Waar begint ze aan! Ach, onzin! Ze legt de telefoon eindelijk neer. Ze heeft een afspraakje met een leuke jongen, dat is toch wel vaker gebeurd? Ze is nog niet met hem getrouwd. Daar moet ze even om grinniken: pappa wil toch een schoonzoon die bedrijfskunde studeert? Nou, hier ist-ie dan!

De volgende dagen betrapt ze zich erop dat ze steeds aan zaterdag loopt te denken. Donderdagavond belt ze haar moeder om te zeggen dat ze pas zaterdagavond thuiskomt.

'Heb je een afspraakje?' vraagt Rita gekscherend.

'Zoiets.'

'O?' Nu klinkt haar moeders stem echt een beetje nieuwsgierig. 'Is er wat te melden?'

'Nee hoor, mam, nog lang niet. Ik bel je nog.'

Maar vrijdag, als Monique net terug is van college, gaat de telefoon. Als ze opneemt hoort ze haar moeders stem. 'Monique, opa is onverwacht overleden, het zou fijn zijn als je naar huis kon komen.'

'Ja, natuurlijk. Wanneer is het gebeurd?'

'De verzorging vond hem vanmiddag in zijn bed, hij is waarschijnlijk in zijn slaap overleden.'

'Ach... Hoe is pappa eronder?'

'Het doet hem meer dan ik gedacht had. Je weet dat hij weinig bij opa kwam, maar het was wel z'n enige familielid, nou ja, zo ongeveer dan.'

'Ik pak m'n spullen en neem dan de eerste trein naar huis. Tot straks.'
In gedachten begint ze haar toiletspulletjes en wat kleren bij elkaar te pakken en propt het in haar rugzak. Ze schrijft een kort briefje voor Wendy, die nog niet thuis is, dan trekt ze de deur achter zich dicht. Pas als ze in de trein zit, realiseert ze zich dat ze haar afspraak met Sander misloopt, ja sterker nog: ze heeft geen idee hoe ze hem kan bereiken. Nou ja, eerst maar naar huis, misschien weet Myra een telefoonnummer om hem te bereiken of een boodschap door te geven.

Als Monique de deur binnenstapt, vindt ze haar ouders samen in de kamer. Wat ziet pappa er slecht uit! schiet het door haar heen. Ze loopt op hem toe en slaat haar armen om zijn nek. 'Gecondoleerd, pap.'

Hij knuffelt haar even dicht tegen zich aan. 'Wat fijn dat je er al bent, meisje! Ja, het is heel raar, ik kon de laatste jaren helemaal geen contact meer met hem krijgen, maar nu hij is gestorven, voelt het opeens of ik erg alleen ben. Dat slaat natuurlijk nergens op, maar toch...'

'Dat komt denk ik omdat opa je laatste echte familielid was, nou ja, behalve ons dan natuurlijk!'

Monique omhelst ook haar moeder en gaat dan zitten. 'Wil je nog wat eten, Monique, wij hebben al wat soep genomen maar jij hebt wellicht nog niet veel op?'

'Nou, eigenlijk heb ik wel trek, ja, toen je belde ben ik gelijk weggegaan, dus het is onderhand wel etenstijd. Zal ik zelf even...?'

Maar Rita is al opgestaan en loopt naar de keuken.

Het blijft even stil in de kamer. Monique kijkt naar haar vader die met hangende schouders in zijn stoel zit. Ze betrapt zich erop dat ze even denkt: typisch eigenlijk, pappa keek bijna nooit naar z'n vader om en nu...

'Heb je verder helemaal geen familie, pap? Raar eigenlijk, was jij enig kind en je ouders ook?'

'Mijn vader had een jongere broer, maar deze Arie en zijn vrouw Marie leven ook al lang niet meer.'

'En verder is er dus helemaal niemand, had die broer ook geen kinderen?'

Ze ziet hoe haar vader even aarzelt, maar intussen komt moeder Rita de kamer weer in, een kop soep in haar handen. 'Pappa heeft één neef, Gijsbert. Maar die hebben we al jaren niet meer gezien, hij is geëmigreerd.'

'O?' Verbaasd kijkt Monique haar ouders aan. 'Dat hoor ik voor het eerst. Is hij weggegaan toen ik klein was, of nog eerder? Waar woont hij nu en hebben jullie helemaal geen contact met hem?'

Gerben schraapt zijn keel en zegt dan kort: 'Geen idee waar hij is gebleven.'

En als Monique haar moeder afwachtend aankijkt, haalt deze haar schouders op. 'Ik weet het ook niet, nog voor pappa en ik getrouwd waren is Gijs al weggegaan. Ik dacht naar Canada, maar dat weet ik ook niet zeker.'

Gerben is opgestaan en naar het raam gelopen. Met zijn rug naar zijn vrouw en dochter toe zegt hij: 'Zullen we het verleden nu maar even laten rusten, er zijn belangrijker dingen aan de orde, de begrafenisondernemer kan ieder moment hier zijn. We moeten de tekst voor de kaart doorgeven, de kaarten moeten naar de drukker en we moeten een adressenlijst samenstellen.' Hij draait zich om en opnieuw valt het Monique op hoe bleek haar vader ziet. Komt dit echt alleen door het overlijden van zijn vader, of is het waar wat mamma pas zei: dat ze af en toe bang is dat pappa te veel hooi op zijn vork neemt, veel te lange dagen maakt op de zaak. Hij wil ook veel te veel in eigen hand houden. Tijd voor een schoonzoon die economie of bedrijfskunde studeert, schiet er even door haar hoofd. Ze moet bijna lachen, maar gelukkig weet ze haar gezicht in de plooi te houden. Dit is geen moment voor grapjes en zeker niet voor grapjes over Surinaamse schoonzoons in spe. Trouwens, zo ziet ze Sander ook echt nog niet, toch...? Sander! O ja, ze moet proberen contact met hem te leggen over morgenavond, maar hoe doet ze dat? Myra is nog in Utrecht aan het werk in haar restaurant. Zou ze haar daar kunnen bellen? Een andere oplossing lijkt er niet. Eerst maar doen, voordat de begrafenisondernemer komt. Ze pakt haar rugzak en wil de kamer uit lopen. 'Ik breng vast m'n spullen naar boven, hoor,' zegt ze.

Rita knikt en Gerben vraagt: 'Wil je zo ook even meekijken als die man komt, welke kaart het moet worden en zo?'

'Ja, ik kom zo weer beneden.' Vlug loopt ze de trap op en zet haar tas op haar kamer. Dan loopt ze naar haar vaders studeerkamer en kijkt bij de telefoonboeken. Ligt er een van Utrecht bij? Ja, gelukkig! Ze bladert er snel in, hoe heet dat restaurant ook alweer... O ja, hier heeft ze het. Snel kiest ze het nummer en tot haar verrassing hoort ze dat Myra opneemt.

'Myra? Dat is toevallig! Je spreekt met Monique. Myra, luister, ik heb afgesproken met Sander voor morgenmiddag, maar mijn opa is overleden en nu ben ik onverwachts al naar mijn ouders gegaan. Alleen, ik heb geen idee hoe ik hem nog kan bereiken en ik wil niet dat hij helemaal voor niks naar Utrecht komt, snap je? Heb jij een telefoonnummer of zo?'

'O joh, gecondoleerd, wat erg voor je. Ik heb wel een nummer van het huis waar hij woont, maar dat heb ik natuurlijk niet bij me. Zal ik je later bij je ouders bellen of morgenochtend even langskomen?'

Monique schrikt, wat moet ze nu zeggen? Mijn vader wil niet dat ik contact heb met je?

Myra legt haar aarzeling gelukkig anders uit. 'Ach, ik begrijp dat jullie hoofd daar nu niet naar staat. Weet je wat, ik bel Sander zelf wel even vanavond of morgenvroeg en leg het hem uit, oké? Hé, sterkte hoor, ik ga gauw verder.'

Als Monique de telefoon heeft neergelegd en langzaam de trap af loopt, dringt het opnieuw in alle hevigheid tot haar door dat, al zou ze dat willen, het nooit iets kan worden tussen haar en Sander. Stel je voor, als Myra even langs wil komen slaat de schrik haar al om het hart wat betreft haar pa. En dat zou dan gewoon om een vriendin gaan. En weer neemt ze zich voor, om later toch nog eens te proberen erachter te komen waarom haar vader opeens zo racistisch is. Want dat past toch eigenlijk helemaal niet bij zijn levensovertuiging, ergens klopt er gewoon iets niet. Maar wat of waarom? Ze heeft geen idee.

Dan gaat de bel van de voordeur, haar vader laat de begrafenisondernemer binnen en Monique gaat ook naar de kamer.

Woensdag is de begrafenis. Het is een kleine groep mensen die bij het open graf staat als de kist langzaam naar beneden zakt. De dominee leest de geloofsbelijdenis en spreekt enkele woorden, daarna bedankt haar vader de belangstellenden en hiermee is de plechtigheid afgelopen. In een zaaltje achter de kerk wordt nog een kop koffie geschonken en is er gelegenheid tot condoleren, maar ook hier is het maar een heel kleine groep mensen dat bij elkaar zit. Ach, de meesten van zijn leeftijdgenoten zijn al overleden en familie is er niet.

Monique is een eindje uit de buurt van haar ouders gaan zitten, ze durft haar vader nauwelijks aan te kijken. Tegelijkertijd is ze heel benieuwd naar zijn reactie. Want in de kerk zag ze Myra opeens zitten, samen met haar moeder. Ze zag dat pappa hen ook opgemerkt heeft. Nu kijkt Monique in spanning naar de deur: zouden ze ook hier komen? Maar nee, ze verschijnen niet. Eigenlijk ook wel logisch, ze hebben pappa en mamma nooit ontmoet. Monique vindt het wel erg lief van Myra dat ze de moeite heeft genomen om helemaal vanuit Utrecht hier te zijn voor haar. Ook Wendy is er, maar dat wist ze, gisteravond zijn ze samen vanuit Utrecht naar hun dorp gereisd en vanavond gaan ze ook samen weer terug.

Maandagavond is Myra wel even langs geweest om te kijken of ze alweer in Utrecht was en om haar persoonlijk te condoleren. 'Wat vreselijk voor je en voor je ouders!' heeft ze gezegd.

Monique heeft wel het idee gekregen dat familiebanden voor Myra en haar familie veel belangrijker zijn dan voor hun eigen gezin. Is dat de Surinaamse cultuur of ligt dat gewoon aan het ene gezin of het andere? Ze weet het niet, daar zal ze Sander eens naar vragen de volgende keer. Sander... Wanneer zal ze weer wat van hem horen? Gisteren lag er een briefje van hem dat hij met de post had gestuurd. Ook hij condoleerde haar en verder sprak hij zijn spijt uit over het gemiste afspraakje, hij hoopte snel op een nieuwe ontmoeting.

Terwijl ze aan het begin van de avond wat toiletspullen bij elkaar pakt voor ze weggaat, vraagt ze zich af wanneer die volgende ontmoeting zal zijn. Moet zij nu het initiatief nemen? Maar ze weet niets van hem, geen adres, geen telefoonnummer, en dan nog... Nee, ze wacht maar weer rustig af.

Als ze beneden nog een kopje koffie drinkt met haar ouders zegt haar moeder: 'Ja meis, nu hebben we er nog maar één: alleen oma Voskuijl nog.'

'Hè mam, hou op! Ik moet er toch niet aan denken dat er iets met oma gebeurt.' Monique is dol op haar oma, wellicht komt dat ook omdat oma in hetzelfde dorp woont. Opa Geluk woonde altijd al een dorp verderop en daar kwam natuurlijk nog bij dat hij de laatste jaren nauwelijks meer aanspreekbaar meer was. Ze kijkt naar haar vader, het lijkt wel of hij haar boos aankijkt. 'Natuurlijk vind ik het van opa net zo erg, hoor!' zegt ze vlug. Lekker aardig is ze ook!

'Hè, wat?' Pappa gaat rechtop zitten, het lijkt of hij haar niet eens heeft gehoord. Hij gaat staan. 'Ik breng je wel even weg naar Utrecht, dan hoef je niet helemaal met die bus en de trein.'

'O, dat is lief van je, pap, maar dan moeten we ook Wendy even ophalen, ik zou gelijk met haar terugreizen.'

'O, maar...' Het lijkt of Gerben nog wat wil zeggen, even is het stil. 'Goed, dan gaan we zo maar.' Hij staat op.

'Vind je het prettig als ik ook meerijd, ik bedoel: gezelliger voor de terugrit?' vraagt Rita.

'Nee, ik vind het wel fijn even alleen te zijn, als je het niet erg vindt.' Monique zucht zacht. Nou, als zij ooit nog eens trouwt, hoopt ze wel dat ze een ander huwelijk krijgt dan haar ouders. Hoe kan zoiets toch, eens zullen ze toch ook wel verliefd op elkaar geweest zijn? Ze pakt haar tas en loopt achter haar vader aan naar buiten. Bij de auto omhelst ze haar moeder extra stevig. 'Dag mamsie, tot vrijdag!'

Even glimlacht Rita en zegt zachtjes: 'Ja? Tot vrijdag? Niet tot zaterdagavond?'

Monique haalt haar schouders op. 'Ik weet het nog niet, als dat zo is bel ik wel.' Dan stapt ze bij haar vader in de auto en rijden ze de straat uit. Monique zwaait tot ze haar moeder niet meer kan zien.

'Je vergeet Wendy niet, hè pap?' vraagt ze.

'Nee.' Gerben is wat langzamer gaan rijden. 'Voor we daar zijn, wil ik je wat vragen. Wist je dat dat kind en haar moeder vanmiddag naar de kerk zouden komen en waarom waren ze daar?'

Monique ergert zich aan dat denigrerende 'dat kind', maar ze snapt natuurlijk direct dat hij Myra bedoelt.

'Dat kind, welk kind?' vraagt ze met een effen gezicht.

'Je weet best wie ik bedoel, die Surinamers.'

'Die Surinamers,' zegt ze met nadruk, 'zijn toevallig mijn vrienden en ik stel het enorm op prijs dat ze, om mij te steunen, bij de dienst aanwezig waren.'

Even blijft het stil, dan gromt Gerben: 'Vrienden!' Meer zegt hij niet en Monique zwijgt ook. Zo komen ze bij het huis van Wendy. Voor Monique uitstapt om aan te bellen, draait ze zich om naar haar vader en zegt zacht: 'Waarom doe je toch zo, pap? Je vond altijd de zending zo belangrijk, de mensen in de binnenlanden van Afrika en waar dan ook moesten het evangelie horen. Ik snap er echt helemaal niks van. Horen de bosnegers in Afrika wel tot Gods Koninkrijk maar de mensen uit Suriname niet?' Dan draait ze zich om en wil uitstappen. Maar Gerben pakt haar bij de schouder: 'Je bent brutaal en je snapt er helemaal niks van!'

'Ik ben niet brutaal en als er wat te snappen valt, leg het me dan uit.' Nu gaat het achterportier van de auto open. 'Staan jullie al lang te wachten?' vraagt Wendy terwijl ze instapt. 'Tof hoor, meneer Geluk, dat u ons wegbrengt.'

De reis verloopt bijna in stilte en als ze in Utrecht aankomen blijft Gerben achter het stuur zitten. 'Nee, ik ga gelijk weer terug,' zegt hij als Monique vraagt of hij nog even binnenkomt. Dan omhelst ze hem in de auto. 'Bedankt, pap, ik houd van je, hoor!' zegt ze zachtjes als Wendy al is uitgestapt.

Als ze binnen zijn zegt Wendy: 'Je vader was wel stilletjes, hè, hij trekt zich de dood van zijn vader wel erg aan, geloof ik, ook al had hij nauwelijks contact meer met hem de laatste jaren. Maar ja, het blijft natuurlijk altijd z'n vader, daar kunnen wij ons gelukkig nog geen voorstelling van maken hoe dat moet zijn.'

Monique knikt maar wat, haar hoofd is vol gedachten.

Als het vrijdagmiddag is geworden heeft Monique nog niks van Sander gehoord, dus reist ze gewoon samen met Wendy naar huis.

Als ze met haar moeder samen aan tafel zit – Gerben is zoals gewoonlijk nog niet thuis – zegt Rita: 'Het is niet zo gezellig voor jou, maar morgen gaan pappa en ik de kamer van opa leegmaken, althans, een begin ermee maken. Het is wel snel, maar er staan zoveel mensen op de wachtlijst van dat verpleeghuis, dus het is logisch dat er snel plaatsgemaakt moet worden als een bewoner overleden is. En aangezien pappa doordeweeks nauwelijks tijd heeft, moet het morgen maar gelijk gebeuren. En zoveel werk zal het niet zijn, opa had niet veel persoonlijke eigendommen meer daar.'

'O, ik ga wel mee, als ik ook help is het helemaal zo klaar. Zou pappa het moeilijk vinden?' vraagt Monique dan. 'Het is toch het laatste stukje van zijn verleden.'

'Ik weet het niet, ik heb het idee dat het hem meer doet dan hij laat merken. Want inderdaad, opa was het laatste stukje eigen familie dat pappa had. Op Gijsbert na...' laat ze er langzaam op volgen.

'Ja, die Gijsbert, hoe zit dat nou precies?' vraagt Monique nieuwsgierig.

Rita zucht. 'Ik weet het ook niet, vroeger waren pappa en hij dikke vrienden, ze leken meer broers dan neven van elkaar. Ze leken alleen uiterlijk op elkaar, maar verder absoluut niet. Je vader was serieus, een streber zeg maar, hij wilde graag vooruitkomen in het leven. Daarom studeerde hij hard, daar kun je gerust respect voor hebben. Maar Gijsbert...' Hier pauzeert ze even en kijkt nadenkend voor zich uit. 'Gijs was altijd in voor een geintje, maar hij was ook gemakzuchtig. Op school deed hij niet veel, hij vond de meisjes van zijn klas interessanter dan de leerstof.' Ze lacht bij de herinnering.

'Zaten ze allebei bij jou op school?' Monique is nu echt geboeid door het verhaal.

'Nee, Gijs zat op de ULO en pappa bij mij op de HBS. Maar Gijs deed nog langer over de vierjarige ULO als wij over onze vijfjarige opleiding en toen had hij geloof ik nog geen diploma. Maar in die tijd kende ik hem eigenlijk nog niet. Dat kwam pas toen pappa en ik verkering kregen, toen kwam Gijs ook vaak bij ons thuis, samen met pappa natuurlijk.'

Monique kijkt naar haar moeders gezicht, er ligt een vage glimlach op.

'Zou mamma een beetje verliefd geweest zijn op Gijsbert?' vraagt ze zich in stilte af. Ze durft het niet te vragen. 'En toen?' zegt ze dan maar, 'wat gebeurde er toen?'

'Toen moest Gijs in dienst, hij kwam bij de mariniers en werd voor een jaar uitgezonden naar Aruba. Een halfjaar later volgde pappa en toevalligerwijze moest ook hij naar Aruba, eveneens als marinier.'

'Ach ja, daar heb ik opa vroeger weleens over gehoord, dat is waar ook! Maar pappa zelf vertelt er nooit over. Ik dacht dat alle mannen altijd graag sterke verhalen vertelden over hun diensttijd. Pappa heeft het zeker niet zo naar z'n zin gehad daar.'

'Wij hadden al een poos verkering toen pappa weg moest, we waren zelfs al verloofd en hij had het heel goed naar zijn zin. Er zijn heel wat brieven over en weer geschreven in die tijd, je weet wel, van die dunne blauwe luchtpostvelletjes. Bellen was nauwelijks mogelijk in die jaren, dat ging via een centrale, dat is pas later gemakkelijker geworden allemaal.'

'Dus jullie zagen elkaar een heel jaar niet? Poehpoeh, dat duurde wel lang zeker?' Monique kijkt haar moeder aan. Natuurlijk, pap en mam zijn nog niet echt oud met hun tweeënveertig jaar, maar toch heeft ze moeite om zich voor te stellen dat ze twintig en verliefd op elkaar waren.

'Toen we ervoor stonden, leek het natuurlijk eindeloos,' onderbreekt haar moeder haar gedachten, 'maar achteraf vliegt zo'n jaar voorbij.'

'Maar hoe zat het nou met die Gijsbert?' komt Monique weer terug bij het onderwerp.

'Ik weet het niet. Ik heb vaak het idee gehad dat er daar in Aruba iets tussen hen is voorgevallen, maar ik ben er nooit achter gekomen wat dat geweest zou kunnen zijn. Gijs was een halfjaar eerder afgezwaaid dan pappa, dus hij was ook eerder weer terug in Nederland. Ik heb hem, voor zover ik me kan herinneren, toen nog maar één keer gezien. Hij was erg enthousiast over een meisje dat hij daar ontmoet had, maar ja, dat was Gijs wel vaker. De ene verliefdheid volgde bij hem de andere op, het zat nooit zo diep bij hem. Die keer blijkbaar ook niet, want nauwelijks een paar maanden later hoorde ik van zijn ouders dat hij naar Canada of Amerika was vertrokken. Daarna hebben we gewoon nooit meer wat van hem gehoord of gezien. Ik vraag me de laatste jaren weleens af of hij nog wel in leven is, anders had hij toch wellicht weer eens iets van zich laten horen.'

'En wat zegt pappa erover, ik bedoel: je zult toch wel gevraagd hebben wat er gebeurd is, of ze ruzie hebben gehad of zo?'

Rita schudt het hoofd. 'Pappa heeft altijd gezegd dat ze geen ruzie hebben gehad en dat geloof ik ook wel, want hij schreef altijd heel positief over Gijsbert en de leuke dingen die ze daar samen meemaakten, en dat bleef zo tot de laatste dag dat Gijs op het eiland was. Maar toch... Pappa kwam anders terug van Aruba dan hij was weggegaan. En alle brieven die hij me daarvandaan stuurde, heeft hij, toen hij goed en wel terug was, verscheurd en weggegooid. Dat vond ik niet leuk, dat weet ik nog wel. Ach,' onderbreekt ze dan zichzelf, 'dat zijn ook geen dingen die ik met jou moet bespreken.' Rita staat op en stapelt de borden op elkaar, het bestek erbovenop. 'Wil je een toetje, ik heb aardbeienpudding.'

'Lekker, dat eet een arme student door de week niet.'

Monique neemt net het laatste hapje van de pudding als haar vader binnenkomt. En ook deze keer weer valt het Monique op hoe slecht hij eruitziet. Opeens voelt ze medelijden met hem. Hij moppert wel vaak, maar hij is toch een goede vader, altijd druk aan het werk en dat doet hij immers voor mam en haar? En nu weer dat afscheid van zijn vader en daarmee van zijn verleden, dat zal toch echt niet meevallen.

Afscheid van zijn verleden, zal hij dat ooit kunnen nemen?

De volgende dag rijdt Gerben met gemengde gevoelens naar het verpleeghuis in het naburige dorpje. Hij rijdt in de kleine bestelbus die ze eerst bij de zaak hebben opgehaald. Rita en Monique rijden achter hem. In het vrachtautootje kunnen ze meteen de weinige meubelstukken en andere spullen meenemen, dan kan de kamer schoongemaakt worden.

'Het meeste kan direct naar het grofvuil,' heeft hij gezegd voor ze wegreden.

'Kijk nou eerst maar eens rustig, die oude rieten stoel bijvoorbeeld, die is toch nog van je moeder geweest? Misschien wil je die toch wel bewaren? En anders wil Monique misschien nog wel iets hebben voor haar huisje.'

Het liefst was hij thuisgebleven, hij heeft hoofdpijn en is doodmoe. Maar volgende week heeft hij helemaal geen tijd en ze hebben een week om de kamer leeg te maken. Belachelijk eigenlijk, zo kort.

Even later parkeert hij de auto op de grote parkeerplaats bij het tehuis. Het is raar om vaders kamer binnen te gaan zonder dat hij erbij is. Meestal als ze kwamen zat hij in de grote huiskamer, maar soms namen ze hem mee naar zijn eigen kamer, waar ze wat oude foto's met hem keken of om gewoon wat rustiger te zitten en te proberen toch nog een soort gesprek met hem te voeren. Nou ja, eigenlijk was hijzelf de laatste paar jaar helemaal weinig geweest. Toen vader nog in het andere gedeelte van het gebouw woonde, waar mensen 'met minder zorg' woonden, toen ging hij nog wel iets vaker. Maar sinds pa op deze afdeling zat en echt meer in de war raakte, was hijzelf steeds meer thuisgebleven als Rita wel ging.

Rita heeft de overgordijnen opengeschoven. 'Zo, eerst een beetje licht binnen,' hoort hij haar zeggen. Hij kijkt naar Monique, ook zij staat een beetje onwennig midden in de kamer.

'Raar hè, om in andermans spullen te gaan rommelen,' zegt ze aarzelend.

'Tja, nou, zoveel zal er niet te rommelen zijn,' zegt Gerben nuchterder dan hij zich voelt. Het doet hem toch meer dan hij gedacht had, om hier in zijn vaders kamer te staan.

Er wordt aan de deur getikt en als hij 'Ja?' zegt, komt er een verzorgster binnen met een blad waarop drie kopjes, een thermoskan koffie, een suikerpotje en een melkkannetje staan. 'Heeft u zin in koffie? Thee kan natuurlijk ook?'

'Wat aardig, dank u wel!' zegt Rita.

De vrouw zet het blad op tafel. 'Sterkte!' zegt ze. 'Als u ons nodig hebt, we zijn gewoon op kantoor of in de huiskamer, hoor.'

Gerben gaat op een stoel zitten, het is de rieten stoel van zijn moeder, ziet hij.

'Nou, eerst maar koffie en dan aan de slag!' zegt hij.

Een kwartiertje later zijn ze bezig. Eigenlijk is er niet veel uit te zoeken, in het enige kastje staat een grote doos met foto's en een paar kleinere dozen met wat rommeltjes.

'Kijk dan!' Monique houdt een vergeelde tekening omhoog. 'Vor oopaa' staat erop. Daaronder vindt ze nog meer vouw- en plakwerkjes die ze ooit voor opa heeft gemaakt. 'Dat hij dat allemaal bewaard heeft!' zegt ze verbaasd. 'Wist je dat, mam?'

'Ja,' zegt Rita, 'ik wist wel dat er in die doos allemaal dat soort oude dingen zaten. Ook ansichtkaarten en zo, die we hem in de loop der jaren gestuurd hebben. Neem die hele doos maar mee, dat zoeken we thuis wel uit.'

Monique doet de doos dicht en zet hem apart. 'Waar gaat dat ladenkastje naartoe?' vraagt ze.

'Ik hoef het niet, of wil je het bewaren, Gerben?' vraagt Rita.

'Nee hoor, het kan allemaal weg. Als je wat wilt hebben, Monique, zet je het maar apart,' zegt Gerben terwijl hij de kleding van zijn vader in vuilniszakken stopt. 'Deze winterjas heeft hij nauwelijks aangehad, die kan wel naar het Leger des Heils, de rest kan zo de vuilnisbak in,' zegt hij.

Rita kijkt van opzij naar hem en vraagt zich in stilte af of hij nou echt zo nuchter is of zich gewoon flink wil houden. Zelf zou ze er niet aan moeten denken om zo kort na het overlijden van bijvoorbeeld haar eigen moeder, al haar spullen op te ruimen en weg te gooien. Maar Gerben heeft natuurlijk altijd een heel ander contact met zijn vader gehad dan zij met haar moeder heeft. Maar dan ziet ze hoe Gerben stil met het oude hoedje van pa in zijn handen staat, voor hij het wat aarzelend neerlegt bij de steeds groter wordende stapel spullen die weggegooid moet worden. Ach ja, dat hoedje, dat had pa altijd op als hij op bezoek kwam, maar ook dat gebeurde de laatste jaren niet meer. Hij raakte van streek als hij uit zijn eigen vertrouwde omgeving werd gehaald.

'Nog iemand koffie?' vraagt Rita.

'Ja, schenk maar vast in, eigenlijk is alles al bijna uitgezocht, ik breng dit nog even weg.'

Gerben is al begonnen om de paar meubelstukken naar de auto te dragen. 'Jij wilt dat kastje hebben?' vraagt hij nogmaals aan Monique. Ze knikt. 'Ja. Zal ik die doos met kaarten en zo maar in een la zetten, die wil je toch thuis uitzoeken, mam?' Gerben is alweer weggelopen met twee vuilniszakken met kleren en beddengoed. Monique ziet hoe haar moeder nog een paar losse foto's in de doos legt, maar net voor ze het deksel erop doet aarzelt ze even en tilt met één hand de bovenste kaarten op. Tegelijk met haar moeder ziet Monique het kleine stapeltje lichtblauwe luchtpostenveloppen, helemaal onder in de doos. Ze zijn geadresseerd aan opa, Monique herkent haar vaders handschrift. Op dat moment komt Gerben de kamer weer binnen. Monique en Rita kijken elkaar heel even aan, dan laat Rita snel de kaarten weer boven op de brieven vallen en sluit het deksel. 'Doe maar in de la van het kastje, Monique, daar kijk ik volgende week wel eens naar.'

Monique zegt niks, ze voelt dat haar moeder net zo nieuwsgierig is als zij naar de niet-vertelde verhalen van haar vader over zijn diensttijd en de geheimzinnige neef Gijs. Ze zet de doos in de onderste la en schuift die dicht.

Terwijl Gerben het kastje naar de auto brengt, schenkt Rita de kopjes nog eens vol en zegt: 'Hier, drink eerst maar op, nu kunnen we nog zitten, zo meteen is de laatste stoel ook weg.'

Het is raar leeg geworden in de kamer. Monique zit half op de vensterbank en Gerben en Rita op de twee stoelen die als laatste klaarstaan om meegenomen te worden.

'Ik ga maandag wel terug om de kamer schoon te maken en de laatste dingen af te wikkelen hier,' zegt Rita terwijl ze het lege kopje op het blad zet. 'Als jullie die twee stoelen meenemen, breng ik het blad terug en spreek gelijk af dat ik maandag nog even terugkom.'

Aan het begin van de middag zijn ze al weer terug op de Auster-litzlaan. Gerben heeft het kastje voor Monique en de andere dingen die bewaard moeten worden, thuis afgezet en rijdt dan met de bestel-auto naar kantoor. 'Ik laat het daar wel ophalen maandag,' zegt hij. 'En zal ik jou dan morgenavond naar Utrecht brengen, Monique, dan kan die oude kast gelijk mee.'

'Past dat wel?' vraagt Monique.

'Natuurlijk, hij kan gemakkelijk in de kofferbak, we zullen gelijk wel even passen.'

Als blijkt dat het kastje er inderdaad precies in past, zegt Gerben: 'Laat het er gelijk maar in, dat is gemakkelijk morgenavond.'

Rita heeft het doosje inmiddels uit de la gepakt en boven gebracht. Later op de middag komt ze ermee de kamer in. 'We zullen je kunst-werken eens gaan bekijken, Monique,' zegt ze terwijl ze de stapel tekeningen en andere knutselwerkjes tevoorschijn haalt. Gerben pakt wat foto's die ook uit de doos komen, samen met oude ansichtkaar-ten. 'Pa bewaarde ook van alles!' zegt hij.

Monique kijkt met grote ogen toe, gaat mamma nu toch gewoon die brieven tevoorschijn halen? En hoe zal pap dan reageren? Maar er komen geen brieven, alles ligt nu op tafel en ze ziet de bodem van de oude schoenendoos. Ze kijkt naar haar moeder, maar ze kan niets aan haar gezicht aflezen. Ze gaat bijna twijfelen aan zichzelf, die brieven lagen er toch? Niks voor mamma om zoiets stiekem te doen.

Zondagavond brengt Gerben Monique naar Utrecht. Wendy rijdt niet mee, ze hoeft maandagmiddag pas te beginnen en reist maandagoch-tend gewoon met haar zus Barbara naar de stad. Onderweg in de auto vraagt Monique opeens: 'Pap, hoe was je diensttijd eigenlijk, je bent toch naar Aruba geweest?'

'Hoe kom je daar nou opeens bij?' Gerben kijkt strak voor zich op de weg, ziet Monique als ze van opzij naar hem kijkt.

'Gewoon, nu met het overlijden van opa ga je toch vanzelf aan dingen van vroeger denken?'

'Dat slaat nergens op, bij jouw 'vroeger' speelt mijn diensttijd toch geen rol. Wat voor herinneringen heb jij eigenlijk allemaal aan opa?

Je zag hem natuurlijk minder vaak dan oma en opa Voskuijl, maar die woonden dan ook veel dichterbij. En omdat mijn moeder al lang geleden is gestorven, ging je daar ook nooit logeren, bij een opa alleen gebeurt dat nou eenmaal niet zo snel. Maar hij was wel dol op je, je was tenslotte zijn enige kleinkind.' Hij glimlacht even. 'Dat bewijzen ook wel al die tekeningen van je die hij bewaard had.'

Monique geeft geen antwoord, het is duidelijk dat pappa niet over het onderwerp dat zij aansneed, wil praten. Even later probeert ze het op een andere manier. 'Jammer, pap, dat je helemaal geen broers of zussen hebt, wat dat betreft zijn we wel een kleine familie, hè? Jij enig kind, mamma enig kind en ik ook alweer. Dat vind ik soms best jammer, ik heb zelfs geen neefje of nichtje. Ik zoek een man met een heleboel broers en zussen.' Dat laatste zegt ze lachend en gaat dan luchtig verder: 'Jij had toch die ene neef Gijs, waar is hij eigenlijk gebleven?'

Nu kijkt Gerben haar van opzij aan. 'Hoe kom je daar nou weer bij? Je hebt hem nooit ontmoet, hij is al jaren geleden naar het buitenland vertrokken, niemand weet wat er van hem geworden is. Daar hebben we het vorige week toch al over gehad? Ik denk dat hij niet meer leeft, anders had hij vast wel eens contact opgenomen.' En dan direct overgaand op een ander onderwerp vraagt hij: 'Hoe bevalt jullie appartement eigenlijk, geen spijt van?'

'Nee, het is echt leuk wonen, pap, en Wendy en ik kunnen het goed samen vinden, dat moet je natuurlijk ook altijd maar afwachten, ook al zijn we al jaren vriendinnen. Samen in één huis wonen is toch weer anders.'

Als hij wat later het kastje de trap op draagt, zegt hij: 'Opa moest me eens bezig zien! Op zondag aan het sjouwen met een kastje en dan nog wel zijn kastje!'

Monique vermoedt dat hij toch meer bezig is met zijn verleden dan hij laat merken. Ze geeft hem een extra dikke knuffel voor hij weer in de auto stapt. 'Bedankt, pap, en sterkte met alles!'

'Sterkte met alles...' Monique moest eens weten hoe hard hij dat nodig heeft, denkt Gerben als hij naar huis rijdt. Sinds een paar maanden is zijn drukke, maar tegelijk rustige leven, in één klap door elkaar gegooid en dat alles door een jongen die aanbelde en vroeg naar Guus Geluk!

6

IN DE NIEUWE WEEK IS MONIQUE HAAR VADER, DE GEHEIMZINNIGE
Gijsbert en de brieven al snel vergeten. Want maandagavond belt
Sander haar op en na even gepraat te hebben vraagt hij of ze een
afspraak kunnen maken voor de volgende zaterdag. Monique betrapt
zich erop dat ze er echt naar uitziet. Ze is niet zo snel verliefd, maar is
ze het nu dan toch aan het worden, vraagt ze zich af. De dagen gaan
vlug voorbij, ze is druk met colleges en studeert hard. Donderdag
komt zoals gewoonlijk Myra slapen, maar voordat ze naar haar
kamertje verdwijnt, zitten de drie meiden nog tot laat te praten in de
woonkamer.
'En,' zegt Wendy, 'heb je het al gehoord, Myra, Monique wordt misschien wel familie van je.' Ze lacht er plagend bij.
'Doe niet zo gek!' zegt Monique, maar ze voelt dat ze kleurt.
Myra kijkt van de een naar de ander. 'Heb ik wat gemist?'
'Welnee, ik heb een afspraak met Sander, gewoon, een eetafspraak,
niks bijzonders, hoor.'
'Leuk, wanneer, zaterdag?' reageert Myra verrast. 'Nou, mijn zegen
heb je, hoor, maar die van je vader waarschijnlijk niet.'
Even blijft het stil. Wendy kijkt verbaasd van Monique naar Myra. 'Nu
heb ík wat gemist, geloof ik,' zegt ze.
'Welnee!' Monique staat op. 'Ik ga naar bed, het is halfeen geweest.'
Maar als ze wat later op bed ligt piekert ze nog over de woorden van
Myra. Laat pappa zo duidelijk merken dat hij op Myra en haar familie neerkijkt? Maar zo vaak hebben ze elkaar toch niet ontmoet?
Misschien af en toe op de tennisbaan of onderweg in het dorp. Toch
weet ze dat Myra wel gelijk had met haar opmerking. Ze staat opeens
weer met beide benen op de grond, pappa zal inderdaad door het lint
gaan als ze wat zou krijgen met Sander. Maar zover is het immers nog
helemaal niet? Toch komt opnieuw de vraag bij haar boven, waarom
pappa nou zo fel reageert op Surinaamse mensen. Heeft het toch met
zijn diensttijd te maken? Maar hij zat toch helemaal niet in Suriname,
Aruba ligt daar nog een flink stuk vandaan. Ze zucht en draait zich op

haar andere zij, ze wacht het allemaal wel af.

Die nacht droomt ze over de brieven van pappa aan zijn vader, ze mag ze lezen en er staat in dat pappa door een hele groep Surinaamse vrouwen in het water is gegooid. Als ze wakker wordt moet ze erom lachen. Dan denkt ze niet meer aan haar vader, vanavond begint het weekend en morgen komt Sander!

Precies om vijf uur staat Sander voor de deur. Eerst zijn ze allebei een beetje verlegen, maar al snel hebben ze de vertrouwde toon van de vorige ontmoeting weer te pakken.

Op Moniques verzoek vertelt Sander over vroeger, hoe hij als enig kind opgroeide bij zijn moeder en grootouders in Suriname. 'Twee jaar geleden, toen ik achttien was, ben ik naar Amsterdam gekomen om te gaan studeren,' besluit hij zijn verhaal.

'Helemaal alleen?' vraagt Monique met afschuw in haar stem.

Sander lacht. 'Nou, tante Lidia woonde toen ook nog in Amsterdam, dus als ik erg eenzaam was, ging ik daar even naartoe. Maar verder redde ik me wel, hoor, ik ben niet de enige jongen uit Suriname die hier komt om te studeren.'

'Wil je weer terug als je klaar bent?'

'Ik weet het nog niet, dat hangt van verschillende factoren af...' Hij kijkt haar even aan, maar kijkt dan weer voor zich terwijl hij verder-gaat: 'En jij, vertel eens iets meer over je ouders, want daar zijn we de vorige keer blijven steken. Je moeder heb ik aan de deur gezien, je ver-telde dat je enig kind bent, maar verder? Je vader, je familie, heb je veel neefjes en nichtjes?'

Ze schiet in de lach. 'Niks,' zegt ze, 'geen ooms, geen tantes, geen neven of nichtjes. Net zoals jij ben ik en zijn mijn ouders enig kind. Mijn vader schijnt een neef gehad te hebben, maar die is ook al jaren buiten beeld, waarschijnlijk overleden. Dus... veel heb ik ook niet te vertellen over mijn familie.'

'De naam Geluk komt in jullie omgeving veel voor, zei je moeder, maar dat is dus allemaal geen familie van jou?'

'Nee, behalve die ene neef is er niks, allemaal vreemde 'Gelukjes' dus.

Bij mij op school zaten inderdaad vroeger wel meer kinderen met dezelfde achternaam als ik, maar dat was geen familie van me.' Dan kijkt ze hem nieuwsgierig aan. 'Hè, wat zei je daar eigenlijk: zei mijn moeder dat de naam Geluk vaak voorkomt bij ons in het dorp? Wanneer heb jij mijn moeder dan gesproken?'

'Dat weet je toch, die keer aan de deur. Ik was niet op zoek naar Myra en haar familie, ik was op zoek naar ene Guus Geluk.' Hij kijkt haar aan. 'Ken jij iemand met die naam?'

Hoewel hij heel serieus kijkt, schiet Monique toch in de lach. 'Guus Geluk is een stripfiguur,' zegt ze. 'Sorry,' gaat ze dan verder, 'ik lach je niet uit, je meent het echt, hè? Maar het klinkt zo grappig. Maar nee, ik ken echt niemand die zo heet.' Ze is nu ook weer ernstig geworden en vraagt: 'Waarom ben je op zoek naar die Guus, of gaat me dat niets aan?' En als ze ziet dat hij aarzelt, gaat ze vlug verder: 'Je hoeft het me niet te vertellen, hoor, ik ga aan het eten beginnen. Je krijgt spaghetti, houd je daarvan?' Ze staat op en wil al naar de keuken lopen. Maar hij pakt haar hand en zegt: 'Ik wil er juist wel met je over praten, maar dat komt straks wel. Zal ik je helpen in de keuken, ik ben een heel goeie kok, hoor!'

'Oké, je mag een ui en een paprika snijden, de rest komt uit een pakje. Kun je echt koken, Surinaamse gerechten?'

'Onder andere, ja. Nou, kom maar op met die uien van je!' Even later staan ze samen in de keuken. Terwijl Sander met een serieus gezicht de groente kleinsnijdt, kijkt Monique eens stilletjes naar hem. Ja, hij is echt leuk! Ze voelt zich zo bij hem op haar gemak, dat heeft ze nog bij geen jongen meegemaakt. Hij voelt haar blik blijkbaar, want opeens kijkt hij haar aan en lacht naar haar. Betrapt kijkt ze naar de pan met kokend water en laat de pasta er voorzichtig in glijden. 'Hoe oud ben jij eigenlijk?' vraagt ze, om zich een houding te geven.

'Als je net goed naar me hebt geluisterd weet je dat, twee jaar geleden kwam ik naar Nederland...'

'... en toen was je achttien. Twintig dus, wanneer ben je jarig?'

Hij lacht. 'Op de mooiste datum van het jaar, de 29e februari, schrikkeldag.'

'Dus eigenlijk ben je pas vijf! Niet echt leuk, lijkt me, dan ben je maar eens in de vier jaar echt jarig.'

'Wat maakt dat nou uit! Kunnen die uien in de koekenpan?'

Even later zitten ze samen aan tafel. Monique heeft de tafel gedekt, meestal zitten Wendy en zij met hun bord op schoot op de bank, maar nu heeft ze placemats neergelegd en twee kaarsen aangestoken.

'Ik ben gewend te bidden voor het eten, ik weet niet of jij...' Een beetje verlegen kijkt ze hem aan.

Hij vouwt zijn handen en glimlacht naar haar. 'Ik ook.'

Terwijl ze zitten te eten zegt Sander opeens: 'In dat dorp waar je ouders wonen is het gezin van mijn tante volgens mij bijna de enige buitenlandse familie, klopt dat?'

'Niet bijna, ze zijn echt de enigen.'

'En hoe wordt daar tegenaan gekeken, weet je dat?'

Monique voelt zich ongemakkelijk, ze moet aan haar vader denken en zijn minachtende woorden over Myra en haar familie. Ze aarzelt even, dan zegt ze: 'Ik weet het niet, ik denk dat het in het algemeen wel meevalt, hoor, misschien een enkeling die er anders tegenaan kijkt. We leven tenslotte in 1992 en niet in 1892, en ook al is het maar een klein dorpje, we gaan wel met de tijd mee, hoor. Waarom vraag je dat?'

Hij haalt zijn schouders op. 'Zomaar eigenlijk.' Hij legt zijn bestek op z'n bord. 'Het was heerlijk, Monique. De volgende keer kook ik voor jou, oké? Dan laat ik je kennismaken met de Surinaamse keuken.'

'Dus je kunt het echt, koken bedoel ik?'

'Je zult het wel merken! Wil je een keer bij mij in Amsterdam komen eten?'

'Graag!' Ze voelt zich alweer verlegen, daar heeft ze gewoonlijk niet gauw last van. 'Zal ik nu gelijk maar even koffiezetten?' Als hij knikt loopt ze naar de keuken en zet het koffieapparaat aan. Terwijl de koffie doorloopt leunt ze tegen het aanrecht. Hij is leuk! En wat zeker even belangrijk is: ze ziet aan zijn ogen dat hij hetzelfde over haar denkt.

Wat later zit Monique op de bank en Sander tegenover haar op de enige gemakkelijke stoel van de kamer. Terwijl ze met kleine slokjes van de warme koffie drinkt zegt hij opeens: 'Ik wil graag ergens met je over praten, Monique, het is een vreemd verhaal en ik weet zelf niet goed wat ik ermee aan moet. Misschien heb jij een idee.'

Ze trekt haar benen onder zich en gaat er gemakkelijk voor zitten. 'Ik luister!'

Hij kijkt haar even aan en zegt dan: 'Waar zal ik beginnen... Zoals ik je geloof ik al een keer heb verteld, weet ik niet wie mijn vader is. Ik ben opgegroeid bij mijn moeder en we woonden bij mijn opa en oma in huis. Natuurlijk heb ik regelmatig aan mijn moeder gevraagd wie mijn vader was en waarom zij er helemaal niets over wilde zeggen. Maar ze zweeg en bleef zwijgen. Ik heb het ook weleens aan mijn oma gevraagd, maar zij zei dat ze het echt niet wist. Mijn moeder was op een zekere dag thuisgekomen nadat ze een poos weg was geweest uit Paramaribo en al snel had mijn oma door dat ze een kind verwachtte, mij dus.'

Monique is rechtop gaan zitten, ze zegt niks. Pas als hij stil blijft en voor zich uit staart zegt ze zacht: 'En toen?'

'Afgelopen februari kreeg ik bericht dat mijn moeder ernstig ziek was, als ik haar nog wilde zien moest ik snel naar Suriname komen. Ik had gelukkig wel wat geld opgespaard, omdat ik van plan was om de komende kerstdagen naar huis te gaan, samen met mijn nichtje Myra. We hebben dezelfde grootouders, begrijp je? Maar zo lang kon ik dus niet wachten en eind februari ben ik op het vliegtuig gestapt. Nadat ik aankwam heeft mijn moeder nog twee weken geleefd, dus gelukkig heb ik nog wel wat met haar kunnen praten, hoewel ze heel zwak en moe was.'

'Wat had ze?'

'Kanker. Had ze het me maar eerder verteld, dan was ik natuurlijk eerder naar huis gegaan, maar ze heeft het al die tijd verborgen gehouden, wilde me niet storen bij mijn studie.' Zijn stem klinkt nu een beetje bitter. 'Alsof zij niet veel belangrijker was dan mijn studie, ze was alles wat ik had... Ze is maar zevenendertig geworden.'

Monique ziet hoe hij vecht tegen zijn ontroering. Het blijft even stil, dan buigt ze zich voorover en pakt zijn hand. 'Ze deed het voor jou, omdat ze je wilde sparen, denk ik,' zegt ze zachtjes.

Hij knijpt even in haar hand. 'Ja, dat begrijp ik wel, maar ik had graag een halfjaar langer over mijn studie gedaan als ik daardoor nog een poosje bij haar had kunnen zijn.'

Monique weet niet wat ze zeggen moet, maar dan praat Sander alweer verder. 'In die twee weken heb ik nog één keer voorzichtig gevraagd of ze me echt niet kon vertellen wie mijn vader is. Maar ze schudde haar hoofd en gaf me toen een brief.'

'Een brief? Wat stond daarin? Wie je vader is?'

'Nee, die brief was niet voor mij bestemd. Ze zei dat ik hem persoonlijk moest overhandigen aan Gijs Geluk en dat hij me dan zou vertellen wie mijn vader is.'

Monique leunt achterover op de bank en kijkt Sander met open mond aan. 'Gijs Geluk? Maar jij bent op zoek naar Guus Geluk, ik snap er niks van!'

'Mijn moeder vertelde me dat ze niet weet waar Gijs tegenwoordig woont. Hij is een Nederlander, maar volgens haar woont hij hier niet meer. Maar hij schijnt familie te hebben, een neef of een broer, die Guus heet en die zou in de buurt van jouw dorp moeten wonen. Ze zei dat ik Guus moet zoeken en aan hem het adres van Gijs vragen, zodat ik de bewuste brief daarna aan Gijs kan geven. En mocht de bewuste Gijs inmiddels overleden zijn, dan moet ik de brief aan Guus geven, want hij is zeker nog in leven volgens mijn moeder.'

Sprakeloos kijkt Monique hem aan.

'Wat een verhaal, hè,' zegt hij met een scheef lachje. 'Maar nu weet je dus waarom ik op zoek ben naar Guus Geluk. Daarom was ik toen die bewuste keer ook bij je ouders aan de deur. Ik had hun naam opgezocht in het telefoonboek: G. Geluk, ik dacht toen nog dat het heel simpel zou zijn. Trouwens, mijn tante Lidia en Myra weten hier niks vanaf, vandaar dat ik er een beetje omheen praatte toen ik jou daar de eerste keer ontmoette. Ik wil niet dat iedereen, hoe goedbedoeld ook, zich ermee gaat bemoeien. Niemand weet ervan, alleen jij nu dus.' Hij kijkt haar met een warme blik aan als hij verdergaat: 'En dat is niet omdat jij toevallig ook Geluk heet en ik verwacht dat je me daarom kunt helpen; dan zou ik net zo goed naar bijvoorbeeld jouw vader kunnen gaan. Nee, het is omdat jij... Nou ja, ik vind jou heel bijzonder, ook al kennen we elkaar nog maar zo kort.'

'Dan zou ik net zo goed naar jouw vader kunnen gaan...' Monique griezelt al bij de gedachte. Sander heeft geen idee hoe haar vader over hem denkt en dat is maar goed ook. Tegelijk dringen de laatste woorden tot haar door, de woorden dat hij haar bijzonder vindt! Ze raakt in de war van die twee verschillende reacties die hij bij haar losmaakt: zijn duidelijke genegenheid voor haar en tegelijk, door het noemen van haar vader, het gevoel van de onmogelijkheid van een relatie met hem.

'Toch zou ik, als ik jou was, het ook tegen Myra en haar moeder vertellen, zeker nu ze ook in die buurt wonen. Je weet nooit wie ze nog eens spreken of horen over iemand met die naam.' Hij knikt langzaam, dan kijken ze elkaar even stil aan.

'Wat een verhaal, hè?' zegt hij nog eens. 'En ik heb voor mijn gevoel alle families Geluk al benaderd, maar geen Gijs of Guus te vinden.'

Monique gaat rechtop zitten en kijkt hem met grote ogen aan. 'Ik ken wel een Gijsbert Geluk,' zegt ze langzaam. 'Nou ja, kennen....Mijn vader heeft of had een neef die zo heette. Maar hij is inderdaad al jaren geleden naar het buitenland vertrokken, dus wat dat betreft zou het de betreffende Gijs kunnen zijn. Maar mijn vader denkt dat hij niet meer leeft. Vroeger waren ze dikke vrienden, als hij nog in leven zou zijn had hij beslist weleens contact opgenomen. Van Guus heb ik nog nooit gehoord. Dus echt veel heb je niet aan die Gijs van mij...'

'Ik begrijp het niet,' zegt Sander. 'Ik denk vaak dat die Gijs mijn vader wel zal zijn. maar waarom vertelde mijn moeder me dat dan niet gewoon zelf, waarom moet hij dat doen? En stel dat hij niet meer leeft, wat dan? Dan zit ik de rest van mijn leven met een brief die ik niet mag lezen, maar die waarschijnlijk wel over mijn achtergrond gaat. Dat is toch te gek voor woorden? Soms ben ik boos op mijn moeder en denk ik: waarom zadel je me hiermee op, mamma?'

'Als Gijs je vader was, zou je hem toch geen brief hoeven geven?

Trouwens, ik zit nu te denken: jouw moeder woonde in Suriname, ze was toch nooit in Nederland geweest, of wel? Dus hoe kon ze zwanger raken van die Nederlandse Gijs? Misschien was Gijs gewoon een correspondentievriend, die ze in vertrouwen heeft genomen en is je vader wel degelijk iemand uit Suriname.'

Sander grinnikt terwijl hij zegt: 'Kijk eens goed naar me, voor jou is bruin bruin, maar als je even nadenkt zie je toch wel dat ik een heel ander kleurtje heb dan bijvoorbeeld Myra? Zij is veel donkerder dan ik. En mijn haar? Ik heb geen kroeshaar, zoals de rest van mijn familie, maar gewoon krulletjes. Nee, ik heb echt geen Creoolse vader, dat is wel duidelijk.'

Monique moet ook een beetje lachen. 'Ja, stom van me,' zegt ze, 'jij hebt eigenlijk alleen maar een mooi lichtbruin tintje.'

'Ja, vind je?' Hij buigt zich naar haar toe en kijkt haar plagend van dichtbij in haar ogen en zegt: 'Nu overdrijf je weer een beetje, maar ik ben blij dat je mijn kleurtje mooi vindt.' En dan kust hij haar zacht op haar lippen. Gelijk gaat hij weer rechtop zitten en zegt: 'Sorry, ik loop wel heel hard van stapel, hè?'

'Dat valt toch wel mee?' zegt ze zacht. Eigenlijk verbazen zijn woorden haar, ze heeft wel vriendjes gehad die veel harder 'van stapel liepen' zoals Sander het uitdrukt. Ze heeft tenminste geen enkel bezwaar tegen de kus die ze van hem kreeg.

'Maar om op de brief terug te komen,' zegt Sander, 'weet je, Monique, soms denk ik erover om hem zelf open te maken. Want als ik die Guus en dus Gijs niet kan vinden, krijg ik nooit de waarheid te horen. En zo kan mijn moeder het niet bedoeld hebben.'

'Tja...' Monique kijkt hem aan.

'Nou?' dringt hij aan. 'Wat vind jij daarvan, wat zou jij doen als je in mijn schoenen stond?'

Langzaam knikt ze. 'Ja, ik denk, als ik echt overal had gezocht en die Guus echt onvindbaar bleek, dat ik dan die brief zou openmaken. Weet je, ik zal het morgen nog eens aan mijn vader vragen. Ik bedoel, of hij zich echt geen Guus kan herinneren.'

'Dat zou fijn zijn! Ik zal nog eens een telefoonboek van dorpen wat verderop dan jullie dorp napluizen, wie weet vind ik hem dan toch nog. En anders, nou ja, dan zie ik het nog wel.' Hij staat langzaam op en kijkt op zijn horloge. 'Moet jij onderhand niet eens naar het station? Je hebt nog een hele reis voor de boeg en ik vind het maar een akelig idee dat je zo laat alleen bij die bushalte staat.'

Monique lacht hem uit. 'Dat ben ik gewend, hoor, maar je hebt gelijk, ik moet zo langzamerhand wel richting trein, anders mis ik de laatste bus naar ons dorp.'

Sander gaat met haar mee naar het station, hij neemt de trein naar Amsterdam. Maar eerst loopt hij mee naar het perron waar Monique moet instappen. Als de trein arriveert en ze wil instappen, zegt hij: 'Ik bel je volgende week.' En weer kust hij haar even licht op haar mond. 'Dag Monique!' Dan duwt hij haar zachtjes in haar rug. 'Vooruit, instappen, anders gaat hij zonder jou weg.'

Voor ze kan reageren is ze ingestapt en gaan de deuren al dicht. Ze zwaait nog even, dan is hij verdwenen. Met haar ogen dicht leunt ze in een hoekje van de bank. Het is rustig in de trein, ze heeft alle tijd om na te denken. Ze voelt met haar vinger aan haar mond. Ze is wel vaker door een jongen gezoend, maar nooit zo... zo lief en zacht. Zo anders, ja dat is het. Hij is zo anders!

7

'JE HEBT TOCH TWEE WEKEN KERSTVAKANTIE, DIE BRENG JE HIER DOOR, neem ik aan? Of blijf je ook nog in Utrecht?'

'De week tussen Kerst en Oud en Nieuw ben ik wel hier, denk ik, maar maandag 4 januari ga ik weer terug naar Utrecht, ik wil die week nog wat extra leren voor de komende tentamens.'

Rita kijkt haar dochter onderzoekend aan en vraagt dan met een glimlach: 'Ben je echt zo druk met je studie of eh...?'

Ze ziet hoe Monique een kleur krijgt. 'Ik wil echt wat extra leren, maar ook een beetje voor de gezelligheid, zeg maar.'

'Hoe heet hij?' vraagt Rita.

'Sander, maar meer kan ik er echt nog niet over zeggen, hoor, het is nog maar heel pril.'

'Je maakt me wel echt nieuwsgierig, vertel dan alvast één ding: als het wat wordt, zullen pappa en ik er dan blij mee zijn?' Rita is nu ernstig geworden. Ze voelt dat er meer aan de hand is dan een los vriendje. Daarvan heeft Monique er meerdere gehad, het stelde nooit veel voor en ze was er zelf altijd heel openhartig over. Maar nu ze er niks over wil vertellen krijgt Rita het gevoel dat het deze keer wel eens heel serieus zou kunnen zijn.

Monique kijkt haar moeder wat gekweld aan, lijkt het wel. Maar dan glimlacht ze en zegt: 'Hij is gelovig en hij studeert bedrijfskunde, dus wat willen jullie nog meer!'

Op de een of andere manier stelt het Rita niet echt gerust. 'Maar...?' zegt ze.

'Maar niks. Dat zijn toch twee belangrijke dingen? En zoals ik al zei: meer kan ik er nog niet over zeggen.'

Rita slaat even een arm om haar dochter heen. 'Je hebt gelijk, dat zijn belangrijke dingen, vooral dat eerste. Hoewel ook je vader blij zal zijn met dat tweede: een schoonzoon die bedrijfskunde heeft gestudeerd.'

'Mam! Zover is het nog lang niet. Hoe laat eten we, dan ga ik nog even naar oma.'

'Dat zal ze fijn vinden! Ik denk dat pappa niet voor zeven uur thuis is, dus doe maar rustig aan. O ja, ik sprak deze week trouwens die Surinaamse vrouw, die bij opa's begrafenis in de kerk was. Wat een alleraardigste vrouw! Ze vertelde dat jij in Utrecht contact hebt met Myra, haar dochter. Ze zei dat ze het zo aardig van ons vindt dat Myra elke donderdag bij jullie mag overnachten.' Rita glimlacht. 'Je hebt daar niks over verteld, je weet toch wel dat ik daar absoluut geen bezwaar tegen heb, Monique? Maar praat er maar niet over tegen pappa, je weet nou eenmaal hoe hij daar tegenaan kijkt.' Er komt een verdrietige trek op Rita's gezicht. 'Ik weet niet waarom, maar het is nou eenmaal zo.'

'Komt goed, mam, maak je geen zorgen. Het zijn inderdaad aardige mensen. Ik ga, hoor!'

Even later kijkt Rita haar na als ze op haar fiets het tuinpad af rijdt. Monique is volwassen geworden in die paar maanden dat ze in Utrecht woont, denkt Rita.

Monique fietst naar het huis van haar oma. Brrr, het is koud, hopelijk is oma thuis, maar dat zal wel. Met die kou zal ze niet naar buiten gaan als het niet echt nodig is. Even later gaat ze via de achterdeur naar binnen.

Oma moet die deur op slot houden als ze alleen is, denkt ze bij zichzelf, je weet nooit wie er zo maar bij zo'n oude vrouw binnenstapt. Maar als ze de kamer binnen wil gaan, hoort ze stemmen: oma is dus niet alleen thuis. Met een tikje tegen de kamerdeur doet ze hem open en tot haar verbazing ziet ze Lidia zitten, die met haar oma een kopje thee drinkt.

'Dag oma, dag mevrouw, ik wist niet dat jullie elkaar kenden,' voegt ze eraan toe.

'Ha Monique, gezellig dat je langskomt', zegt oma. 'Kom er gauw bij zitten, wil je ook thee?'

'Zeg toch Lidia,' zegt Myra's moeder. 'En ik ga zo weer, hoor, dan kun jij fijn met je grootmoeder praten.' Ze wil al opstaan, maar oma duwt haar terug op haar stoel. 'Doe niet zo raar, Lidia, jij hoeft voor Monique niet weg te gaan, wat jij, kind?'

'Nee, natuurlijk niet!' Monique heeft haar jas uitgedaan en gaat ook zitten. 'Zo, het is echt koud! Nee, geen thee, oma, ik heb met mamma al theegedronken.' Dan kijkt ze van de een naar de ander en zegt opnieuw: 'Ik wist niet dat jullie elkaar kenden.'

'Lidia doet regelmatig een boodschap voor me, dat is fijn. Jaja, ik weet wel, dat wil jouw moeder ook doen, maar zij moet er speciaal voor naar het dorp komen en Lidia woont bij mij om de hoek.'

'Wat lief van u,' zegt Monique tegen Lidia.

'Je oma doet meer voor mij dan ik voor haar, hoor,' antwoordt Lidia. 'Ik drink regelmatig een kopje koffie of thee bij haar, verder heb ik niet veel kennissen hier in het dorp. Dus ik geniet hiervan, ik houd van mensen, wat dat betreft mis ik de stad wel.'

'Ja, dat kan ik me voorstellen, als je Amsterdam gewend bent is dit natuurlijk maar een gat.'

'Maar het heeft ook voordelen, hoor, het is zeker voor Jeffrey en Lise veel beter hier, ze krijgen heel andere vriendjes en vriendinnetjes en vooral Jeffrey is op een leeftijd dat hij gemakkelijk te beïnvloeden is. Maar wat ik ook nog zeggen wilde, Monique, wat ontzettend aardig van jou en je ouders dat onze Myra elke week bij jullie mag overnachten! Het scheelt haar zoveel reistijd. Ik ontmoette kortgeleden je moeder en heb haar er ook over aangesproken, zo lief van jullie! Ik wil graag wat terugdoen, misschien is het aardig als jij met je ouders eens bij ons komt eten in het weekend, dan kook ik uitgebreid Surinaams en dan komt u ook mee, mevrouw,' zegt ze terwijl ze naar oma glimlacht.

Monique heeft de stortvloed van woorden over zich heen laten komen. Ze vindt het accent van Lidia prachtig, wat een schat van een vrouw is het toch! Maar die uitnodiging, wat moet ze daarmee? Voor ze kan antwoorden zegt oma: 'Ik heb al een paar keer zo'n gerecht mogen proeven. Nou, Monique, ik kan je zeggen, dat was echt heerlijk.'

Monique glimlacht en zegt: 'Wat aardig van u, ik zal de uitnodiging overbrengen aan mijn ouders, maar mijn vader is een echte kaaskop: hij lust alleen aardappels, groente en een stukje vlees. Dus wat hem betreft... ik weet het niet. Maar dan komen oma en ik gewoon samen of misschien wil mamma ook mee.' Het is een leugentje, haar vader lust wel degelijk rijst of andere niet-Hollandse gerechten, maar ze weet echt niet wat ze anders moet zeggen zonder de lieve vrouw te beledigen. 'Mijn vader heeft een hekel aan Surinamers', dat is toch geen optie? Ze krijgt het er warm van.

'Hij moet het gewoon eens proberen,' zegt Lidia, 'en anders maak ik voor hem aardappels.'

Monique knikt maar wat en snijdt dan een veiliger onderwerp aan. Ze zegt: 'Myra heeft besloten om het bezoek aan Suriname toch maar uit te stellen tot de volgende zomer, hè? Dat is natuurlijk ook veel meer de moeite dan die twee weekjes rond Kerst.'

'Ja, en zo kan ze ook nog even doorsparen, want het is een dure reis en ik kan haar helaas niet helpen. Maar je hebt gelijk, als ze tot de zomervakantie wacht kan ze ook wat langer gaan. Leuk hoor, ik zou ook wel willen, maar dat komt nog wel als de andere twee wat ouder zijn.' Even is het stil, dan gaat ze verder: 'Sander, onze neef, je kent hem toch wel, Monique, is dit voorjaar nog geweest, maar dat had een droevige reden, zijn moeder was ernstig ziek en is ook overleden. Heel triest voor die jongen,' zegt ze zich tot oma wendend, 'hij had al nooit een vader en nu ook geen moeder meer.'

Monique voelt dat haar wangen warm worden als Sanders naam valt. Ze staat op en zegt: 'Ik ga er weer vandoor, oma, het wordt zo zoetjesaan etenstijd bij ons thuis.'

'Ja, ik ga ook, Myra zou koken, dat vindt ze zo leuk om te doen en de andere twee wilden helpen, ik ben weggestuurd.' Lidia lacht erbij en vraagt dan aan oma: 'Ach mevrouw, zal ik u zo ook een bordje brengen?'

'Nee, ik ga zo mijn boterhammetje eten, ik heb vanmiddag al warm gegeten, maar dankjewel voor het aanbod.'

Samen met Lidia gaat Monique de deur uit. Als Monique haar fiets pakt, zegt Lidia: 'Nu staan de feestdagen voor de deur, maar in januari maken we gauw een afspraak voor het eten, is dat goed?'

Monique knikt, dan stapt ze op. 'De groeten aan Myra en tot ziens!'

Onderweg op de fiets is ze diep in gedachten. Ze had met oma over wat dingen willen praten, maar ze heeft er alleen maar meer problemen bij gekregen. Wat moet ze met die uitnodiging!

Ze heeft pappa ook niet meer gevraagd naar Guus Geluk, ze durft er gewoon niet meer over te beginnen. Want natuurlijk wil hij weten waarom ze dat vraagt en dan zal ze toch iets over Sander moeten vertellen. En alleen al het feit dat ze contact heeft met een Surinaamse jongen zal voor pappa reden genoeg zijn om te gaan flippen. Daarom had ze eigenlijk vanmiddag oma wat vragen willen stellen, tenslotte woont zij al zo ongeveer haar hele leven hier in het dorp. Dus misschien kende zij nou net weer wel die ene naam die mamma niet kent. Afgelopen week heeft ze Sander nog aan de telefoon gehad, ook hij is nog steeds niets op het spoor gekomen. 'Ik wacht nog tot Nieuwjaar,' zei hij, 'als ik dan nog geen Guus of Gijs heb gevonden, maak ik de brief open.'

'Je zou nog een advertentie kunnen zetten in het plaatselijke krantje,' heeft Monique geopperd, 'vooral de oudere mensen lezen die wel. En van die leeftijdscategorie moet je het waarschijnlijk hebben.'

'Nee, dat doe ik niet, ik ga de zoektocht naar mijn vader niet aan de grote klok hangen, ik ga die brief lezen.' Ze hoorde aan zijn stem dat hij eigenlijk zijn besluit al had genomen.

Ze bellen elkaar nu regelmatig en de afspraak is dat Monique dinsdag 5 januari een dag naar Amsterdam gaat. 'Wat, ben je nog nooit in Amsterdam geweest?' zei Sander. 'Dan gaan we overdag gezellig de stad in en daarna ga ik heerlijk voor je koken, echt Surinaams, dat heb ik je beloofd, goed?'

Eigenlijk vindt ze het allemaal veel te lang duren, ze verlangt ernaar hem te zien en te spreken. Het is nu vrijdag 18 december, dus ze moet nog bijna drie weken wachten. Ze vraagt zich steeds maar weer af hoe Sander haar ziet. Is ze voor hem een maatje, iemand die hij kan vertrouwen, waar hij mee kan praten, of ziet hij meer in haar? Steeds weer beleeft ze in gedachten het moment dat hij haar op haar mond kuste, toen dacht ze echt dat hij verliefd op haar was. Maar later bedacht ze weer dat zo'n klein kusje natuurlijk helemaal niet veel hoefde te betekenen.

En hoe staat ze zelf tegenover hem? Het is een feit dat ze zich ontzettend op haar gemak voelt bij hem. Dat heeft ze nog nooit bij een jongen gehad. En verder? Ja, ze moet zichzelf toegeven dat ze hem erg leuk vindt en dat ze op meer dan dat kleine kusje had gehoopt. En nog steeds hoopt, maar tegelijk is ze er bang voor. Want stel dat het wat wordt, wat zal pappa zeggen? Daar wil ze eigenlijk niet eens aan denken. Soms denkt ze dat het verstandiger is om nu al het contact te stoppen. Nu kan het nog, want hoe verliefder ze wordt, des te moeilijker zal het zijn. Maar wat voor reden moet ze Sander dan opgeven? Haar vaders bezwaren noemen? Maar dat wil ze helemaal niet. Ach, ze houdt zichzelf voor de gek, ze wíl het contact helemaal niet verbreken.

Als ze thuiskomt, ziet ze pappa's auto al staan, zal ze toch...?

Hij zit in de kamer als ze binnenkomt, mamma is druk in de keuken. Ze begroet haar vader en plompverloren zegt ze dan: 'Pap, ken jij een Guus Geluk?'

Ze ziet hoe hij wit wegtrekt, of verbeeldt ze zich dat maar?

'Ja, daar heb ik je eindeloos over voorgelezen vroeger, de neef van Donald Duck, je weet wel, degene die altijd geluk had.' Ze ziet hoe hij zijn stropdas losmaakt, dan vraagt hij: 'Hoe was het bij oma?'

'Maar geen andere Guus, een neef van je of zo?'

'Welnee, dat weet je toch, mijn neef heette Gijs, wat zeur je toch!' Zijn stem klinkt emotieloos.

Ze haalt haar schouders op en gaat de kamer uit. Hij weet het niet of hij wil het niet zeggen, dat laatste snapt ze alleen niet. Toch ergens een familieschandaal? Over die Gijs doet hij ook zo vaag als hij ter sprake komt. Ze loopt de keuken in. 'Kan ik je helpen, mam?'

Als ze wat later aan tafel zitten, doet vader Gerben heel gewoon. Hij vraagt vol interesse naar de studie van Monique en het studentenleven in Utrecht. Heeft ze zich dan alles verbeeld? Ze weet het niet.

Na het eten trekt Gerben zich terug in zijn studeerkamer. 'Een uurtje nog,' zegt hij tegen Rita, 'dan ga ik echt weekend houden, hoor.'

'Dan ga ik nog even naar moeder en drinken we daarna samen koffie,'

antwoordt Rita. 'En jij, Monique, nog plannen voor vanavond?'
'Ik heb over een halfuur rijles in plaats van morgen, ik moet ook eens in het donker rijden, vindt meneer Kasius. Ga maar, mam, ik ruim de tafel wel af.'
'Fijn,' zegt Rita terwijl ze haar jas aantrekt, 'dan zie ik je na je rijles.' Ze gaat de deur uit en terwijl Monique haar vader de trap op hoort lopen, gaat de telefoon. Het zal wel voor pappa zijn, zal ze hem laten gaan tot hij op z'n kamer is? Nee, toch maar niet, ze pakt hem beneden en noemt haar naam.
'Monique, met Sander.'
'Hoi!' Ze voelt dat ze een kleur krijgt, van verrassing, maar ook van schrik. Stel dat pappa de telefoon had opgenomen! Even weet ze niet wat ze zeggen moet.
'Bel ik ongelegen, of vind je het vervelend als ik je thuis bel?'
'Nee, natuurlijk bel je niet ongelegen, maar mijn vader... is een beetje streng, zeg maar.' Ze hoort zelf dat ze hakkelt.
'Mag je niet door een jongen gebeld worden?' Er klinkt verbazing in zijn stem. 'Of niet door sommige jongens, buitenlandse jongens bijvoorbeeld?' Nu klinkt hij scherp.
'Doe niet zo raar, dat laatste slaat nergens op, hij is gewoon... Nou ja, laat maar, niet belangrijk. Maar ik vind het leuk dat je belt. Hoe is het met je, al iets op het spoor gekomen?'
O, als pappa maar niet meeluistert boven! bedenkt ze dan opeens. Maar nee, dat doet hij immers nooit!
'Ik ben bij tante Lidia,' hoort ze Sander zeggen, 'en ik wil jou graag zien, kunnen we wat afspreken vanavond? Ik begrijp dat ik beter niet naar jouw huis kan komen?'
'Nee, ja, leuk! Ik heb eerst een uur rijles, zal ik daarna naar jou toe komen bij je tante, kan dat?'

Ondertussen Zit Gerben aan zijn bureau, zijn hoofd in zijn handen. Hij moest alleen zijn, de maaltijd was bijna niet om doorheen te komen met gewoon praten met Rita en Monique.
'Pap, ken jij een Guus Geluk?' vroeg het kind. Weer die naam, hoe

kwam ze erbij? Hoe kon ze het weten? Het moest bij die Surinaamse familie vandaan komen, die jongen was immers familie van ze? Maar dan nog, hoe wist hij dat, en wat belangrijker is: wát weet hij? Hij heeft de laatste tijd het gevoel dat de strop om zijn nek wordt aangetrokken, steeds strakker. Alles wat twintig jaar verborgen is geweest, lijkt opeens boven te komen. In zijn eigen hoofd en hart, maar wat veel erger is: niet alleen daar, maar het lijkt openbaar te gaan worden. En dat kan en mag niet, nooit!

Maria, het moet Maria zijn! Wat zei de jongen ook alweer die keer aan de deur? 'Ik moet een boodschap overbrengen van mijn moeder...' Is Maria in Nederland, zit zij erachter? Of Gijs, is hij uit op wraak, na al die jaren? Al maanden lang gaan deze vragen door zijn hoofd. Gijs, Maria, wat willen ze, wat vertellen ze, wat is er al verteld? Wat valt er eigenlijk te vertellen? Die ene, kleine misstap? Gèk wordt hij ervan. Hij wringt zijn handen, buigt zijn hoofd: 'God, help me toch! Moet al dat oude nu weer bovenkomen? Ik heb U toen toch beleden wat verkeerd was? Is dat niet genoeg?' Hij kreunt, laat zich voorovervallen op het bureaublad.

'Pap? Pap, voel je je wel goed?' Hij heeft Monique niet zien binnenkomen. Vlug tilt hij het hoofd op en wrijft in zijn ogen. 'Ik was even in slaap gevallen, geloof ik.' Hij probeert te glimlachen als hij haar bezorgde blik ziet.

'Weet je het zeker, je bent niet in orde, hè pap? Ben je al bij de dokter geweest?' Ze blijft maar naar hem staan kijken met bezorgde ogen.

'Het gaat alweer, ik ben inderdaad erg moe, ik stop er zo maar mee voor vandaag.'

Hij voelt haar kijken naar het lege bureaublad. Ermee stoppen? Hij was nog nergens mee begonnen. Opeens voelt hij zich geïrriteerd door haar kijken. 'Wat wilde je zeggen?'

'Ik heb straks rijles en daarna ga ik nog een poosje weg, naar Wendy en zo. Ik weet niet precies hoe laat ik terug ben, jullie hoeven niet op me te wachten, oké?' Na een laatste bezorgde blik loopt ze de kamer uit.

Hij is rechtop gaan zitten. 'Ja, gezellige avond!'

Hij hoort haar de trap af lopen, even later valt de voordeur dicht, een auto trekt op en rijdt weg. Hij kijkt op zijn horloge. Rita zal ook nog wel even wegblijven. Hij staat op en loopt naar de slaapkamer, even op bed liggen, hij is moe, zo moe!

Maar zijn gedachten kan hij niet stilzetten, zodra hij zijn ogen sluit, komen de beelden. Beelden die hij wil vergeten, maar die zich niet laten terugdringen.

Hij loopt op het strand met Maria. Het is al laat op de avond, ze zijn naar een feest geweest in het hotel waar Maria werkt. Sinds het vertrek van Gijs, nu twee maanden geleden, zien ze elkaar regelmatig. Eerst was ze vol goede moed, Gijs zou hard werken om te sparen en dan zou ook zij naar Nederland gaan. Maar langzamerhand gelooft ze er steeds minder in. Gijs schrijft nauwelijks, de eerste paar weken nog wel, maar daarna werd dat steeds minder. Ze is verdrietig, ze mist hem.

Gerben mist Rita, acht maanden is hij nu al op het eiland en hij heeft er nog vier te gaan.

Nu lopen ze samen over het stille strand, ze zijn eerder van het feest weggegaan. 'Ik wil met je praten, Gerben,' heeft Maria gezegd, 'ik wil met je praten over Gijs, laten we weggaan.'

Ze wil weten hoe Gijs in Nederland was, of hij veel vriendinnetjes heeft gehad, of hij trouw is.

Gerben vindt het moeilijk. Moet hij eerlijk vertellen dat Gijs het nooit zo nauw nam met de liefde? Toch was het deze keer anders, dat heeft hij wel gemerkt aan zijn neef.

Hij slaat een arm om Maria's schouder, ze trilt en kijkt hem met die grote, donkere ogen aan. Hij weet dat het niet helemaal eerlijk is om nu precies te vertellen hoe Gijs in het verleden was, om alleen dat te vertellen, en niet dat hij heeft gezien en gemerkt dat Gijs voor Maria duidelijk meer voelt dan ooit eerder voor een meisje.

Gerben heeft rum-cola gedronken op het feest en wel meer dan één glas ook. Hij voelt het bloed door zijn aderen stromen, hij voelt de warmte als hij Maria zachtjes dichter tegen zich aan trekt.

'We zijn allebei alleen,' fluistert hij, terwijl hij stilstaat en haar in zijn armen neemt, dicht tegen zich aan.

Even blijft ze stil in zijn armen staan, maar als hij haar kust probeert ze zich los te trekken. 'Niet doen, dit is niet goed.'

'Ssst.' Hij voelt haar lichaam tegen het zijne en het verlangen klopt door zijn hele lijf. Hij trekt haar mee naar een leeg bootje op het donkere strand. 'Kom!'

Ze aarzelt, maar laat zich dan toch meevoeren. Als ze op de bodem van de boot liggen en hij haar opnieuw in zijn armen trekt zegt ze weer: 'Ik weet niet of ik dit wil. Gijs...'

'Gijs is jou allang vergeten, kom!'

Even stribbelt ze nog tegen, dan laat ze zich meevoeren in zijn hartstocht.

Later ligt ze stil op de bodem van het bootje, ze huilt zachtjes.

Hij is rechtop gaan zitten, trekt zijn kleren weer aan. 'Waarom huil je nou? Kom op, jij wilde dit toch ook?' Maar hij voelt zich beroerd, minstens zo erg als zij. Hij gaat naast haar zitten en streelt haar over het haar. 'We moeten dit zo gauw mogelijk vergeten, noch Gijs, noch Rita hoeven dit te weten, toch?'

Ze geeft hem geen antwoord, ze is overeind gekomen, heeft haar kleren rechtgetrokken en is zonder een woord opgestaan en bij hem vandaan gelopen, het donkere strand op. Hij is naast haar gaan lopen, maar wat hij ook zegt, ze geeft geen antwoord, hij hoort haar alleen af en toe snikken. Bij het hotel waar ze werkt, is ze snel naar binnen gegaan. Daarna heeft hij haar nooit meer gezien.

Hij gaat rechtop zitten, wrijft over zijn pijnlijke voorhoofd en laat zich dan weer achterovervallen. O, die eerste dagen erna, hij weet nog dat hij bijna in paniek was over dat wat er gebeurd was. Als Gijs erachter zou komen, als Rita het zou weten en misschien het ergste nog: als zijn aanstaande schoonvader het ter ore zou komen, dan kan hij zijn hele carrière wel vergeten! Hij moest nog een keer met Maria praten, haar nogmaals op het hart drukken haar mond te houden. Maar toen hij na een paar dagen langsging bij het hotel en naar haar vroeg, hoorde hij dat ze verdwenen was en niemand kon of wilde hem vertellen, waar naartoe.

Hij was niet van plan te gaan slapen, maar blijkbaar is hij toch in slaap gevallen, want als hij zijn ogen opendoet en op de wekker naast zijn bed kijkt, ziet hij dat het halftien is. Er ligt een plaid over hem heen, hij ligt boven op het dekbed. Hij heeft hoofdpijn, nog erger dan toen hij ging liggen, hij voelt zich geradbraakt. Langzaam komt hij omhoog en knipt een lichtje aan. Hij gaat van het bed af en loopt naar de badkamer, daar kamt hij zijn haar en maakt zijn gezicht nat met een washandje. Dan loopt hij langzaam de trap af naar beneden. Rita zit in de kamer, ze leest een tijdschrift. 'Hoi,' zegt ze, 'lekker geslapen? Je was zo ver weg, ik dacht: laat maar even liggen, je hebt het nodig, denk ik.' Ze kijkt hem onderzoekend aan: 'Weer hoofdpijn? Je werkt echt te hard, Gerben. Heb je nog zin in koffie?'

'Nee laat maar, ik neem zo wel een borrel, daar knap ik meer van op, ik heb geen hoofdpijn, alleen een beetje moe.'

Ze lacht. 'In je slaap mompelde je net al iets van rum, geloof ik, je droomde zeker al over die borrel.'

'Dat zul je wel verkeerd verstaan hebben,' zegt hij, 'ik droom nooit.'

'Ieder mens schijnt te dromen, alleen de één weet het later nog, de ander niet en blijkbaar hoor jij tot die laatste groep.'

Was het maar waar, denkt hij, ja, was dat maar waar!

Monique heeft zich na de rijles laten afzetten bij het huis van de familie van Myra. Ze heeft er een wat vervelend gevoel over dat ze tegen haar vader heeft gelogen. En stel je voor dat Wendy toevallig vanavond opbelt of langskomt, dan komt haar leugentje gelijk aan het licht. Nou ja, ze kan er nu ook niks meer aan doen, misschien kan ze bij Lidia vandaan even bellen naar Wendy.

Dan belt ze aan en Sander doet de deur open. Zijn gezicht licht op als hij haar ziet. 'Daar ben je,' zegt hij, 'ik vond het veel te lang duren voor ik je anders weer zou zien!'

Eerst drinken ze samen met Lidia en Jeffrey thee in de woonkamer, daarna gaat Jeffrey naar zijn kamer om muziek te draaien en nog wat later staat ook Lidia op. 'Ik denk dat jullie het fijn vinden om samen nog wat te kunnen praten,' zegt ze met een glimlach. 'Ik ga maar eens

op tijd naar bed vanavond, lekker nog wat lezen voor het slapengaan.'
Monique voelt zich wat ongemakkelijk. 'U moet voor mij niet naar boven gaan, hoor, ik ga ook zo naar huis.'
Maar Lidia glimlacht en zegt: 'Reden te meer om jullie nog even wat tijd samen te geven, welterusten.'
Als de deur achter haar is dichtgevallen, vraagt Monique: 'Weet ze dat...'
Ja, wat moet ze eigenlijk zeggen? Weet ze dat er iets is tussen ons, of dat er iets aan het ontstaan is tussen ons? Is dat wel zo? Of komt het alleen van haar kant?
Sander lacht. 'Ja, dat weet ze, ik heb het haar verteld. Dat vind je toch niet erg?' Dan wordt zijn gezicht ernstig als hij verdergaat: 'Monique, voor ik het haar vertelde, had ik al begrepen van Myra dat jouw vader bepaald niet dol is op Myra en haar familie, om wat voor reden dan ook. Waarschijnlijk onze Surinaamse afkomst? Hoe schat jij dat zelf in, is er enige kans – stel dat het verdergaat tussen ons zoals ik hoop – dat hij mij zal accepteren als vriendje van zijn dochter?'
Monique slikt, ze weet niet wat ze antwoorden moet. Sander benoemt het probleem dat ook haar al weken bezighoudt. Ten slotte zegt ze eerlijk: 'Hij zal er in het begin erg veel moeite mee hebben, maar het zal wel wennen.' Ze kijkt hem aan en zegt dan: 'Weet je, Sander, ik begrijp het niet, hij is nooit zo geweest, ik bedoel discriminerend of racistisch. Maar vanaf het moment dat hij Myra zag, is dat begonnen. En geen idee waarom.'
'Is je vader gelovig, is hij christen?'
Beschaamd kijkt Monique hem aan. 'Ja.'
Even blijft het stil. 'En je moeder, hoe zal zij reageren, denk je?'
'Zij zal je gelijk mogen, dat weet ik zeker.' Nu glimlacht ze weer. 'Mijn moeder heeft gelukkig niet van die rare vooroordelen. Ze heeft onlangs ook al eens een praatje gemaakt met je tante, ze vond haar erg aardig.'
'Nou, misschien valt het dan ook allemaal wel mee, joh, en zien we het veel te somber in. Tenslotte heb ik je vader nog nooit persoonlijk ontmoet, dus wellicht beeldt Myra het zich wel in.'

Monique knikt maar wat. Je moest eens weten! denkt ze.

'Nou, laten we de tijd niet verknoeien met ons druk te maken over dingen die nog niet aan de orde zijn, toch?' Hij is naast haar komen zitten op de bank en slaat losjes een arm om haar schouder. 'Weet je, Monique, het is zo bijzonder wat ik voor jou voel. Ik ben echt wel eens eerder verliefd geweest, maar het voelde nooit zo... zo vertrouwd, zeg maar. En jij, wat voel je voor mij?'

Ze kijkt hem met glanzende ogen aan. 'Precies zoals jij het omschrijft! En dat maakt het ook voor mij zo bijzonder, ik heb me nog nooit bij een jongen zo volkomen op mijn gemak gevoeld als bij jou. Zouden ze dat bedoelen met 'voor elkaar geschapen'? En dan bedoel ik dat letterlijk.'

Ze kijken elkaar stil aan, dan kust hij haar zacht op haar mond. Even voelt ze zich wat teleurgesteld, dit is geen kus waaruit passie spreekt.

Hij kijkt haar weer aan en zegt: 'Op de een of andere manier heb ik het gevoel dat we juist daarom heel rustig aan moeten doen. Dit voelt als zo kostbaar dat ik het niet verknoeien wil, ik wil je heel goed leren kennen, Monique. En...' hier hapert zijn stem even, 'en eerst wil ik weten wie ik ben, wat mijn verleden is. Pas dan kan ik aan mijn toekomst gaan werken, een toekomst met jou.'

Stil zitten ze zo een poosje bij elkaar, haar hoofd tegen zijn schouder, zijn arm om haar heen. Ten slotte maakt ze zich voorzichtig los uit zijn arm en staat op. 'Ik moet naar huis,' zegt ze.

'Ik breng je.' Even later lopen ze samen door het donkere, stille dorp. Het is koud. Sander slaat zijn arm om haar heen en dicht tegen elkaar aan lopen ze het dorp uit naar de Austerlitzlaan. Vlak bij het huis blijven ze staan. Sander trekt haar dicht tegen zich aan, maar Monique kijkt angstig naar boven naar het raam van de slaapkamer van haar ouders. Dan geeft Sander haar alleen een kneepje in haar schouder en zegt zacht: 'Ik houd van je! Tot over een paar weken.' Het klinkt als een belofte. Dan laat hij haar los en loopt met grote stappen weg, het donker weer in. Ze kijkt hem even na. Dan, met nog een voorzichtige blik naar het slaapkamerraam, pakt ze haar sleutel en gaat zachtjes naar binnen. Gelukkig, pappa en mamma zijn al naar bed.

In het donker gaat ze zachtjes, om haar ouders niet wakker te maken, de trap op.

Gerben hoort haar zachte voetstappen op de trap, hij slaapt niet. Zonder zich te bewegen ligt hij al heel lang op zijn rug in het donker te staren. Aan haar rustige ademhaling hoort hij dat Rita slaapt. Kon hij ook maar slapen! De borrel die hij voor het naar bed gaan heeft genomen, heeft hem niet slaperig gemaakt, integendeel: hij is klaarwakker.

Eindelijk dut hij toch even in. Maar dan draait de film weer verder in zijn hoofd, als een soapserie die dagelijks een nieuwe aflevering geeft. Met dit verschil: er is geen knop waarmee hij de voorstelling kan beëindigen. Nu droomt hij over de eerste en gelijk laatste ontmoeting met Gijs, nadat hij thuis was gekomen uit Aruba.

Hij is nauwelijks een week in Holland, als hij op een zaterdagavond bij Rita vandaan komt. Hij is de straat nog niet uit, of opeens staat Gijs daar voor hem in het donker. Gijs grijpt hem bij de schouders, knellend zijn z'n handen. Zijn gezicht is verwrongen van kwaadheid als hij hem toesist: 'Ben jij met haar naar bed geweest? Vertel op en lieg niet tegen me!'

Dodelijk verschrikt weet hij toch uit te brengen: 'Man, Gijs, ik schrik me rot! Het is mijn zaak of ik met Rita naar bed ben geweest, maar als je het weten wilt: nee!'

De greep van Gijs wordt nog steviger als hij zegt: 'Klets niet, je weet dat ik dat niet bedoel. Ben jij met Maria naar bed geweest? Zeg het me en lieg verdorie niet tegen me! Ik moet het weten.'

Hij schudt de handen van Gijs van zich af. 'Doe normaal, man, hoe kom je daarbij? Ik ben niet met haar naar bed geweest.' Hij hoort de angst in zijn eigen stem.

'Zweer het me! Zweer het bij het leven van je vader.'

Hij aarzelt een moment, net een moment te lang, dan zegt hij: 'Ik zweer het.'

Gijs doet een stap naar achteren. 'Je weet dat we van onze ouders hebben geleerd dat we niet mogen zweren, hè, zeker niet vals zweren!' Hij kijkt Gerben met samengeknepen ogen aan. 'Hoe komt het toch dat ik je niet vertrouw, dat ik het gevoel heb dat je tegen me liegt, hè?' Hij stompt Gerben opnieuw tegen z'n schouder en komt dan weer vlak voor hem staan. 'Ik zal achter de waarheid komen en als blijkt dat je tegen me liegt, zul jij geen rustig moment meer kennen! En ook al kom ik nooit achter de waarheid, maar jij weet dat je liegt, ook dan zul je nooit meer rust vinden.' Hij geeft Gerben een duw, draait zich om en verdwijnt even plotseling als hij voor hem stond.

Trillend vervolgt Gerben zijn weg. Nee, hij is niet met haar naar bed geweest, het bed was een oude vissersboot. Toch weet hij dat hij zojuist een valse eed heeft afgelegd.

Uren loopt hij rond in het donker, voor hij het huis van zijn vader opzoekt.

Met een schok is hij weer wakker. Hij draait zich om en om, hij moet slapen! Maar het lukt niet meer en met zijn handen onder het hoofd laat hij de herinneringen maar komen.

Hij denkt eraan dat hij het later toch aan Rita wilde vertellen, schoon schip maken voor hij met haar trouwde, maar hij kon de woorden niet uit zijn mond krijgen. Zijn altijd volmaakte Rita, hoe zou ze het ooit kunnen begrijpen?

Maar hij kreeg het steeds benauwder onder zijn geheim. Toen besloot hij het aan zijn aanstaande schoonvader te vertellen en dan gelijk aan hem advies te vragen: aan Rita vertellen of niet. Als dat dan tenminste nog aan de orde zou zijn, wellicht zou vader Voskuijl hem gelijk de laan uit sturen. Maar alles leek beter dan met dit geheim verder te moeten leven.

Eindelijk had hij moed genoeg verzameld om het gesprek met zijn schoonvader aan te gaan.

Toen hij zijn eenmalige escapade met Maria had opgebiecht, begon Voskuijl tegenover hem hartelijk te lachen. 'Jongen,' zei hij, 'je bent twintig, eenentwintig jaar, je zit een jaar alleen ver van huis en je komt een mooi meisje tegen! Ben je mal, maak daar geen breekpunt van voor je relatie met mijn dochter! Vertel haar niks, waarom zou je haar verdriet doen? Verandert daardoor iets aan de situatie? Welnee, ze is gek op jou en jij op haar. Vrouwen begrijpen dat soort dingen niet. Alleen één ding:' en hij ging rechtop zitten, vlak voor Gerben en zijn stem werd opeens dreigend, 'laat zoiets nooit meer gebeuren als je getrouwd bent met mijn dochter! En beloof me dat je dit, wat je mij nu vertelde, nooit aan haar vertelt, afgesproken?'

Hij had het beloofd en daarna leunde zijn schoonvader weer achterover en begon rustig over iets anders te praten.

Hij, Gerben was even opgelucht geweest, maar later, als hij terugdacht aan dat gesprek, had hij altijd het gevoel gehouden dat Rita's vader vooral zo had gereageerd omdat hij zijn opvolger in het bedrijf niet kwijt wilde.

Gerben draait zich op zijn zij, hij moet slapen! Maar hij voelt het klamme zweet op zijn hele lichaam. Voorzichtig, om Rita niet wakker te maken, staat hij op en loopt de slaapkamer uit. Onder de deur van Moniques slaapkamer kiert nog een streepje licht. Zacht loopt hij de trap af en gaat in de donkere kamer op een stoel zitten. Langzaam komt hij tot zichzelf, hij haalt diep adem. Nee, rust heeft hij nooit meer gekend, al heeft hij een aantal jaren gedacht van wel. Maar als hij terugkijkt weet hij dat zijn altijd maar bezig-zijn met zijn werk, steeds meer, steeds drukker, z'n vlucht is geweest om niet te hoeven nadenken. Nu, na twintig jaar, haalt het verleden hem in. Nee, niet door Gijs die opeens met bewijzen aankomt, maar gewoon door de herinneringen, boven gebracht door een Surinaamse familie, die toevallig als enig buitenlands gezin in hun kleine dorp is komen wonen. Toevallig? God kent als enige de hele waarheid. Gerben heeft nooit begrepen waar de vraag van Gijs vandaan kwam, want Maria heeft het of wel of niet aan Gijs verteld. Twijfelde Gijs aan haar woorden, wilde hij het daarom van hem, Gerben zelf, horen? Hij zucht, in het donker loopt hij naar de kast en schenkt zichzelf nog maar een glas cognac in. Maar het smaakt hem niet, hij wordt er misselijk van.

Hij vouwt zijn handen. Kon hij maar bidden, echt bidden. Maar verder dan mooi geformuleerde woorden komt hij nooit. Hoe zou het ook kunnen, met zo'n grote schuld, verborgen in zijn hart.

Na een poosje staat hij op, in de keuken gooit hij het glas leeg in de gootsteen. Kom, hij gaat naar bed. Wat zeurt hij toch, wat is er nou helemaal aan de hand? Als jongen van eenentwintig is hij een keertje met een meisje naar bed geweest, nou en? Als elke gezonde vent die zoiets een keer is overkomen de rest van zijn leven met een schuldgevoel moest lopen, zouden alle psychiaters overuren maken! Maar terwijl hij probeert in slaap te vallen, weet hij dat zijn redenatie niet klopt. Hij heeft Maria misbruikt en Rita en Gijs bedrogen. Rita, zijn vrouw, hun huwelijk is met een leugen begonnen en Gijs, z'n beste vriend en neef, heeft hij bestolen van het liefste wat hij had en daarna belogen. En daarna? Zijn hele huwelijksleven, zijn status eerder als ouderling, als directeur van zijn bedrijf, het is op zand gebouwd. En niemand weet het, alleen God en dat is nog het meest beangstigend.

'Hou op! Je bent bezig gek te worden, geloof ik.' Heeft hij het hardop gezegd?

Rita gaat zitten. 'Wat is er, Gerben, wat zeg je?'

'Nee, niks, ik droom.'

'Zie je wel...'

'Wat?'

'Iedereen droomt weleens...' Ze gaat weer liggen. 'Slaap lekker.'

Hij geeft geen antwoord.

8

DONDERDAG 24 DECEMBER KOMT MONIQUE NAAR HUIS. ALS ZE AAN HET begin van de middag binnenstapt, ziet ze tot haar verbazing haar vader al in de kamer zitten. 'Dag pap, wat ben je lekker vroeg thuis!' Terwijl ze hem een kus op z'n wang geeft, valt het haar opnieuw op hoe slecht hij eruitziet. 'Ben je ziek?' vraagt ze bezorgd. 'Welnee, maar wel een beetje moe. Ik denk dat ik het de laatste tijd toch een beetje te druk heb gehad. Het is goed dat de feestdagen voor de deur staan, dan moet ik me wel rustig houden.' Hij glimlacht naar haar en vraagt dan: 'En jij, hoe is het met jou, hard gestudeerd de laatste week?'
'Dat valt wel mee, hoor, je weet toch, pap: geen beter leven dan een studentenleven?' Ze lacht naar hem, maar de bezorgdheid blijft in haar ogen. 'De Kerst valt trouwens dit jaar niet echt zo geweldig, drie zondagen achter elkaar, eigenlijk gewoon een lang weekend. Of neem je na Kerst ook nog een paar dagen vrij?'
'Ik kijk nog wel,' zegt Gerben.
'Waar is mamma?'
'Boodschappen doen en nog even bij oma langs, geloof ik.' Gerben pakt het tijdschrift weer op waarin hij zat te lezen. Monique aarzelt even, maar pakt dan haar tas en loopt de trap op naar haar kamer. Ze maakt zich echt zorgen over pappa, maar het is duidelijk dat hij er niet over wil praten. Hij werkt natuurlijk ook veel te hard, maar dat doet hij eigenlijk al zolang ze zich kan herinneren. In haar herinnering is pappa altijd op de zaak of thuis nog bezig op zijn studeerkamer. Heel af en toe eens op de tennisbaan, maar ook dat is het laatste seizoen veel minder geweest dan vorige jaren, realiseert ze zich nu. Nou ja, hij moet het zelf weten, hij is tenslotte oud en wijs genoeg. Maar natuurlijk niet echt gezellig voor mamma. De laatste tijd valt het haar steeds meer op dat haar ouders beiden een eigen leven leiden. Nee, dat wil zij zelf later heel anders, dat weet ze wel. Nu gaan haar gedachten vanzelf weer naar Sander. De afgelopen week heeft ze hem niet meer gezien. Amsterdam en Utrecht liggen nog altijd een eindje

uit elkaar en vooral Sander studeert dat de stukken eraf vliegen. Hij wil zo snel mogelijk de verloren tijd inhalen en daarna ook zo gauw mogelijk zijn studie afronden.

Ze hebben elkaar wel aan de telefoon gesproken. Pappa moest eens weten waarvoor de telefoon gebruikt wordt die hij direct heeft aangevraagd toen Wendy en zij in het appartement gingen wonen.

Ze merkte de afgelopen dagen aan Sander dat hij bijna obsessief bezig is met zijn verleden, hij kan aan bijna niets anders meer denken dan aan de bewuste brief.

'Ik wil hem openmaken en tegelijk durf ik het niet, Monique,' zei hij gisteravond nog. 'Ik heb het gevoel dat ik mijn moeders laatste wil overtreed, maar als die Guus niet te vinden is, moet ik toch wel?'

'Wat zegt je tante Lidia ervan? Je hebt het er nu toch met haar over gehad?'

'Zij vindt dat als ik echt alles heb geprobeerd om die man te vinden en het is niet gelukt, ik dan vrij ben van de belofte aan mijn moeder en de brief dus mag lezen.'

'Ik denk dat dat inderdaad zo is. Stel jezelf een datum, bijvoorbeeld 1 januari. Ben je dan nog niet verder, dan lees je hem. Die datum had je trouwens toch al eerder gezegd?'

'Ja, ik denk dat ik dat maar zal doen. Sorry, Monique, dat ik alleen maar hierover praat, maar het houdt me steeds meer bezig.'

'Dat begrijp ik wel, het geeft niet. Als deze dingen opgelost zijn, kun je verder met je leven, toch?'

'Met ons leven!'

Nu zit ze op de rand van haar bed. De laatste dagen dringt zich steeds een nieuwe gedachte aan haar op, of eigenlijk was die gedachte er steeds al op de achtergrond. Stel dat pappa's neef Gijs toch de vader van Sander blijkt te zijn, dan zijn ze familie van elkaar. Achterneef en achternicht weliswaar, maar toch... Is dat geen probleem voor een relatie? Ach nee, dat is zo ver, ze meent weleens gehoord te hebben dat zelfs een volle neef en nicht met elkaar mogen trouwen. En och, het zou ook wel toevallig zijn, er zijn zoveel mensen die Geluk heten en ook zoveel jongens met de voornaam Gijs, daar zal ze zich maar geen zorgen over maken.

Wel jammer dat het allemaal zo stiekem moet gebeuren. Wat zou het leuk zijn als Sander de kerstdagen hier kon doorbrengen, bij pappa, mamma, oma en haarzelf.

'Ga je nog naar Myra en haar familie de komende feestdagen?' vroeg ze hem de afgelopen week.

'Laat ik het maar niet doen, want dan wordt de verleiding te groot om naar de Austerlitzlaan te gaan!' zei hij. 'Nee, ik blijf gewoon op mijn kamer en Eerste Kerstdag ga ik na kerktijd naar een andere tante van me die hier in Amsterdam woont.'

Eigenlijk voelt ze zich een beetje teleurgesteld. Ze had gehoopt dat hij het weekend in het dorp zou zijn en dat ze elkaar nog een keer konden zien. Mist hij haar minder hard dan zij hem? Ze zal blij zijn als dat gedoe met die brief achter de rug is, ook al begrijpt ze hoe belangrijk het voor hem is.

Beneden hoort ze een deur opengaan, mamma komt thuis. Vlug loopt ze de trap af, ze gaat eerst lekker van dit weekend genieten en over anderhalve week gaat ze naar Sander!

De kerstdagen gaan snel voorbij. Eerste Kerstdag komt oma meteen na kerktijd, dat is al jarenlange traditie. Toen opa nog leefde kwamen ze samen, nu komt oma alleen. Het is een dag van gezelligheid, spelletjes en een heerlijke diner, door Rita in elkaar gedraaid.

'Kind, wat kun jij toch heerlijk koken!' zegt oma uit de grond van haar hart, als ze na de maaltijd met een kopje koffie nog aan tafel napraten.

'Tja, en van wie zou ik dat nou geleerd hebben?' vraagt Rita droog. 'Van mijn moeder natuurlijk.'

Oma lacht, dan wendt ze zich tot Gerben en zegt heel rustig: 'Tegenwoordig eet ik weleens Surinaams, weet je hoe heerlijk dat is? Je kent toch dat Surinaamse gezinnetje wel, dat hier dit voorjaar is komen wonen? Echt zulke sympathieke mensen.'

Monique houdt haar adem in en ziet dat ook haar moeder verschrikt van oma naar pappa kijkt. Waarom zegt oma dat, ze weet toch hoe vader Gerben hierover denkt?

Maar oma kijkt heel onschuldig en praat verder: 'Zo behulpzaam ook, dat zijn nou echte christenen, geen woorden maar daden.'

'Christenen?' Gerben gromt het bijna. 'Ik heb hen anders nog nooit in de kerk gezien.'

'Nee, ze gaan naar een Pinkstergemeente, een paar dorpen verderop, niks mis mee, hoor.' Oma glimlacht nog steeds vriendelijk. 'Maar om op dat eten terug te komen: echt heerlijk! Lidia brengt me nogal eens een pannetje van het een of ander of nodigt me bij hen thuis uit, heel gastvrij. Ja, daar kunnen wij wel een voorbeeld aan nemen, hè?' Ze kijkt rustig de tafel rond en gaat dan verder: 'Maar zoals ik zei: ik heb nu ook heerlijk gegeten, hoor, Rita!'

Monique kijkt nog steeds naar haar vader. Zijn gezicht is rood, hij klemt zijn kaken op elkaar.

Rita zegt: 'Dank u wel, moeder, ik vind het ook nog altijd leuk om eens wat extra's klaar te maken of wat nieuws uit te proberen.' Ze zet het lege koffiekopje op tafel. 'Als u en Gerben nu lekker gaan zitten, ruimen Monique en ik de tafel even af, goed?'

'Ik ruim wel op, gaan jullie maar zitten,' zegt Gerben op een toon die duidelijk geen tegenspraak duldt. Hij kijkt niemand aan maar begint met nijdige bewegingen het serviesgoed op elkaar te stapelen.

'Zal ik even helpen, pap?'

'Nee!' Gerbens stem klinkt verbeten, hij loopt al naar de keuken en met zijn voet duwt hij de deur achter zich dicht.

Monique ziet hoe haar moeder oma een beetje verwijtend aankijkt. 'U weet toch dat hij moeite heeft met die mensen?'

'Hoog tijd dat hij daar eens mee ophoudt!' zegt oma en Monique ziet dat oma betekenisvol naar haar kijkt.

Ach, lieve help, wat weet of vermoedt oma? Monique mompelt een excuus en gaat de kamer uit.

Als ze later weer met z'n vieren bij elkaar zitten, wil de stemming niet meer helemaal terugkomen. 'Potje schaken, pap?' vraagt Monique. Maar hij schudt zijn hoofd en verbergt zich achter de krant.

'Oma, wij dan? Of liever scrabble en dan met z'n drieën?'
'Kom maar op met dat scrabblespel,' zegt oma en ook Rita schuift haar stoel bij de tafel.
'Zeker weten van niet, pap?'
Hij schudt zijn hoofd en leest verder.

Eigenlijk was Monique van plan om tot na Nieuwjaar bij haar ouders te blijven, maar halverwege de week verveelt ze zich zo dat ze besluit om toch een paar dagen naar Utrecht te gaan. Ze stapt dinsdagmiddag in de bus, nadat ze haar moeder beloofd heeft donderdag, dus oudejaarsdag in de loop van de dag weer terug te komen.
'De reden dat je gaat heet zeker Sander?' vraagt Rita.
Monique glimlacht en geeft verder geen antwoord. Sander zit in Amsterdam, maar nu vraagt mamma tenminste niet verder. Ze heeft gewoon zin om weer even thuis weg te zijn, maar als ze dat zegt klinkt het zo onaardig.
Toch is het de waarheid. Als pappa overdag naar kantoor is, is het gezellig en rustig in huis, maar zodra hij aan het eind van de middag binnenkomt is er een bepaalde spanning in huis. Hij zegt weinig, maar hij ziet er zo gestrest uit dat er gelijk een zekere druk in huis komt. Monique vindt het knap van haar moeder dat zij zo rustig zichzelf blijft, maar toch merkt ze ook bij haar een stukje spanning.
Als ze in Utrecht uit de trein stapt, ziet ze opeens Myra vlak voor zich lopen.
'Myra, hé, wacht even!'
Verrast draait Myra zich om. 'Ik dacht jij thuis was deze week?'
'Jawel, maar ik was het een beetje zat. Tot donderdagmiddag blijf ik hier. Wat ga jij doen?'
'Ik moet deze week extra werken, vanavond en morgenavond. Dan ben ik met Oud en Nieuw vrij, wel lekker.'
'Dan blijf je toch zeker vannacht bij mij slapen? En als je dan morgen na je werk ook hier naartoe komt, kunnen we donderdag samen naar huis reizen, oké?'

'Ik weet niet, ik was het niet van plan omdat ik dacht dat Wendy en jij er niet zouden zijn.'

'Je hebt een sleutel, Myra, je kunt altijd dat kamertje gebruiken, dat weet je toch!'

'Ik vind het gewoon vervelend in jullie huis te zitten als jullie er niet zijn. Maar in dit geval: graag. Ik bel straks gelijk even naar mijn moeder.'

De volgende dag gaan ze samen een poos winkelen, de uitverkoop is volop begonnen. Het valt Monique op dat Myra in heel andere winkels geïnteresseerd is dan zijzelf. Ze beseft dat ze eigenlijk heel verwend is en nooit erg op geld heeft hoeven letten.

Als Myra aan het eind van de middag naar haar werk gaat, maakt Monique voor zichzelf een lekkere pasta klaar en met haar bord op schoot en een boek in haar hand kruipt ze op de bank. Heerlijk, die rust! Als Myra aan het eind van de avond ook terug is, drinken ze samen nog wat en gaan dan slapen.

'Morgen slaap ik eerst lekker uit, hoor,' zegt Monique. 'Zullen we direct na de middag weggaan?'

'Ik vind het best, ik ben niet zo'n langslaper, maar ik heb nog wel wat te leren. Welterusten!'

Op oudejaarsdag wil Gerben op de gewone tijd naar kantoor gaan.

'Zou je niet eens een extra lang weekend nemen?' vraagt Rita als hij uit bed wil stappen.

'Het is al een lang weekend, morgen is het nieuwjaarsdag, dus ik heb drie dagen achter elkaar vrij, lang zat.' Hij zit op de rand van het bed en wrijft over zijn voorhoofd.

Rita draait zich op haar zij en legt haar hand op zijn arm. 'Gerben?'

Hij draait zijn hoofd even om. 'Wat is er?' Het klinkt niet erg vriendelijk, hij hoort het zelf ook.

'Blijf vandaag nou gewoon eens thuis, laten we samen een lange wandeling gaan maken of gewoon lekker rustig thuiszitten als je dat liever hebt. Maar laten we nou eens echt samen praten, toe...'

Hij staat op, haar hand glijdt van zijn arm. 'We praten nu toch? En vanmiddag ben ik niet te laat thuis. Hoe laat komt Monique eigenlijk thuis?'

'Ik denk aan het begin van de middag, maar, Gerben, ik wil zo graag eens rustig met jou alleen praten. Het gaat echt niet goed zo, niet met jou, niet met ons...'

'Leuk tijdstip zoek je hiervoor uit, het is nauwelijks zeven uur.'

'Daarom vraag ik je ook vandaag eens thuis te blijven, zo druk zal het toch op zo'n dag niet zijn op de zaak?'

Gerben loopt naar de deur van de badkamer. 'Ik heb echt geen tijd om zo maar thuis te blijven, mooie boel zou dat worden als iedereen dat zou doen.' Hij verdwijnt in de badkamer en even later staat hij onder de warme douche. Thuisblijven? Die ene extra dag morgen vindt hij al een ramp. Bezig moet hij zijn, hoe drukker hoe beter, geen tijd om te denken!

Maar als hij een halfuur later achter zijn bureau zit, merkt hij dat er alle tijd is om te denken. De telefoon gaat niet. Martine, zijn secretaresse, heeft vrij, evenals een groot gedeelte van de werknemers. Hij werkt wat achterstallige dingen weg, leest een verslag door en drinkt drie koppen koffie. Dan geeft hij het op. Het is zo rustig dat hij hier nog meer tijd heeft om na te denken dan thuis. En steeds maar weer draaien zijn gedachten om dat ene. Het is een soort ziekte aan het worden, hij kan zijn gedachten niet stopzetten.

Opeens krijgt hij een idee. Weet je wat: hij gaat zijn dochter verrassen. Als hij opschiet is hij eerder in Utrecht dan zij naar het station vertrekt. Hij gaat haar ophalen.

Opeens gehaast sluit hij zijn bureau af en loopt het pand uit. Algauw is hij op de snelweg richting Utrecht. Het is niet druk op de weg, veel mensen hebben blijkbaar wel een vrije dag genomen. Als het aan Rita had gelegen was hij nu ook thuis geweest, om te praten! Hij griezelt bij de gedachte wat er zou gebeuren als hij haar vertellen zou wat hem zo dwarszit, waar hij al meer dan twintig jaar mee rondloopt. Of nee, dat is niet waar, toen Rita en hij goed en wel getrouwd waren, Gijs van de aardbodem verdwenen leek en hij druk was met zijn studie en daarna met het werk, toen had hij nauwelijks meer gedacht aan Gijs, aan Maria en aan wat er gebeurd was die ene avond. Hij was druk geweest om carrière te maken binnen het bedrijf, zijn plaats te vinden bij de familie, zich waar te maken op allerlei gebied. Toen leefde hij ook wel onder een zekere stress, maar niet in de angst die hij nu ervaart sinds die avond aan het begin van de zomer.

Ho! Hij rijdt bijna de afslag voorbij. Straks zit Monique gelukkig naast hem, zij zal hem wel afleiden met haar gezellige verhalen.

Als hij de auto heeft geparkeerd voor het appartement en uitstapt, ziet hij dat de overgordijnen van de slaapkamer nog dicht zijn. Nou ja, dan is ze in elk geval nog niet weg, maar zou ze nog slapen? Hij kijkt op zijn horloge, het is bijna elf uur. Enfin, hij merkt het vanzelf.

Als hij heeft aangebeld, duurt het even voor er opengedaan wordt. Maar als de deur dan openzwaait, stapt hij gelijk naar binnen. Tenminste, dat is de bedoeling.

'Verrassi...' Met één voet over de drempel blijft hij midden in het woord en in zijn beweging steken. Hij doet een stap terug. Daar voor hem staat niet Monique, maar hij staat oog in oog met Myra, dat Surinaamse kind. Ze heeft een handdoek om haar kennelijk natte haar gedraaid en kijkt hem met verbaasde ogen aan. 'Meneer Geluk! Maar komt u binnen, Monique is net wakker, ze wist zeker niet dat u kwam?' Ze doet een stap naar achteren om hem binnen te laten.

Gerben staat als versteend op de drempel. 'Wat doe jij hier!'

Er gaat een deur open en daar is Monique. Ze heeft haar nachthemd nog aan en haar haar zit door de war. Ze kijkt haar vader verschrikt aan en vraagt hetzelfde als hij zojuist aan Myra vroeg: 'Wat doe jij hier, pap?'

'Wat ik hier doe, vraag je? Volgens mij is dit mijn eigen huis, helemaal door mij betaald. Gekocht voor jou en Wendy om te bewonen en niet voor... niet voor...' Zijn stem klinkt minachtend.

'Pappa! Doe normaal!' Gerben hoort zoveel woede in de stem van zijn dochter dat hij er onwillekeurig van schrikt.

'Waarom ben je hier, is er iets met mamma?' vraagt ze dan.

'Nee, ik kwam je gewoon ophalen, maar nu... We praten hier thuis nog over.' Hij draait zich om en loopt met grote stappen weg.

Hij stapt in zijn auto en dwingt zichzelf weg te rijden, maar als hij de hoek om is en zeker weet dat hij uit het zicht is, stopt hij. Hij trilt zo dat hij niet verder kan rijden. Hij is boos, woedend en geschrokken. Wat gebeurt er allemaal om hem heen, waarom weer dat Surinaamse kind? Wat doet ze in huis bij Monique, woont ze daar soms? En van de week zijn schoonmoeder ook al met haar verhaal over dat gezin, daarbij steeds dat gezeur over Guus Geluk... Wat weten ze, wat vermoeden ze? Hij heeft het gevoel dat er langzaam een net over hem heen wordt dichtgetrokken, een net waaruit niet te ontsnappen valt.

'Al is de leugen nog zo snel, de waarheid achterhaalt haar wel...'
Waarom komt dat spreekwoord nu opeens in zijn hoofd?

'O God! Help me toch!' mompelt hij, zijn hoofd in zijn handen. Maar tegelijk vraagt hij zich af, of hij dat wel aan God mag vragen. Zal God een leugenaar helpen? Heel even komt het verlangen in hem op om naar huis te rijden en alles aan Rita te vertellen, maar dan ook echt alles.

Dan gaat hij rechtop zitten en lacht zichzelf uit. Flauwekul, er is niks aan de hand! Hij moet straks thuis een hartig woordje met zijn dochter spreken, het lijkt nergens op dat zij zomaar Jan en alleman in huis haalt, het huis dat hij betaald heeft. Hij start de auto en zoekt zijn weg de stad uit, richting snelweg.

Drie kwartier later zit hij weer achter zijn bureau op kantoor. Maar hij kan zich nog minder concentreren dan voor hij op weg ging naar Utrecht. Een halfuurtje houdt hij het vol, dan loopt hij voor de tweede keer die dag het pand uit, stapt in zijn auto en rijdt het dorp uit. Maar nu niet richting snelweg. Hij rijdt doelloos door de polder en op een doodlopend weggetje zet hij ten slotte zijn auto aan de kant. Hij zet de motor af en zit daar stil tot hij merkt dat hij ijs- en ijskoud geworden is. Hij start de motor weer en schakelt de autoverwarming op z'n hoogst. Als hij weer wat gevoel in zijn handen en voeten heeft, zet hij de auto in de eerste versnelling en rijdt langzaam richting huis. Het is inmiddels vier uur geweest.

Nadat Gerben 's morgens uit bed is gestapt, heeft Rita zich omgedraaid en is ze weer ingedommeld. Ze wordt nog even wakker als ze hem op de trap hoort en even later hoort ze de auto wegrijden. Nog even, denkt ze, waarom zou ik er al zo vroeg uitgaan, het is nog donker. Ze valt weer in slaap. Om halfnegen schrikt ze wakker, ja, nu is het toch wel tijd om op te staan.

Ze gaat zo meteen eerst oliebollen bakken, daarna de keuken een snelle beurt geven en dan is ze klaar. Ze heeft alle boodschappen gisteren al gedaan, dus ze hoeft overdag de deur niet meer uit. Vanavond gaan ze samen naar de kerk en daarna nemen ze moeder mee naar hun huis, die blijft dan slapen tot nieuwjaarsdag. Rita verheugt zich op de gezellige avond met haar gezin. Hopelijk kan ook Gerben zich een beetje ontspannen.

Eerst maar het beslag maken, dan kan dat rijzen terwijl ze zich aankleedt en ontbijt. Om tien uur staat ze in de keuken te bakken.

'Koop die dingen toch gewoon bij de bakker,' zei Gerben vorig jaar nog, maar ze vindt het leuk om te doen, het hoort nou eenmaal bij die oudejaarsdag, vindt ze. De appelflappen, ja die heeft ze gisteren inderdaad bij de bakker gehaald. Vroeger bakte ze die ook altijd zelf, maar het geeft zo'n gespetter en geknoei, de halve keuken droop na afloop van het vet. Daar heeft ze geen zin meer in.

Om halftwaalf staan er twee grote schalen oliebollen op het aanrecht. 'Ziezo,' mompelt Rita, 'nu eerst eens even proeven.' Ze pakt een bordje uit de kast en kijkt dan naar de plank waar de poedersuiker zou moeten staan. 'Ja, dát ben ik dus vergeten gisteren!'

Wat nu? Oliebollen zonder poedersuiker, nee, dat kan niet. Straks naar het dorp, speciaal voor die suiker? Daar heeft ze ook niet veel zin in. Wacht, ze kan Gerben bellen op kantoor, dan kan hij het straks meebrengen als hij naar huis gaat. Hij komt bijna langs de supermarkt.

Ze wast haar handen en loopt naar de telefoon. Als ze het nummer heeft ingetoetst, gaat hij eindeloos veel keer over, maar er wordt niet opgenomen.

Straks nog maar eens proberen, besluit ze. Maar tien minuten later krijgt ze nog steeds geen gehoor. Zou hij al op weg naar huis zijn? Nou ja, dan haalt ze vanmiddag zelf die suiker toch maar even.

Als de keuken weer vetvrij is, Rita onder de douche haar haren heeft gewassen en alleen de keuken nog licht naar olie geurt, is Gerben nog steeds niet thuis. Het is nu kwart over één, maar als Rita opnieuw het telefoonnummer kiest, krijgt ze nog steeds geen gehoor. Juist als ze weer wil neerleggen wordt er toch nog opgenomen door een meisje dat op de administratie werkt. 'Ik liep langs de deur van uw mans kamer,' zegt ze als Rita zich bekend heeft gemaakt, 'en ik hoorde de telefoon overgaan. Meneer Geluk heeft de telefoon niet doorgeschakeld, maar ik dacht, ik pak hem toch maar even.'

'Dat is prima, hoor, maar ik begrijp dat mijn man er niet is?'

'Nee, hij is vanochtend wel een poosje geweest en eind van de ochtend weer... Maar Martine is vandaag ook vrij, dus ik weet niet welke afspraken hij heeft en hoe laat hij weer terug is.' '

'Het is prima, hoor, hij zou niet te laat thuiskomen, dus ik zie hem zo wel. Mocht hij nog op kantoor komen, vraag dan of hij me even belt.'

Als Rita de telefoon heeft neergelegd, heeft ze een raar gevoel. Nee, ze gelooft niet dat haar man er een vriendin op na houdt, daar heeft hij helemaal geen tijd voor, bedenkt ze een beetje cynisch. Hij is zo druk met wegrennen voor zichzelf en zich begraven in zijn werk, dat er vast geen tijd over is voor een andere vrouw. Waarom denkt ze dat eigenlijk?

Ze gaat opeens stil op een stoel zitten. Wat weet ze eigenlijk van hem, van zijn denken en bezig zijn? Ze zijn zo uit elkaar gegroeid, ze praten zo weinig echt met elkaar, dat ze eigenlijk helemaal niet weet wat hem bezighoudt, wat hem zo onrustig maakt de laatste tijd. Wanneer is dat toch begonnen? Met het overlijden van zijn vader? Welnee, veel eerder. Komt het omdat Monique de deur uit is? Nee, hij heeft zelf voor huisvesting gezorgd, als hij daar zo tegen zou zijn had hij dat vast niet gedaan.

Ze probeert terug te denken over het begin van de verandering in Gerben. Deze zomer, ja dat is duidelijk, het is afgelopen zomer begonnen. Maar waarmee of waarom? Ach, daarvoor ging het ook niet geweldig tussen hun tweeën, ging Gerben zijn eigen gang, was hij niet altijd even gemakkelijk in de omgang. Maar het was anders, zeker naar Monique toe. Kon ze toen bijna geen kwaad doen bij haar vader, dan was dat nu wel veranderd. Als je hem alleen al hoorde over Myra... Ja, Myra en haar familie, heeft het daarmee te maken? Zijn vreemde en overdreven reactie op die mensen? Waarom is dat dan, heeft het toch iets te maken met vroeger, met zijn diensttijd op Aruba, met Gijs? Of zoekt ze nu dingen die helemaal niet bestaan?

De brieven! Die was ze helemaal vergeten, de brieven bij haar schoonvader vandaan. In een opwelling heeft ze ze toen meegenomen en verstopt, ze wist op dat moment zelf niet waarom. Maar het intrigeert haar dat Gerben zijn brieven aan haar al snel na zijn thuiskomst heeft opgeëist en vervolgens heeft vernietigd. Toen hij om die brieven vroeg, dacht ze nog dat hij ze nog eens wilde doorlezen. Als ze had geweten dat hij ze zou verscheuren, had ze er zeker een reden voor willen weten. Toen ze dat achteraf vroeg, had hij iets gemompeld van 'Gaat niemand anders wat aan' of zo. Alsof zij ze ooit aan iemand zou laten lezen! Maar de laatste tijd vraagt ze zich af of er niet meer achter zit. Stond er iets in waarvan hij achteraf spijt had het geschreven te hebben? Maar ze kon zich met de beste wil van de wereld niet voorstellen of herinneren wat dat dan zou kunnen zijn. De brieven vertelden over het dagelijks leven in de kazerne, de omgang met de andere jongens, de uitstapjes naar het strand of bevriende families en verder stond erin hoezeer hij haar miste en naar haar verlangde.

Ze wist ook zelf niet waarom ze die brieven bij zijn vader opeens had willen hebben om rustig te lezen. Ze heeft ze toen bij thuiskomst weggeborgen in haar kledingkast om ze daarna te vergeten. Tot nu.

Ze gaat de trap op en even later zit ze op haar bed met het stapeltje lichtblauwe luchtpostenveloppen. Het zijn er niet veel, hij schreef zijn vader blijkbaar niet zo dikwijls. Ze pakt de bovenste brief van de stapel en begint ergens halverwege te lezen.

... de eerste dagen dat we hier waren werden we uitgescholden voor 'verse baal'. Verder werden we door niemand aangekeken of aange-

sproken in onze barak, en als we wat vroegen kregen we geen antwoord. Dat duurde tot de ontgroening. Op donderdagavond was het zover: om elf uur moesten we in bed liggen, maar om halftwaalf werden we eruit gehaald. We mochten alleen onze onderbroek aan houden en moesten 25 keer hurken. Daarna werden we met kussens geslagen en moesten we onder de bedden door kruipen. Daarna moesten we water in onze mok halen, die vervolgens over ons werd leeggegoten. Toen we dachten dat we het gehad hadden, bleek dat niet het geval: we werden van top tot teen met schoensmeer ingesmeerd en moesten toen met een gasmasker op over de hindernisbaan. Daarna kruipen door het zand, en dat alles terwijl we voor alles werden uitgescholden wat je maar kunt bedenken! Nou pa, dan heb je niet veel praatjes meer, hoor! Ten slotte waren we doodop, maar toen was het ook klaar. We werden aan de groep voorgesteld en vanaf dat moment hoorden we er gewoon bij. We hebben nog een uur onder de douche staan schrobben tot we helemaal schoon waren. Eerlijk gezegd verheug ik me nu al een beetje op de volgende groep nieuwlichters, dan sta ik aan de andere kant! Verder is het hier geweldig, altijd mooi weer, zon en een lekker windje. Natuurlijk mis ik Rita heel erg, maar gelukkig schrijft ze veel, ik heb in die paar weken dat ik hier ben al vier brieven van haar gehad.

Hoe is het verder bij u, nog nieuws? Het is hartstikke fijn dat Gijs hier ook is, we slapen niet in dezelfde barak en hebben natuurlijk ieder ons eigen werk, maar we zien elkaar dagelijks, en gaan bijna elke dag na de dienst naar het strand met een stel. De jongens dachten eerst dat we broers zijn, zelfde achternaam en we lijken blijkbaar ook wel een beetje op elkaar...

Rita leest niet verder, ze herinnert zich dat hij dit ook aan haar schreef, niks nieuws dus. Ze vouwt de brief op, stopt hem in de envelop en pakt een andere uit het stapeltje. Ook hier leest ze hier en daar een stukje, maar nergens leest ze iets dat haar meer zou kunnen vertellen. Na vijf brieven zo bekeken te hebben, gelooft ze het wel. Ze neemt het hele stapeltje mee naar beneden en stopt het in de garage tussen de stapel oude kranten. Eerst maar naar het dorp om die poedersuiker te kopen, als ze terug is zal Gerben er wel zijn. Maar als ze terugkomt is hij er nog steeds niet.

Dan hoort ze een sleutel in het slot en komt Monique de deur binnen. Met een plof gooit ze haar tas op de grond en slaat haar arm om haar moeders hals. 'Dag mamsie, daar ben ik dan.'

'Ha meisje, fijn dat je er weer bent. Alles goed?' Rita kijkt haar dochter oplettend aan. 'Je kijkt een beetje bezorgd? Toch geen narigheid?'

Monique schudt het hoofd. 'Nee hoor, ik niet. Is pappa al thuis?'

'Nee, hoezo? Hij is naar kantoor.'

'Mam, hij kwam me onverwacht ophalen in Utrecht, tenminste, dat was de bedoeling. Hij stond vanochtend opeens voor de deur.'

Monique is de kamer in gelopen en laat zich op de bank zakken.

'En?' vraagt Rita.

'Ik was net wakker, maar ik was niet alleen.'

'Die Sander waar je het over had? Is dat allemaal niet erg snel, Monique?' Nu is het Rita's beurt om bezorgd te kijken en voor Monique kan reageren gaat ze verder: 'Ik kan me wel een beetje voorstellen dat pappa dat niet zo leuk vond.'

Geërgerd schudt Monique het hoofd. 'Welnee mam, waar zie je me nou voor aan? Ik spring niet gelijk met elke jongen in bed, hoor! Het was Myra, Myra logeerde bij me en zij deed de deur open toen pappa aanbelde. Nou, je kunt je zijn reactie zeker wel voorstellen!' Haar stem klinkt nu bitter. 'Hij begon nog net niet tegen haar te schelden, maar de blik waarmee hij naar haar keek toen hij vroeg wat zij in zijn huis deed... Nou, dat liet allemaal niets te raden over. Ik schaamde me echt vreselijk tegenover Myra. Dat is dan mijn vader!'

Rita is ook gaan zitten. 'En toen?' vraagt ze.

'Toen ging hij weg met de dreigende woorden dat hij me thuis nog wel zou spreken! Maar hij is er dus nog niet? Des te beter, misschien is hij een beetje afgekoeld eer hij thuiskomt.'

'Hoe laat was dat dan?'

'Een uur of elf, denk ik.'

'Maar ik heb hem daarna nog geprobeerd te bellen op kantoor, maar daar was hij steeds niet. Waar kan hij naartoe zijn?' Nu is Rita toch wel ongerust. 'Was hij erg boos?' vraagt ze nog.

'Dat kun je wel zeggen, ja! Mam, als er wat gebeurd was, had je het al lang gehoord, hoor, dus ik zou me maar geen zorgen maken,' zegt ze dan heel nuchter.

Rita geeft geen antwoord, Monique praat er wel heel gemakkelijk over. Waar zou hij toch zitten?

'Vind je het dan niet idioot?' vraagt Monique dwars door haar gedachten heen. 'Zo ga je toch niet tekeer tegen iemand die jou nog nooit wat misdaan heeft? Discriminatie van het ergste soort, noem ik dit.'

'Monique, je weet toch net zo goed als ik dat pappa zo nooit geweest is, er moet iets achter zitten, maar wat? Ik weet het niet.'

Even zitten ze nog zo, dan zien ze de auto van Gerben aankomen. 'Gelukkig!' verzucht Rita.

Monique staat op. 'Ik ga maar een poosje naar boven,' zegt ze.

Als Rita een uurtje later onder aan de trap roept dat het eten klaar is, loopt Monique langzaam naar beneden. Ze is boos, maar ook een beetje bang, wat zal pappa zeggen? Het is inderdaad zijn huis, dus als hij verbiedt om Myra nog eens te laten logeren, wat dan? Wat moet zij Myra dan voor reden opgeven?

Als ze de kamer in komt, geeft haar moeder haar het tafellaken in handen. 'Hier, Monique, dek jij even?'

Haar vader zit in een gemakkelijke stoel, de krant verbergt zijn gezicht, hij zegt niks.

Snel zet Monique de borden op tafel en legt het bestek neer, dan loopt ze naar de keuken. 'Heeft pappa nog wat gezegd?' vraagt ze zachtjes aan haar moeder.

Deze schudt het hoofd en geeft haar een schaal in handen. 'Hier, zet maar op tafel.' Dan is alles klaar.

'Kom je, Gerben?' Rita's stem klinkt rustig, net als altijd.

Zonder wat te zeggen komt Gerben aan tafel zitten en als ze gebeden hebben, begint hij nog steeds zwijgend op te scheppen.

'Rustig zeker op kantoor?' vraagt Rita. 'Ik heb je nog gebeld, maar je was er niet.'

Nu kijkt hij van Rita naar Monique: 'Ik wilde mijn dochter als verrassing ophalen, maar in plaats daarvan verraste ze mij.' Zijn stem klinkt niet boos, eerder wat gelaten, zijn gezicht staat moe.

Als hij boos was geworden, was ze beslist in de verdediging gegaan, maar nu krijgt Monique medelijden met hem, al weet ze zelf niet waarom.

'Zo erg was het toch niet, pap, dat Myra een nachtje bij mij logeerde?'

'Logeerde ze bij je of woont ze er soms?'

'Welnee, ze logeerde gewoon bij me. Wat heb je toch tegen haar?'

'Laat maar...' Hij eet zwijgend verder.

Ook Monique zegt niks meer, de maaltijd verloopt verder in stilte.

Na het eten is het al bijna tijd om naar de kerk te gaan. 'Gaan jullie maar samen, ik ga even op bed liggen,' zegt Gerben, 'als jullie dan straks terugkomen heb ik de koffie klaar.'

Even later stapt Monique bij haar moeder in de auto en rijden ze samen weg. Ze zijn allebei stil. Als ze vlak bij de kerk zijn zegt Monique: 'Mam, ik heb het gevoel dat het mijn schuld is dat deze avond verknoeid is, maar was het dan zó erg dat ik Myra bij mij in huis heb laten slapen?'

Rita zwijgt even. Ze parkeert de auto naast de kerk, maar voor ze uitstappen zegt ze: 'Welnee, meisje, pappa is gewoon zichzelf niet. Dat is echt niet jouw schuld, ik denk dat hij behoorlijk overspannen is. Maar dat zal hij eerst zelf moeten inzien, pas dan kan hij geholpen worden.'

'Mam...' Monique aarzelt even. 'Weet je, ik had vanavond opeens medelijden met hem. Ik weet dat ik het eigenlijk niet hoor te vragen, maar houden jullie eigenlijk nog wel van elkaar?'

Rita legt even haar hand op Moniques hand. 'Dat is inderdaad best een impertinente vraag aan je ouders... Maar eigenlijk is het vooral erg dat het blijkbaar nodig is dat je die vraag stelt. Weet je, Monique, ik begin de laatste tijd steeds meer te beseffen dat ik eigenlijk ontzettend veel van pappa houd, ook al merk jij daar misschien niet altijd wat van.' Even blijven ze nog zitten, dan zegt Rita: 'Kom, het is tijd, we gaan eens kijken of we oma al zien.'

Tijdens de hele dienst gaan steeds weer de woorden van haar dochter door het hoofd van Rita. 'Houden jullie eigenlijk nog wel van elkaar?' Ja, ze houdt van hem. Juist in deze periode, nu hij het zo moeilijk lijkt te hebben, dringt het opeens weer tot haar door hoe dierbaar hij haar eigenlijk is. Kon ze hem maar helpen, wilde hij maar geholpen worden! Ze zucht zachtjes en probeert zich te concentreren op de preek, maar steeds dwalen haar gedachten weer af naar Gerben die nu thuis is.

Na de dienst geeft ze haar moeder een arm en met Monique aan oma's andere zij, lopen ze naar de auto. 'Op naar de oliebollen,' zegt Rita opgewekter dan ze zich voelt.

Samen doen ze hun best er een gezellige avond van te maken, maar zowel Rita als Monique slaken een stille zucht van verlichting als oma tegen één uur naar de logeerkamer is gegaan en ook de rest van het gezin zich kan terugtrekken. Gerben blijft als laatste beneden. 'Ik kom zo, ga maar vast,' zegt hij tegen Rita. Maar het duurt lang voor ze hem de trap op hoort komen.

Ook de volgende dagen komt Gerben niet meer terug op het treffen van Myra in het huis in Utrecht. Het geeft Monique een ongemakkelijk gevoel. Eigenlijk had ze veel liever gehad dat hij boos geworden was, dan had ze wat terug kunnen zeggen, vragen kunnen stellen. Maar nu durft ook zij er niet over te beginnen.

Het weekend verloopt rustig, nieuwjaarsdag gaat Monique 's middags een poosje naar Wendy en de volgende dag, zaterdag, fietst ze 's middags even bij Myra's familie langs. Daar wordt ze hartelijk welkom geheten en gelijk voor het eten uitgenodigd. Ze besluit om aan de uitnodiging gehoor te geven, thuis is het ook niet bepaald gezellig. Pappa zit veel op zijn studeerkamer en mamma zat te lezen toen ze wegging. 'Ik bel even mijn ouders dat ik niet thuis kom eten,' zegt ze tegen Myra.

'Vraag hun ook gerust te komen, ik heb eten genoeg in huis,' bedenkt Lidia, 'en dan vragen we je oma ook, die zit toch maar alleen.'

Daar gaan we weer! denkt Monique, maar ze glimlacht vriendelijk terwijl ze zegt: 'Wat aardig van u. Helaas hebben mijn ouders al andere plannen, maar ik denk dat oma het wel leuk zal vinden.'

Als Monique naar huis belt, is ze blij dat haar moeder de telefoon opneemt, nu hoeft ze tenminste niet te liegen. 'Mam, met mij, ik eet vanavond bij Myra thuis, oké? Ja, dat doe ik, tot vanavond!'

Als ze de telefoon heeft neergelegd, zegt ze: 'U krijgt de groeten van mijn moeder.'

'Dankjewel.' Lidia glimlacht naar haar, maar opeens weet Monique zeker dat ze heel goed doorheeft waarom elke uitnodiging op voorhand wordt afgeslagen. Toch heeft Lidia er nooit een opmerking over gemaakt of een vraag over gesteld. Ze schaamt zich opeens heel erg voor haar vader.

'Zal ik je oma bellen of lopen jullie er zo even langs?'

'Mag ik gaan, mamma?' vraagt Lise.

'Goed hoor, en kijk uit met oversteken.' Dan richt ze zich weer tot Monique. 'Zo, dan kun je eindelijk eens een echte Surinaamse maaltijd proeven, hoewel we ook vaak genoeg aardappels met groente en een stukje vlees eten, hoor, dat vinden we ook heerlijk, zeker de kinderen. Het is hier trouwens ook wat moeilijker dan in Amsterdam om aan de juiste producten te komen voor het Surinaamse koken. Maar vanavond ga ik er eens extra mijn best op doen, speciaal voor jou. Jij doet zo veel voor onze Myra.'

'Nou, dat valt wel mee, hoor, Wendy en ik vinden het zelf ook heel gezellig als Myra bij ons logeert.'

Een halfuurtje later komt ook oma Voskuijl en het valt Monique op dat iedereen dol op haar is, zelfs Jeffrey is naar beneden gekomen om een potje te schaken met oma.

'Dat heeft je oma hem geleerd,' zegt Lidia, 'dat hadden we ons een jaar geleden niet kunnen voorstellen: Jef die zit te schaken met een oudere dame! In Amsterdam waren we echt bang dat hij het slechte pad op ging. Ik ben zo blij dat we hier zijn komen wonen! Het is soms wat stilletjes, maar voor opgroeiende kinderen is het echt ideaal, veel beter dan in de stad. Tenminste voor onze Jef wel, de meisjes redden het ook daar wel, maar hij is gemakkelijk te beïnvloeden, enfin, dat heb ik je geloof ik al eens verteld.' Lidia roert in een pan met allerlei soorten groenten.

'Hoe bent u eigenlijk juist hier terechtgekomen? Ik bedoel, dit is een dorp met nauwelijks duizend inwoners, niet echt iets waarvan je denkt: over die plaats heb ik vaak gehoord, dat lijkt me wel wat.'

Lidia lacht. 'Nee, daar heb je gelijk in.' Ze begint een pepertje in stukjes te snijden. 'Houd je van een beetje pittig? Ja?' Dan gaat ze verder: 'Toen Ben nog leefde zijn we een aantal keren hier in de buurt op vakantie geweest en toen zeiden we al wel eens tegen elkaar: hier zou je moeten wonen. Maar Ben had zijn werk rondom Amsterdam, dus dan ga je niet zo snel in het oosten van het land wonen natuurlijk. Het bleef een beetje bij een droom voor later. Toen kwam dat ongeluk waarbij Ben om het leven kwam...' Monique ziet dat Lidia even slikt en er komt een verdrietige trek op haar gezicht. 'Het was zo'n lieve man, Monique,' zegt ze zacht, 'hij was ook een echte vader voor Myra en Jeffrey, hij maakte echt geen onderscheid tussen die twee en onze Lise. En andersom waren die twee oudsten ook dol op hem, ze noemden hem pappa, alleen aan z'n kleur kon je zien dat hij hun vader niet was, verder echt nergens aan.'

Ze blijft weer even stil.

'Wat zal dat moeilijk voor u geweest zijn,' zegt Monique.

'Dat was het ook.' Maar nu komt er weer een glimlach op het gezicht van Lidia. 'Het zou zelfs ondoenlijk geweest zijn als ik mijn Vader niet had gehad, Hij gaf me steeds een duwtje en zei dan: Lidia, vooruit meid! Je moet er zijn voor de kinderen en je weet het, Ik ben er voor jou! '

'Uw vader, was hij ook hier?'

'Mijn hemelse Vader, Hij heeft me kracht gegeven om door te gaan, ja zelfs om door te gaan met een glimlach. Ook al omdat ik weet dat Ben nu bij Hem is en daar op me wacht. Hij heeft het daar vast al heel plezierig, daarvan ben ik overtuigd.'

Monique weet niet wat ze zeggen moet, de vertrouwelijke manier waarop Lidia over God spreekt is voor haar vreemd. Bij hen thuis wordt er weinig gesproken over deze dingen en als het al gebeurt, worden God en de hemel altijd als ernstige en afstandelijke zaken genoemd. Hier klinkt God inderdaad als een vertrouwde vader, Monique voelt zich erdoor aangesproken, het is of er warmte uitgaat van de woorden van Lidia.

'Wat mooi,' zegt ze, 'maar toch zal het niet altijd gemakkelijk geweest zijn.'

'Nee, natuurlijk niet, maar elke dag mag ik weer met Hem beginnen en dan geeft Hij ook wel weer kracht en moed genoeg voor die ene dag, meer heeft een mens ook niet nodig. En dan zie ik dat er altijd weer mensen op ons pad komen die ons een stukje liefde geven. Bijvoorbeeld je grootmoeder, wat een schat! Ze is gewoon een beetje de oma die mijn kinderen moeten missen en de moeder die ik hier zelf niet heb, dat is toch geweldig!'

Monique lacht. 'Volgens mij is het net andersom, mijn oma krijgt van u zo veel hulp, aandacht en gezelligheid.'

'Is dat dan niet prachtig? God geeft mensen aan elkaar, over en weer. Je moet er gewoon oog voor hebben. Myra heeft vriendinnen gevonden in Wendy en jou, ook weer een knipoog van God, want ze voelde zich heel erg alleen in het begin toen we hier woonden. En wat gebeurt er? Jullie studeren allemaal in Utrecht en je woont in een flat met een kamertje over, geweldig toch! Nee, ik zie al die dingen niet als toeval, zeker niet! Zo, en nu gaan we de tafel dekken.'

Als Monique 's avonds in bed ligt, komen de woorden van Lidia weer terug in haar hoofd. Het was fijn in het gezin daar te zijn, ook al om een beetje de sfeer te proeven die bij Sander hoort. Sander! Nog een paar dagen en ze gaat hem eindelijk weer zien.

Lidia is een bijzondere vrouw, ze is jaloers op haar geloof en vraagt zich af of zij ooit zo zou kunnen reageren op verdriet in haar leven. Maar gelukkig is dat nu niet aan de orde, nog drie nachtjes, dan gaat ze naar Amsterdam en dat betekent alleen maar geluk!

9

OOK DE ZONDAG GAAT RUSTIG VOORBIJ. GERBEN IS STIL, MAAR TOCH doet hij niet boos tegen Monique. Iedereen is opgelucht als het maandagochtend is. Gerben gaat zoals gewoonlijk alweer vroeg naar de zaak, zondagavond heeft Monique afscheid van hem genomen.

'Morgenochtend ben je zeker al weg als ik wakker word?' vroeg ze toen ze naar boven ging.

'Dat denk ik wel, een goede week en tot vrijdag zeker?' Meer zei hij niet.

Monique heeft hem een kus gegeven. 'Ja, tot vrijdag dan, welterusten, pap.'

Nu tuigt moeder Rita de kerstboom af en ruimt het huis op na al die feestdagen. Monique zit op haar kamer en zoekt wat papieren uit, ze is een beetje aangestoken door de opruimwoede van haar moeder. Ziezo, voor ze straks weer naar Utrecht vertrekt is in elk geval haar kamer thuis weer een beetje uitgemest! Ten slotte loopt ze met een stapel papieren de trap af. In de garage staat een grote doos voor kranten en oud papier, daar gooit ze haar stapel bovenop. De doos is daarmee overvol en als ze zich omdraait valt hij om en verspreiden alle papieren zich over de garagevloer. 'Hè, dat heb ik weer, hoor!' moppert ze zachtjes terwijl ze alles weer bij elkaar graait en er een stapel van maakt. Opeens ziet ze tussen de kranten een blauw puntje uitsteken, onmiddellijk weet ze wat het is: de luchtpostbrieven van opa. Ze tilt de kranten op en daar ligt het stapeltje enveloppen. Even aarzelt ze, dan pakt ze de bovenste drie, vier enveloppen en propt ze in haar broekzak, de rest schuift ze weer tussen de oude kranten.

'Lukt het?'

Verschrikt kijkt Monique om naar haar moeder die de garage binnen is gekomen. 'Ach, die doos is ook veel te vol, hier, ik zal er een nieuwe doos naast zetten. Donderdag komen ze het oud papier weer ophalen voor de voetbalvereniging. Deze maand hebben we ook zo veel extra folders en krantjes gekregen voor sinterklaas en Kerst.'

Als Rita een andere doos naast de volle doos heeft gezet, hevelt

Monique de bovenste stapel over. 'Ja, en dan gooi ik er ook nog eens een heleboel bij, maar zo kun je weer even vooruit, mam.'

Als ze even later op haar kamer haar tas inpakt, vraagt ze zich af waarom ze die brieven eigenlijk heeft meegenomen. Wat verwacht ze erin te vinden? Natuurlijk heeft mamma ze ook al gelezen, dus als er iets bijzonders in zou staan, lagen ze nu niet gewoon bij het oude papier. Toch stopt ze ze onder in haar tas. Jammer dat ze de rest ook niet heeft gepakt, geen haan die ernaar gekraaid zou hebben.

Nadat ze met haar moeder tussen de middag een boterham heeft gegeten, loopt ze richting bushalte. Rita staat voor het raam en zwaait haar na. 'Doe hem de groeten!' heeft ze met een knipoog gezegd toen Monique de deur uit ging.

Deze dagen heeft ze het appartement echt voor zichzelf. Wendy blijft tot volgende week maandag bij haar ouders en of Myra woensdag nog komt overnachten weet ze niet. Ze hebben het er niet meer over gehad afgelopen zaterdag toen Monique bij haar was. Voorlopig gaat ze er gewoon van uit dat Myra weer komt. Of zou ze erg geschrokken zijn van de reactie van pappa?

Als ze aankomt in de flat zet ze eerst de verwarming wat hoger. Brrr, het is koud in huis. Wat zal ze eten vanavond, eerst maar wat boodschappen doen. Ze gaat een lekkere pasta maken met veel groenten en geen vlees, dat heeft ze de afgelopen dagen al meer dan genoeg gehad. Wat zal ze morgen te eten krijgen bij Sander?

Om zes uur zit ze op de bank, haar bord op haar knieën. Wat wordt het, de tv aan of een boek erbij? Nee, geen van beide, opeens denkt ze weer aan de brieven onder in haar tas. Ze haalt ze tevoorschijn. Aan de buitenkant van de envelop staan cijfers, opa heeft ze blijkbaar genummerd. Welke heeft ze meegenomen? Ze ziet nummer 1 en ook 2, 3 en 7. Ze haalt de eerste uit de envelop en begint te lezen.

Grappig, zo krijgt ze een heel ander beeld van haar vader, bedenkt ze al lezend, het is raar zich voor te stellen dat pappa zo jong was en daar aankwam op Aruba.

Zonder dat Monique het weet komt ze aan bij de passage die haar moeder een paar dagen eerder las en daar waar Rita gestopt is, leest Monique verder.

... Hoe is het verder bij u, nog nieuws? Het is hartstikke fijn dat Gijs hier ook is, we slapen niet in dezelfde barak en hebben natuurlijk ieder ons eigen werk, maar we zien elkaar dagelijks, en gaan bijna elke dag na de dienst naar het strand met een stel. De jongens dachten eerst dat we broers zijn, zelfde achternaam en we lijken blijkbaar ook wel een beetje op elkaar. Dat zien we zelf natuurlijk niet zo, nou ja, het zal wel!
Weet u trouwens hoe ze me hier noemen? Guus in plaats van Gerben, ze vinden Gijs en Guus meer bij elkaar passen en ze zeggen dat ik op Guus Geluk lijk, omdat mijn studie en baan al voor me klaarstaan als ik volgend jaar terugkom.

Monique laat de brief zakken. Haar hersenen kunnen nauwelijks bevatten wat ze zojuist heeft gelezen. Haar vader is Guus Geluk! Haar eigen vader is de onvindbare Guus Geluk! Maar weet mamma dit dan niet? Toen Sander aan de deur kwam afgelopen zomer heeft hij toch specifiek naar Guus Geluk gevraagd, of toch niet? Ze weet het niet, maar wat maakt het ook uit? Zij kan morgen Sander het goede nieuws vertellen, dat ze Guus gevonden heeft, en nu weten ze gelijk zeker dat de Gijs, voor wie de brief bestemd is, ook neef Gijsbert moet zijn.
Sander hoeft de belofte aan zijn moeder niet te breken, de brief niet zelf open te maken, wat zal hij blij zijn! Hè, kon ze hem nu maar bellen, maar morgen gaat ze naar hem toe in Amsterdam, dan kan ze het zelf vertellen, dat is nog leuker. Maar dan betrekt haar gezicht. Natuurlijk, dan is neef Gijsbert de vader van Sander en zijn ze dus toch familie, hij is haar achterneef. Maar is dat zo erg? Nee, vast niet. Gedachteloos prikt ze nog wat in haar bord met macaroni, ze heeft gelijk geen trek meer.
Hoe bestaat het, dat ze juist deze brief in handen heeft gekregen. Ze pakt hem weer op en leest hem helemaal uit, maar verder staan er

alleen de dagelijkse belevenissen in van de marinier Gerben. Ook in de drie andere brieven staat niks bijzonders, af en toe wordt Gijs genoemd en zijn vriendinnetje Maria, maar verder leest Monique niks waarvan ze zou kunnen denken dat dat de oorzaak zou kunnen zijn van pappa's antipathie voor de Arubanen of Surinamers.

Als ze de brieven uit heeft, pakt ze nogmaals de eerste brief en leest de regel opnieuw

Weet u trouwens hoe ze me hier noemen? Guus...

Maar als Gijsbert niet meer leeft, moet Sander de brief aan Guus geven, aan haar vader dus. Ze schrikt van die gedachte, maar zo heeft Sander het wel verteld. Zal haar vader accepteren dat Sander zijn neef is? Waarom eigenlijk niet? Nu is ze weer terug bij haar grote probleem: wat heeft pappa toch tegen Sander en zijn familie?

Ze brengt het bord met de koud geworden pasta naar de keuken en gooit het leeg in de vuilnisbak. 'Goed dat oma het niet ziet,' mompelt ze in zichzelf. Dan loopt ze weer naar de kamer en laat zich op de bank zakken, haar hoofd vol gedachten.

De volgende ochtend is ze al vroeg wakker. Ze draait zich om en om, maar ze kan niet meer slapen. Ten slotte stapt ze uit bed, doet haar badjas aan en loopt naar de keuken om thee te zetten en haar ontbijt klaar te maken. Stom, ze heeft geen brood in huis, dan maar een paar beschuiten, lekker met dik boter en hagelslag. Met het ontbijt op een blad loopt ze weer naar de slaapkamer, zet haar kussen rechtop en gaat onder haar dekbed zitten, het blad op haar benen. Ziezo, ontbijt op bed! Als alles op is, pakt ze een boek van het kastje naast haar bed en gaat lekker liggen lezen, tenslotte heeft ze nog de hele dag de tijd, pas na de middag gaat ze naar Amsterdam.

Maar ze kan zich niet concentreren, niet op het leesboek en al helemaal niet op haar studieboek als ze dat probeert. Dan maar uit bed. Om negen uur staat ze onder de douche en om halftien zit ze aangekleed en wel aan de koffie. De luchtpostbrief ligt naast haar, voor de zoveelste keer leest ze de regels die haar vader schreef vanaf Aruba. Ze begrijpt dat het geen enkele zin heeft om nog te proberen iets aan haar studie te doen vandaag, haar hele hoofd is vol van de brief en van Sander. Daarom stopt ze de brief in haar tas, trekt haar jas aan en sluit even later de deur achter zich. Ze gaat naar Amsterdam!

Omdat Sander haar nu nog niet verwacht, gaat ze eerst een poosje winkelen. Het is volop uitverkoop in de stad, dus dat is echt iets voor haar. Ze houdt ervan om te snuffelen naar koopjes. Halverwege de middag gaat ze met een heel aantal plastic tasjes in de hand op zoek naar het adres van Sander. Ze moet met de tram en dan nog een klein stukje lopen. Precies op de afgesproken tijd staat ze voor de deur. Onderweg in de tram heeft ze erover zitten denken hoe en wanneer ze haar verrassing zal vertellen: het ontdekken wie Guus is. Ze heeft besloten om maar af te wachten hoe alles loopt.

Als ze heeft aangebeld doet Sander onmiddellijk de deur open en trekt haar aan twee handen naar binnen. 'Monique!' Meer zegt hij niet, dan kussen ze elkaar.

'Kom!' Achter hem loopt ze de drie hoge steile trappen op en nieuwsgierig stapt ze zijn kamer binnen. Verrast blijft ze staan. 'Wat ziet het er hier gezellig uit en dat voor een mannenkamer! En het is nog netjes ook.'

Sander lacht. 'Nou, wat dat laatste betreft: eerlijk gezegd ben ik de hele ochtend bezig geweest om puin te ruimen, ik bedoel: om het een beetje schoon te maken. Maar verder vind ik het belangrijk om een beetje sfeer om me heen te hebben, Surinaamse sfeer zoals je ziet.'

'Ja, ik weet niet precies wat het is, maar het doet me een beetje denken aan de huiskamer van je tante Lidia, de kleuren misschien, of de foto's aan de wand.'

'Ga zitten, thee of koffie?'

'Thee graag.'

Terwijl hij bezig is met de waterkoker in een hoek van zijn kamer kijkt ze naar hem. Er is iets anders dan anders, maar ze weet niet wat het is. Hij is stiller en zijn gezicht staat strak.

Als hij de thee voor haar heeft neergezet en voor zichzelf een beker koffie heeft ingeschonken, gaat hij tegenover haar zitten en zegt: 'Ik heb de brief gelezen.'

'O! Wanneer?'

'Vanochtend.'

'En? Ik heb namelijk ook wat nieuws ontdekt, ik weet...'

Het lijkt of hij haar niet eens hoort. 'Hier, lees maar.' Hij pakt een witte envelop van tafel en steekt hem haar toe. Als ze aarzelt zegt hij weer: 'Lees maar, ik weet niet wat ik ervan moet vinden.'

Even aarzelt ze nog, dan pakt ze de brief uit de envelop. Het zijn meerdere volgeschreven velletjes.

'Ik ben in de keuken, alvast wat aan het eten voorbereiden. Lees maar rustig, dan hoor ik straks wel wat jij ervan vindt.' Hij staat op en loopt weg, de beker koffie blijft onaangeroerd op tafel staan.

Monique neemt voorzichtig een slokje van de hete thee, dan zet ze het theeglas neer, pakt het bovenste velletje en begint te lezen.

Paramaribo, februari 1992

Lieve Gijs,

Dit wordt de moeilijkste brief die ik ooit in mijn leven heb geschreven, maar ik moet hem wel schrijven. Ik wil je, voordat ik ga sterven, alles eerlijk vertellen en je ten slotte ook nog om een grote gunst vragen. Maar laat ik bij het begin beginnen.

Dat begin was dat ik van mijn ouders toestemming kreeg om een jaar bij mijn oom en tante op Aruba te gaan werken in hun hotel. Ik was zestien en had net eindexamen gedaan. Omdat ik absoluut niet wist wat ik verder wilde, een volgende opleiding of gaan werken, stonden mijn ouders dat toe, hoewel ze de nodige bedenkingen hadden. Mijn oom en tante verzekerden hun dat ze op mij zouden letten en voor mij zouden zorgen alsof ik hun eigen dochter was, toen gaven ze ten slotte hun toestemming. Aruba was best een eind weg van Suriname en in het begin had ik echt last van heimwee, ik was tenslotte nog maar zestien. Verder had ik het reuze naar mijn zin, zeker toen ik merkte dat er erg leuke mariniers rondliepen op het eiland! Toch was ik te verlegen om contact te maken, zoals je je misschien herinnert zat ik meestal op het strand met wat vriendinnen, meisjes die ook in het hotel werkten, en hield ik me wat afzijdig als jongens probeerden toenadering te zoeken. Dat veranderde pas toen ik jou leerde kennen. Jij nam geen genoegen met een afwijzende houding en met je grappen en gezellige praatje viel ik als een blok voor je. Ik hield echt van je, Gijs, zo jong als ik ook nog was. Wist jij trouwens dat ik toen nog maar zestien was? Volgens mij heb ik er toen een jaartje bij gejokt om indruk op je te maken.

Wat hadden we een geweldige tijd, hè? Ook mijn oom en tante waren met je ingenomen, dat weet ik nog goed. Hoewel ze me ook steeds waarschuwden geen 'domme dingen' te doen... Ik was zo naïef, ik wist nauwelijks wat ze bedoelden, was daar ook nog helemaal niet aan toe. Wat was onze liefde eigenlijk onschuldig en puur.

Toen kwam het moment dat wij afscheid moesten nemen die eerste week van maart 1971. Ik was ontzettend verdrietig, maar ook vol hoop door jouw belofte dat je hard zou gaan sparen om mij over te laten komen naar Nederland, waar we dan zouden trouwen. Pas toen je een paar weken weg was, realiseerde ik me, dat dat niet zomaar zou gaan. Ik was nauwelijks zeventien en mijn ouders zouden me echt geen toestemming geven om zo jong helemaal naar het verre Nederland te gaan. Toch was ik ervan overtuigd dat onze liefde ten slotte alles zou overwinnen, op welke manier dan ook...

Ik trok in die tijd veel op met je neef Guus, hij miste je ook, al was dat natuurlijk voor hem heel anders dan voor mij. De eerste weken kwamen je brieven, de een na de ander, maar al na een maand werd dat steeds minder. Ik begon te twijfelen: hield je nog wel van me? En wat beleefde jij allemaal in dat verre Holland, had je daar soms ook een vriendinnetje? Ik had zo nu en dan wel eens iets opgevangen uit jouw gesprekken met Guus, dat jij voor je diensttijd in elk geval nogal wat meisjes had gehad.

Op een avond was er een feest bij ons in het hotel. ik weet niet meer van wie of wat, het had iets met de kazerne te maken, geloof ik. Guus was er ook en nog veel meer jongens van de kazerne. Halverwege de avond zijn Guus en ik naar buiten gegaan om een eind langs het

*strand te gaan lopen. Ik wilde praten met hem, wilde vragen stellen
over jou en wat hij van onze relatie dacht. Misschien wilde ik gewoon
van hem horen dat hij zeker wist dat je mij trouw zou zijn, op me zou
wachten. Maar Guus vertelde heel andere dingen. Dat jij inderdaad
altijd gemakkelijk van het ene naar het andere vriendinnetje was
overgestapt.
Wat er toen is gebeurd tussen Guus en mij... Ik zou het eigenlijk niet
willen vertellen, maar ik moet schoon schip maken voor mijn dood...*

Monique legt het velletje papier neer, ze voelt zich misselijk. Wil ze
dit wel lezen, terwijl ze weet wie de onbekende Guus is waarover
Maria schrijft? Gaat ze straks lezen wat ze niet wíl lezen? In de keuken hoort ze Sander rammelen met pannen en schalen, het lijken
geluiden uit een andere wereld. Ondanks zichzelf pakt ze het volgende velletje papier en leest snel verder, haar ogen vliegen langs de
regels.

*Wat er gebeurd is op het stille strand, was niet alleen de schuld
van Guus, al hield ik mezelf dat toen voor. Toen hij me in zijn armen
nam om me te troosten, voelde ik mijn eigen lichaam reageren op
het zijne, hoewel ik geloof ik nog wel heb tegengesputterd. Ik wist
dat het niet goed was en ik wilde het ook eigenlijk niet. Het was geen
liefde, het was pure hartstocht van zijn kant en eenzaamheid van mij.
Hij leek zo veel op jou, ik liet me gewoon meevoeren in die gevoelens, dat is misschien nog wel het ergste, het had nooit mogen gebeuren.
Maar het is toch gebeurd, hoe kun je me dat ooit vergeven, Gijs? Ik
heb het gewoon laten gebeuren, ben niet weggelopen of zo. Mijn
enige excuus is misschien dat ik heel jong en eenzaam was en Guus
eigenlijk ook. Maar ach, er is natuurlijk niet echt een excuus voor, ik
was je ontrouw en je neef was zijn verloofde in Nederland ontrouw.
Direct erna walgde ik van mezelf en van Guus. Ik ben naar het hotel
gehold en heb me opgesloten in mijn kamer. Het was mijn eerste en
gelijk ook mijn laatste seksuele ervaring. Na de geboorte van Sander*

*ben ik altijd alleen gebleven, misschien wel uit schuldgevoel tegen-
over jou en mijn kind.*

*De volgende dag heb ik net zo lang gehuild tot mijn oom en tante
ervan overtuigd waren dat ik heimwee had en met de eerste gelegenheid terug moest naar Suriname. Ik wilde Aruba en vooral Guus zo
snel mogelijk vergeten. Mijn tante beloofde dat ze je brieven direct
zou doorsturen tot ik je mijn nieuwe adres had doorgegeven.*

*Ik was vreselijk blij om weer thuis te zijn, maar ik merkte dat ik niet
zo snel kon vergeten wat er gebeurd was. En drie weken later wist ik
dat ik het nooit meer zou kunnen vergeten. Mijn menstruatie bleef
uit en ik wist natuurlijk wat dat betekende.*

*Je weet, Gijs, dat ik je toen geschreven heb dat het uit moest zijn tus-
sen ons, en toen je daarop schreef dat je daar geen genoegen mee nam
en me desnoods zelf zou komen halen, heb ik je geschreven over mijn
zwangerschap, zonder te zeggen wie de vader was. De brieven die je
daarna stuurde, heb ik ongeopend teruggestuurd, daar moet ik je ook
nog mijn excuses voor aanbieden, maar ik kon niet anders. Als ik ze
was gaan lezen, was ik misschien in de verleiding gekomen om je te
vertellen wie de vader van mijn baby was. En wat zou dat helpen?
Guus was thuis verloofd, trouwens, ik hield absoluut niet van hem.
Als uit was gekomen dat hij de vader van mijn kind was, was zowel
zijn toekomst als jullie vriendschap voor altijd stuk en dat wilde ik
niet.*

*Op 29 februari 1972 is mijn zoon geboren, ik heb hem Sander
genoemd. Natuurlijk was ik blij met hem, maar o, wat heb ik gehuild
die eerste dagen na zijn geboorte. Het had jouw zoon moeten zijn en
niet van Guus.*

Er ontsnapt een kreet uit Moniques mond, ze hoort het zelf niet.
Wezenloos kijkt ze naar de woorden die ze zojuist heeft gelezen. Het
zijn letters, duidelijke woorden en toch weigeren haar hersenen ze op
te nemen, te accepteren wat er staat. Ze leest zonder te begrijpen, te
bevatten wat het werkelijk zeggen wil. Opnieuw leest ze de laatste
regels en leest dan verder, blad na blad.

Ik ben bij mijn ouders blijven wonen, in een apart deel van het huis en vanuit de verte heb ik geprobeerd om jou te volgen, maar dat is al snel mislukt. Via familie in Nederland hoorde ik wel regelmatig nieuws over Guus, maar over jou was weinig nieuws. Je zou vertrokken zijn naar het buitenland en men kon me niet vertellen waar naartoe. Ik durfde geen contact op te nemen met Guus, over wie ik hoorde dat hij inmiddels getrouwd was en zelfs al een dochter had, uit angst dat de dingen toch uit zouden komen, en dus heb ik het maar zo gelaten. Ik heb Sander nooit verteld wie zijn vader is, ik kon het niet vertellen, want ach, wat had ik hem graag verteld dat jij zijn vader bent en dat hij geboren is uit liefde. Hoe kon ik hem ooit vertellen dat hij in een vlaag van hartstocht is verwekt op het strand?

Sinds een jaar weet ik dat ik ziek ben en niet meer beter kan worden, daarom schrijf ik je deze brief. Ik ga proberen alsnog je adres te vinden en als dat niet lukt, moet ik de hulp van Sander inschakelen. Hij studeert in Nederland en wellicht kan hij, eventueel via Guus, jouw adres achterhalen.

Waarom ik je schrijf? Om twee redenen. De eerste is zoals ik je aan het begin van deze brief al zei, dat ik voor mijn dood jou om vergeving wil vragen en je wil vertellen dat ik nooit van iemand anders heb gehouden dan van jou. De tweede reden is een heel andere, en wel een heel moeilijke vraag.

Zoals je zult begrijpen vraagt Sander al jaren wie zijn vader is, wil hij weten waar hij vandaan komt, wat zijn wortels zijn. Het enige dat ik hem verteld heb, is dat zijn vader uit Nederland kwam. Niemand, zelfs mijn eigen ouders niet, weet de waarheid. Ook mijn oom en tante op Aruba heb ik niks verteld, hoewel zij zeker hun vermoedens gehad zullen hebben.

En nu mijn vraag aan jou, en ik weet dat het misschien bijna ondoenlijk voor je zal zijn, maar toch vraag ik het:

Lieve Gijs, zou je tegen Sander willen vertellen dat jij zijn vader bent? Ik weet, dat ik iets van je vraag dat misschien bijna ondoenlijk is, ik ben me bewust dat ik je vraag om een leugen te vertellen, maar voor mijn gevoel ben jij altijd de vader van mijn kind geweest, je had het *gewoon moeten zijn, ik hield zoveel van je!*

Ik weet niet of je nu een gezin hebt waardoor het onmogelijk is opeens met een onecht kind op de proppen te komen, dan moet je mijn vraag maar als niet-gesteld beschouwen. Maar anders is dit mijn grootste wens, dat jij de vader van mijn kind zult zijn. Al is het misschien op afstand, al zullen jullie niet echt contact hebben, maar voor hem is dan in elk geval de wetenschap dat hij geboren is uit een diepe liefde tussen jou en mij.

Ik besef dat ik heel wat van je vraag en nogmaals, lieve Gijs, als jij in omstandigheden bent die dit onmogelijk maken, vertel Sander dan de waarheid. Vertel hem dan eerlijk dat Guus zijn vader is of vraag Guus het hem te vertellen, dat is misschien nog beter. En Guus moet dan zelf maar weten of hij het aan zijn vrouw en eventuele kinderen vertelt.

Nu moet ik me tot Guus richten, want de mogelijkheid bestaat dat Sander Gijs niet kan vinden, om welke reden dan ook. Ik zal mijn zoon de opdracht geven om deze brief, als hij Gijs niet kan opsporen, aan jou te geven, Guus.

Ik vraag jou dan om onze zoon eerlijk de waarheid te vertellen, mijn bovenstaande wens kan en mag dan niet in vervulling gaan. Zonder de toestemming van Gijs mag hem het vaderschap niet worden aangemerkt. Beloof me dat je hierin eerlijk zult zijn, dat ben je je zoon verschuldigd. Sander is een goede en verstandige jongen, als jij hem vraagt hieraan geen ruchtbaarheid te geven, zal hij dat zeker respecteren.

Tegen jou wil ik verder alleen zeggen, dat je een prachtzoon hebt!

Nu kom ik aan het eind van mijn biecht. Lieve, lieve Gijs, hoe kan ik ooit...

Monique laat het laatste velletje papier vallen, het dwarrelt naar beneden. Eindelijk beginnen haar hersenen te registreren wat ze zojuist allemaal gelezen heeft. Of eigenlijk maar één ding blijft in haar hoofd hangen: Sander is mijn broer! In ontzetting blijft ze doodstil zitten. Nee! Het mag gewoon niet waar zijn! Het is een vergissing, Guus is iemand anders! Maar in haar tas zit de brief van haar vader aan opa: ... *ze noemen me hier Guus...*

'Monique?'

Ze weet niet hoe lang ze zo heeft gezeten, waarschijnlijk niet zo heel lang, maar ze is alle besef van tijd kwijt. Sander is de kamer weer in gekomen en ziet de velletjes papier op haar schoot en op de grond. 'Fijn hè?' zegt hij op bittere toon. 'Als ik die Gijs wel had gevonden en dus die brief niet had gelezen, was ik mijn hele leven verdergegaan met die leugen over mijn afkomst. Mijn moeder zal het wel goed bedoeld hebben, maar hoe kón ze!' Hij ploft op de bank naast Monique en gaat verder: 'Maar nu ben ik eigenlijk nog even ver, ik weet wie mijn vader is, maar niemand heeft ooit van hem gehoord. Guus Geluk! Ik ben waarschijnlijk de zoon van een stripfiguur die even tot leven is gekomen. Het is natuurlijk een of andere kerel die zich zo noemde omdat hij wat te verbergen had.' Hij slaat zijn arm om Monique heen. 'Lieverd, ben je er zo van geschrokken? Zo erg is het nou ook weer niet, hoor.' Hij wil haar naar zich toe trekken, maar Monique rukt zich los en springt op. Doodsbleek staat ze voor hem en staart hem aan.

'Monique, wat is er?'

Ze slikt, haar mond is droog, de woorden willen niet komen. Dan begint ze te huilen, ze laat zich op de bank vallen maar weert hem af als hij haar in zijn armen wil nemen. Ze gaat rechtop zitten en kijkt hem weer aan. 'O Sander!' Het is een schreeuw.

'Hé, wat is er nou?' Ongerust kijkt hij haar aan. 'Zeg het dan.'

Dan fluistert ze: 'Ik weet wie Guus is...'

'Jij weet wie Guus is?' Hij pakt haar bij de schouder. 'Nou, zeg op dan!' Maar ze ziet in zijn ogen dat hij het op datzelfde moment al begrijpt. 'Jouw vader?' Hij fluistert nu ook. En als ze niet reageert, hem alleen maar zwijgend met bange ogen aankijkt, springt hij op en gaat voor haar staan. 'Zeg dat het niet waar is!' Hij schreeuwt het uit. 'Ik wilde weten wie mijn vader is en het mag iedereen zijn, maar niet jouw vader, niet jouw vader, Monique! Hoe kom je er opeens bij, heb je bewijzen dat het zo is, of denk je het alleen maar?' Hij zakt weer naast haar neer en kijkt toe hoe ze met trillende vingers haar tas openmaakt en er een blauwe luchtpostbrief uit pakt. Ze vouwt hem open en wijst hem op een regel, bijna onderaan.

'Dit schreef hij aan zijn vader, ik heb het net vanochtend gelezen... Ik dacht dat dit ons antwoord zou zijn, dat Gijs, de neef van mijn vader, dus jouw vader zou zijn. Maar nu...' Ze propt de brief in haar tas en begint weer te huilen. 'Wij... jij... je bent mijn halfbroer, o Sander, wat vreselijk, hoe moet...'

Sander huilt nu ook. 'Het kan niet, ik houd van je, ik...' Hij slaat zijn armen om haar heen en ze klampen zich huilend aan elkaar vast.

'Nee!' Ze maakt zich los, grijpt haar tas en struikelt de deur uit. Ze holt de trappen af, de straat op, tranen stromen over haar wangen.

'Monique!' Sander komt achter haar aan. 'Niet zo, ga zo niet weg!' Hij pakt haar bij de arm en trekt haar mee terug naar de deur. 'Je hebt niet eens je jas aan, kom!'

Een voorbijganger kijkt om. 'Valt die vent je lastig, wijfie?'

Ze schudt nee en loopt nu achter Sander aan naar binnen. 'Ik moet naar huis, ik moet alleen zijn,' zegt ze, 'laat me maar.'

'Ik wil niet dat je zo alleen helemaal naar Utrecht reist, dan breng ik je weg.' Hij pakt ook zijn jas.

'Nee Sander, laten we het elkaar nu niet moeilijker maken dan het is, hoe kan ik bij je zijn en weten dat...' Ze snikt, maar snuit dan haar neus en veegt haar tranen weg. 'Laat me maar gaan, het gaat echt wel. Ik moet nadenken, maar nu nog niet.'

Ze staan tegenover elkaar in de gang en zien de wanhoop en het verdriet in elkaars ogen weerspiegeld. 'Ik bel je straks om te horen of je goed bent aangekomen, mag dat?'

Ze knikt. 'Dat is goed. Maar dan, Sander, hoe moet het nou verder met alles?' Ze bijt op haar lip, ze wil niet weer gaan huilen, dat mag later pas als ze alleen op haar kamer is.

'Ik weet het niet, we houden contact, we moeten denken, maar ik kán nu niet denken...'

Ze heeft haar jas aangetrokken en zorgzaam trekt hij haar rits wat hoger dicht. Dan aarzelt hij even en vraagt met trillende stem: 'Nog één echte zoen?' Nauwelijks merkbaar knikt ze, dan kussen ze elkaar, een kus waarin al hun liefde en al hun wanhoop ligt. Even nog trekt hij haar dicht tegen zich aan, dan laat hij haar los. 'Weet je zeker dat het gaat?' Als ze knikt doet hij de voordeur open, geeft haar een zacht duwtje in de rug en met verstikte stem zegt hij: 'Ga dan maar, ik bel je straks.'

Ze loopt weg zonder om te kijken.

Als ze een poos heeft gelopen realiseert ze zich dat ze geen idee heeft waar ze is. Ze is de tramhalte waar ze eerder die middag is uitgestapt, allang voorbijgelopen en verder heeft ze niet opgelet welke richting ze nam. Ze klampt een voorbijganger aan en vraagt de weg naar het station. De vrouw kijkt haar onderzoekend aan. 'Alles goed, kind?' vraagt ze.

Monique knikt. 'Ja hoor, ik ben alleen de weg kwijt.'

'Je kunt het beste de tram nemen, hier om de hoek is een halte, lopend is het nog een hele tippel.'

'Dank u wel.'

'En poets je gezicht een beetje schoon, je ziet er vreselijk uit,' zegt de vrouw nog voor ze doorloopt.

'En bedankt!' mompelt Monique. Maar als ze verder loopt merkt ze opeens dat veel mensen haar nieuwsgierig aankijken in het voorbijgaan. Dan pakt ze toch maar het kleine spiegeltje uit haar tas en kijkt erin. De vrouw had gelijk, haar ogen zijn rood en opgezet en haar mascara is doorgelopen. Lange zwarte strepen lopen over haar wangen. Ze zoekt een papieren zakdoekje, maakt het nat met wat spuug en wrijft over haar wangen tot het ergste eraf is. De rest interesseert haar niet.

De reis gaat helemaal langs haar heen, als een robot stapt ze in de tram en wat later in de trein. Als ze eindelijk de sleutel in het slot van haar voordeur steekt, hoort ze gelijk de telefoon overgaan. Het is Sander, die ongerust vraagt waarom ze er zo lang over gedaan heeft om thuis te komen.

'Ik weet het niet, ik heb het eerste stuk gelopen.' Ze heeft geen besef van tijd meer.

'Heb je wel iets gegeten?' vraagt hij dan.

'Nee, ik heb geen honger.' Terwijl ze het zegt voelt ze hoe ze staat te trillen op haar benen. Waarschijnlijk toch omdat ze zo leeg is. 'Ik pak zo wel wat,' zegt ze dan.

'Dat is goed.'

Waar hebben we het over!

Dat vraagt Sander zich blijkbaar ook juist af. 'Monique... ik wil...' Ze hoort nu weer tranen in zijn stem.

'Niet doen! Ik leg neer, we moeten elkaar loslaten, Sander, later zullen we praten. Ik moet eerst denken.' Ze huilt ook weer.

'Je hebt gelijk, ik bel je over een paar dagen weer.' Hij heeft al neergelegd. Ze staat nog met de hoorn in haar hand. Dan smijt ze hem neer, loopt naar haar slaapkamer en huilend laat ze zich languit op haar bed vallen.

Ze moet ten slotte in slaap gevallen zijn, als ze wakker wordt weet ze even niet wat er aan de hand is. Waarom ligt ze met haar jas en laarzen aan op bed? Ze komt omhoog en terwijl ze het lampje bij haar bed aanknipt dringt de vreselijke werkelijkheid weer tot haar door. Sander! Ze heeft het koud en haar maag knort. Ze kijkt op de wekkerradio, het is tien over halfdrie.

Ze loopt naar de woonkamer, het licht brandt daar nog. Ze herinnert zich dat ze gisteravond toen ze binnenkwam het licht heeft aangedaan en gelijk de telefoon heeft gepakt. Daarna is ze op bed gaan liggen.

Ze doet haar laarzen uit, haar voeten voelen koud en stijf. Dan haar jas uit, o, wat is ze koud! Ze loopt naar de badkamer en kleedt zich uit, neemt eerst een warme douche. Lang staat ze onder de hete straal terwijl allerlei gedachten door haar hoofd buitelen. Pappa! Daar denkt ze nu pas aan, wat een gemene streek van pappa om het meisje van zijn neef te misbruiken, want daar komt het toch op neer. Terwijl hij nota bene al verloofd was met mamma. Hoe kon hij! Die arme Maria, wat zal ze bang en verdrietig zijn geweest toen ze merkte dat ze zwanger was. Hoe anders zou haar leven zijn verlopen als ze met Gijs was getrouwd en naar Nederland was gekomen. Dan zouden de twee neven waarschijnlijk ook nog gewoon contact hebben gehad, dan was Sander gewoon de zoon van Gijs en Maria geweest en niet haar half-broer. Ach nee, dat is onzin natuurlijk. Dan was Sander Sander niet geweest.

Sander... Opnieuw stromen de tranen over haar wangen, ze wil hem niet missen! Maar tegelijk weet ze dat het niet kan, hij is haar broer... haar broer! Het is zo'n onwerkelijk gevoel, ze is dus verliefd op haar broer, ze heeft gezoend, zich aangetrokken gevoeld tot haar broer! Hoe kan dat nou, voel je zoiets dan niet?

Eindelijk draait ze de kraan dicht en droogt zich af, daarna trekt ze een dikke pyjama aan en daarover een badjas. Op haar sloffen gaat ze naar de keuken en zet een pot thee, dan smeert ze een paar beschui-ten. Ze heeft geen trek, maar tegelijk voelt ze zich bibberig omdat ze zo leeg is. Ze spoelt de beschuiten met de warme thee naar binnen, dan doet ze de lichten uit en kruipt in bed. Ze heeft het niet koud meer, maar toch ligt ze te trillen. Hoe moet het nu verder? Moet ze pappa confronteren met zijn zoon, of moet Sander dat zelf doen? Wil hij dat wel, of zal hij gewoon geruisloos uit haar leven verdwijnen? Maar dat kan toch niet, of wel? Want hoe zal ze hem kunnen ont-moeten als een soort broer?

Ze draait van de ene op de andere zij, ten slotte blijft ze op haar rug liggen, de ogen wijd open.

'God,' zegt ze zomaar hardop, 'God, dit kan toch niet? Ik dacht dat dit de man was die U voor me bedoeld had, het voelde zo goed en ik heb U ervoor gedankt. Is dit een wrede grap van U? Waarom heb ik hem ontmoet, dat was toch helemaal niet nodig geweest? Waarom moest ik van die miljarden mensen op deze wereld juist hem tegenkomen, helemaal vanuit Suriname, en waarom moest ik juist op hem verliefd worden? Dat was toch niet nodig geweest? Ik wil geloven dat U alles in de hand hebt, maar nu twijfel ik daar toch wel erg aan! Waarom gebeurt dit?' Ze is steeds harder gaan praten, de laatste vraag schreeuwt ze uit, terwijl de tranen weer over haar wangen lopen. Dan blijft ze stil liggen, er komt geen rust in haar hart en in haar hoofd. Heel stil ligt ze daar, tot het eerste licht al weer binnenkomt om acht uur in de morgen. Pas dan valt ze in slaap.

10

GERBEN IS DIE MAANDAGOCHTEND OPGELUCHT NAAR ZIJN WERK GE-
gaan, blij dat de feestdagen en daarmee het verplichte thuiszitten weer
voorbij zijn. Er ligt werk genoeg, Martine is er ook weer en hij dic-
teert de ene brief na de andere. Ziezo, het nieuwe jaar is begonnen!
Toch merkt hij dat hij zich slecht kan concentreren, steeds moet hij
weer denken aan die vraag van Monique: 'Pap, ken je een Guus
Geluk?'
Hoe komt ze daar toch bij? Heeft ze contact gehad met die jongen die
aan het begin van de zomer met diezelfde vraag aan de voordeur
stond? Maar hoe goed kent ze hem dan? En wat weet die jongen, wat
wil hij van hem? En wat deed dat meisje vorige week in het appartement van zijn dochter? Ze is toch familie van die knul? Steeds weer
diezelfde vragen, hij wordt er gek van!
Als er aan zijn deur geklopt wordt, schrikt hij. Martine kijkt om de
hoek en zegt: 'Er is bezoek voor u.'
Hij schiet rechtop. 'Wie dan!' snauwt hij.
Ze trekt de wenkbrauwen licht op. 'Meneer Steegman, met wie u een
afspraak heeft.' Hij ziet dat ze hem nog even verbaasd aankijkt.
'Ja natuurlijk, sorry, laat hem binnen.' Hij dwingt zichzelf tot een
glimlach en staat op vanachter zijn bureau.
's Middags gaat hij lang door op kantoor, het is helemaal stil in het
pand als hij nog achter zijn bureau zit. Ten slotte zit hij stil voor zich
uit te staren, hij ziet ertegenop om naar huis te gaan, hij ziet de laatste tijd overal tegenop. Pas als de schoonmaker binnenkomt en een
excuus mompelend weer weg wil lopen, gaat hij staan. 'Nee, kom
maar, hoor, ik wilde net weggaan.'
Langzaam loopt hij het vrijwel verlaten pand uit, in de verte hoort hij
een stofzuiger, verder is het stil.
Bij de ingang zit de man van de beveiliging. 'Prettige avond,' zegt hij.
Gerben knikt. 'Insgelijks.' Dan loopt hij naar zijn auto. 'Prettige
avond... jaja...' mompelt hij in zichzelf als hij de wagen start en langzaam wegrijdt.

Thuis vindt hij Rita zwijgend in de kamer. Ze kijkt even op van het tijdschrift als hij binnenkomt. 'Weet je hoe laat het is?' vraagt ze. 'Het zou prettig zijn als je even belt als je pas om acht uur aan komt zakken. Moet je nog eten of heb je al wat laten halen?'

Hij schudt zijn hoofd. 'Is er nog wat? Ik zet het zelf wel even in de magnetron.'

Als hij een paar minuten later met zijn bord binnenkomt, legt ze het tijdschrift neer en zegt: 'Gerben, ik heb het al vaker aangegeven, maar ik zeg het nog maar eens: wij zullen echt eens moeten praten, anders zie ik het somber in voor ons huwelijk.'

'Is dit een dreigement?'

'Als je het zo wilt noemen... In elk geval geen loos dreigement.'

Even kijken ze elkaar aan, dan zegt hij: 'Ik zal regelen dat ik over een of twee weken een paar dagen vrij neem, dan gaan we er samen even tussenuit, goed?'

'En geen kantoorwerk mee?'

'Geen kantoorwerk mee.'

Langzaam knikt ze. 'Daar houd ik je aan, afgesproken.' Ze buigt zich weer over het blad.

Hij vouwt zijn handen, sluit zijn ogen, maar vraagt geen zegen over het eten voor hem op tafel. Hij voelt alleen de paniek hoger in zich opkomen. Wat verwacht ze van hem? Praten, waarover?

Zwijgend eet hij het bord leeg. Het slikken kost hem moeite, maar eindelijk staat hij op en brengt het lege bord naar de keuken. Rita heeft niet meer opgekeken van het blad waarin ze zit te lezen, daaraan merkt hij dat ze echt boos is. Anders vraagt ze altijd hoe zijn dag is geweest op de zaak, maar nu niet. Terwijl hij het bord en bestek in de vaatwasser zet, bedenkt hij opeens, dat hij dat eigenlijk nooit aan haar vraagt. Hij is meestal moe als hij thuiskomt en zijn hoofd is dan nog vol met allerlei zakelijke besognes. En Rita beleeft immers niet zo veel bijzonders op een dag? Stofzuigen, ramen zemen, naar haar moeder of een ander oud mensje op bezoek. En als ze al iets te melden heeft, doet ze dat wel uit zichzelf. En nu opeens dit: 'we moeten praten, anders zie ik het somber in voor ons huwelijk...' Meent ze dat nou echt? Wrevelig zet hij het koffieapparaat aan. Ze komt er wel op een lekker moment mee, alsof hij al niet genoeg aan zijn hoofd heeft!

'Pap, ken jij een Guus Geluk?'

Steeds weer die woorden in zijn hoofd. Misschien is het toch juist goed een paar dagen met Rita weg te gaan, wellicht komt hij dan even los van die herinneringen en dromen die hem de laatste tijd bijna gek maken. Maar kan hij samen met Rita zijn, zonder juist aan die dingen te denken, die herinneringen die toch alles met haar en hun huwelijk te maken hebben?

Als de koffie klaar is, schenkt hij twee kopjes in en loopt ermee naar de kamer. 'Jij wilde toch ook wel koffie? Alsjeblieft.' Hij zet een kopje bij Rita neer. Nu legt ze het tijdschrift neer en glimlacht naar hem: 'Lekker, dank je.'

Hij weet niet waar het gevoel vandaan komt, maar opeens voelt hij zich een ploert. Wat is ze toch een geweldige vrouw en wat heeft hij haar al die jaren toch weinig aandacht gegeven en vooral: hoe kon hij hun huwelijk toch ingaan met zo'n grote leugen!

Opeens heeft hij er zin in om samen een paar dagen ertussenuit te gaan. Hij moet die hele Surinaamse familie vergeten en er zich niet meer zo druk om maken, dat bloedt vanzelf wel dood. Hij heeft die jongen na die ene zomeravond helemaal niet meer gezien, wat maakt hij zich toch druk!

Die avond gaat hij tegelijk met Rita naar bed en daar trekt hij haar dicht in zijn armen. 'Sorry, lieverd, ik houd van je, alles wordt beter!' fluistert hij in haar hals en met een nieuwe tederheid genieten ze van elkaar.

Die nacht slaapt hij beter dan hij in tijden heeft gedaan en de volgende ochtend staat hij fluitend onder de douche.

's Avonds komt hij uit kantoor met een stapel reisgidsen in zijn hand. 'Kijk, ik ben gelijk even langs het reisbureau gereden, wat denk jij van een leuke stedentrip, een dag of drie, vier? Dan moet jij maar kiezen, ik vind alles goed, Parijs, Berlijn, Rome, Wenen, wat je maar wilt.'

Verrast kijkt ze hem aan. 'Zullen we straks samen even kijken?' zegt ze dan.

'Goed, direct na het eten dan, ik moet vanavond ook nog wat werken.'
'Doe dat dan eerst, als je klaar bent nemen we lekker een glaasje wijn en kijken we samen die boeken door.'
'Ook goed, dan kun jij alvast een beetje denken.'
Om tien uur komt hij de trap af. 'Zo, dat is mooi geweest voor vandaag, ik schenk wat in en dan zullen we eens kijken. Heb jij al wat voorwerk gedaan?'
Rita zit met een paar gidsen open bij de tafel. 'Praag of Budapest lijkt me erg mooi, ik heb ze allebei nog nooit gezien. Maar Parijs lijkt me ook leuk, daar zijn we op huwelijksreis geweest, weet je nog? En dat is ook wat dichterbij, voor drie dagen is dat misschien handiger.'
'Ik heb al gezegd: ik vind alles best. Dan wordt het Parijs en houden we die andere twee steden te goed tot we een keer wat meer tijd hebben. Tenslotte is Parijs de stad van de romantiek, dan maken we er een soort tweede huwelijksreis van.' Hij zegt het vrolijker dan hij zich voelt, maar het moet zo, ze móeten gewoon een nieuwe start maken.
Rita leunt achterover en kijkt hem aan. 'Gerben,' zegt ze dan, 'wil je me niet vertellen wat jou de afgelopen tijd zo dwars heeft gezeten? We kunnen elkaar toch alles vertellen?'
Heel even voelt hij de verleiding om inderdaad alles te vertellen, maar dan hoort hij in gedachten de stem van zijn schoonvader weer: 'Beloof me dat je dit nooit aan haar vertelt, afgesproken?' Hij had het beloofd en die belofte kon hij niet breken, enkel voor zijn eigen gemoedsrust. Hij had dit twintig jaar geleden al moeten vertellen, nu is het te laat.
'Gerben?' Ze kijkt hem aan en wacht nog steeds op een antwoord.
'Ja, natuurlijk kunnen we elkaar alles vertellen, maar er valt niks te vertellen, ik werk gewoon te hard, dat is alles.'
'Weet je het zeker?'
'Heel zeker.' Hij buigt zich over de reisgids en bladert op zoek naar een geschikt hotel.
Hij beseft dat hij weer een kans voorbij heeft laten gaan, maar hij kan niet anders.
Die nacht droomt hij opnieuw over Maria en Gijs en zwetend wordt hij wakker. Komt hij er dan nooit van los? Hij wil het vergeten!

Vanaf kantoor boekt hij voor de volgende week een luxueus hotel in Parijs, van vrijdag tot en met maandag. Als hij een paar dagen later thuiskomt van kantoor zegt Rita: 'Monique belde, ze blijft dit weekend in Utrecht, wel jammer, nu zien we elkaar een paar weken niet, want volgend weekend zijn wij naar Parijs.'

'Waarom komt ze niet, had ze haar plannen niet een weekje kunnen opschuiven? Dan waren we tegelijk weg geweest.'

'Dat heb ik niet gevraagd, hoor, ze moet haar eigen plannen kunnen maken. Ze was trouwens een beetje kortaf, weet je wat ik denk? Ik denk dat ze een vriendje heeft daar in Utrecht.'

'Hoe kom je daarbij, heeft ze iets gezegd of zo? En wat voor iemand zal het dan zijn? Dat zou ik toch wel graag willen weten, hoor!'

'Gerben, rustig! Ze is bijna negentien en een vriendje is nog niet gelijk een huwelijkskandidaat. Ze vertelde pas wel dat ze een jongen heeft leren kennen die ze heel leuk vindt en ze vertelde erbij dat hij christen is en bedrijfskunde studeert, dus als het wat mocht worden kun je wat dat betreft tevreden zijn. Maar zeg er alsjeblieft niks over als je haar spreekt, het was allemaal nog maar heel pril, zei ze pas. Dus misschien had ik helemaal mijn mond tegen je moeten houden.'

'Als ze maar oppast met wie ze aanpapt...' moppert Gerben.

Nu lacht Rita hem vierkant uit. 'Aanpapt! Het woord alleen al, ach, je bent echt zo'n vader die niemand goed genoeg vindt voor zijn dochter. Pas daarvoor op, Gerben, laat haar alsjeblieft haar eigen keuzes maken, ze is verstandig genoeg, die dochter van ons. We wachten het maar rustig af. Als er wat te melden valt, komt ze wel op de proppen met haar Sander.'

'Sander?'

'Zo heet hij, vertelde ze.'

'Sander wat?'

Nu kijkt Rita een beetje geërgerd. 'Ik weet niet hoe die jongen verder heet. Wilde je hem laten natrekken of zo? Laat het toch rusten, Gerben, we horen het wel.'

Gerben pruttelt nog wat, maar tegelijk bedenkt hij dat het misschien wel goed is als Monique een vriendje krijgt, waarschijnlijk heeft ze dan geen tijd meer om bij die vriendin van haar thuis te komen. Eigenlijk zou hij bij een onverwacht bezoek aan haar appartement 's morgens vroeg nog liever oog in oog staan met een onbekende jongeman dan met dat Surinaamse meisje. Tegelijk schrikt hij zelf van die gedachte. Waar is zijn moraal gebleven?

Het weekend dat ze samen thuis zijn, is Gerben de hele zaterdag druk op zijn studeerkamer, 'Maar,' belooft hij Rita, 'aanstaande donderdagavond ben ik op tijd thuis en dan doe ik helemaal niks meer tot de dinsdag daarop. We gaan vrijdag bijtijds weg en dan gaan we het hele weekend alleen maar genieten.'

Rita gaat zaterdagmiddag een poos naar haar moeder.

'Je man weer aan het werk? Die weet ook van geen ophouden, hè, hij lijkt eigenlijk precies op jouw vader, altijd helemaal opgeslurpt door de zaak.'

Rita knikt. 'Tja, dat wel. Maar je houdt het niet voor mogelijk, moeder, volgend weekend gaan Gerben en ik samen een weekendje weg, naar Parijs nog wel.'

Verrast kijkt haar moeder haar aan. 'Dat vind ik leuk voor je! En het is goed voor jullie huwelijk, denk ik, want weet je, Rita, ik zal niet gauw wat zeggen, maar soms houd ik mijn hart wel eens vast. Pa en ik leefden vaak elk ons eigen leven, de zaak, de zaak, de zaak, dan een poos niks en dan kwam ik bij hem. En bij jullie zag ik de laatste jaren hetzelfde gebeuren, steeds een beetje erger, dacht ik weleens. Ik wilde me er niet mee bemoeien, dat kan ook niet, maar ik maak me wel vaak zorgen. Dus dit vind ik heel goed nieuws. Hoe lang is het geleden dat jullie echt samen zijn weg geweest?'

'Ik denk een jaar of zes, zeven.'

'Nou, dan wordt het wel eens tijd, hè? Leuk, hoor.'

Als Rita een uurtje later opstaat om naar huis te gaan, vraagt haar moeder: 'En, hoe is het met Monique? Komt ze volgend weekend wel naar huis, of blijft ze dan in Utrecht? Zeg maar vast tegen haar dat ze van harte welkom is om bijvoorbeeld zondags bij mij te komen eten als ze dat leuk vindt.'

'Ik zal het doorgeven als ik haar spreek. Ze blijft dit weekend in Utrecht, dus ik denk dat ze volgende week wel komt. U hoort het wel.'

Onderweg naar huis op de fiets zit Rita zachtjes te zingen, ze glimlacht in zichzelf als ze het merkt. Ja, het leven is goed! Ze heeft behalve een lieve moeder en een schat van een dochter, waarschijnlijk binnenkort ook weer een huwelijk om echt blij mee te zijn. Ze ervaart het als een wonder dat Gerben zelf met het voorstel is gekomen om er samen even tussenuit te gaan.

Dat het zó simpel kan zijn! Ze had veel eerder echt serieus op een gesprek moeten aandringen bij hem, dan waren ze misschien nooit zover van elkaar afgeraakt.

Als ze om kwart voor zes thuiskomt, vindt ze Gerben in de keuken. Hij heeft een schort voor en is aan het kokkerellen. Haar mond zakt bijna open van verbazing: dit is echt een tijd geleden! Hij lacht als hij haar ziet staan. 'Ja, dat had je niet gedacht, hè? Ik ben het nog niet verleerd, dat merk ik wel. Ga maar lekker zitten, dan krijg je een glas wijn en binnen een halfuur een eenvoudige maar voortreffelijke maaltijd. Hoop ik...' voegt hij eraan toe.

Rita hangt haar jas aan de kapstok en loopt naar de kamer. Dit is bijna eng. Slaat hij nu niet door? Ze weet niet goed wat ze ervan moet denken. Maandenlang is hij niet te benaderen en nu opeens dit. Alleen omdat ze heeft gezegd dat ze het somber inziet voor hun huwelijk? Ze heeft moeite hem opeens te volgen. Dan haalt ze haar schouders op, ze zal er maar van genieten en het positief bekijken. Mocht hij opeens weer omslaan, dan hebben ze dit in elk geval gehad. Maar een beetje vreemd blijft het.

Ondanks Rita's scepticisme hebben ze een goed weekend samen. Het lijkt erop dat Gerben zich beter kan ontspannen dan lange tijd het geval is geweest, hoewel Rita af en toe het gevoel heeft dat hij wat krampachtig bezig is. En als ze maandagochtend heel vroeg wakker wordt ziet ze Gerben op de rand van het bed zitten, zijn handen onder zijn hoofd. Eerst denkt ze dat ze zich vergist, maar als haar ogen wat beter aan het schemerdonker gewend zijn, ziet ze hem nog steeds zo

zitten. Ze kijkt op de wekker, het is tien over vier.
'Gerben?' vraagt ze. 'Wat doe je?'
'Niks, ik ga even naar de wc.' Ze hoort hem niet eens meer in bed komen, ze slaapt alweer.

Als Gerben maandagochtend weer naar kantoor vertrokken is, realiseert Rita zich dat ze na het laatste telefoontje van Monique niks meer van haar gehoord hebben. De enkele keer dat ze het weekend in Utrecht bleef, belde ze meestal zondagavond nog wel even. Nu dus niet. Rita glimlacht in zichzelf. Als dat geen vriendje betekent, weet ze het ook niet meer! Vanavond maar eens bellen, neemt ze zich voor. Ze betrapt zich erop dat ze toch weer over Gerben loopt te piekeren, want dat hij vannacht blijkbaar weer niet goed heeft geslapen is duidelijk. Toch ontkent hij dat en doet of er niets aan de hand is. Maar ze heeft met eigen ogen gezien dat hij midden in de nacht op de rand van het bed zat, dat doe je toch niet zomaar? Vanochtend bij het ontbijt heeft ze het nog eens gevraagd: 'Is er wat, Gerben, zit je wat dwars, voel je je wel goed?'
Maar hij ontkent het ongeduldig: alles is in orde. Ze heeft er het zwijgen maar weer toe gedaan, bang hun kostbare, verbeterde relatie te verstoren. Toch zit het haar niet echt lekker.
's Avonds is Gerben mooi op tijd voor het eten thuis en opnieuw praat hij opgewekt. Ik zie spoken, denkt Rita.
Om halfnegen probeert ze Monique te bellen en om tien uur nog eens, maar er wordt niet opgenomen.

Monique hoort de telefoon overgaan, maar ze heeft geen zin om op te nemen. Ze ligt op de bank, een studieboek in haar hand, maar haar hersenen nemen niks op. Vanaf het moment dat ze vorige week woensdag wakker is geworden, hangt ze maar zo'n beetje op de bank. Een paar keer ging de telefoon, maar ze heeft niet opgenomen. Achteraf bleek dat Sander haar probeerde te bellen omdat hij ongerust over haar was. Donderdagmiddag stond opeens Myra in de kamer en zei: 'Ik ben door Sander gestuurd, ik kom kijken of het wel goed gaat met je.'

Toen Monique de tranen alweer voelde opkomen en naar woorden zocht, zei Myra, terwijl ze haar hand afwerend opstak: 'Ik weet niks en ik hoef ook niks te weten, tenzij jij wilt praten.'

Monique had haar hoofd geschud. Als Sander niks had verteld, zou zij het zeker ook niet doen, nu nog niet. Eerst zou ze zelf uit de chaos van gedachten moeten komen.

'Heb je eten in huis?' vroeg Myra.

'Alleen beschuit en thee, maar ik heb toch geen honger.'

'Ben je mal, je moet wat eten, ook al ben je ziek of zo. Ik ga wel even wat halen, waar heb je trek in?'

'Nergens in, laat me maar met rust, Myra, het is lief van je, maar...'

'Ik kijk zelf wel, tot zo.'

Een kwartiertje later hoorde Monique haar weer binnenkomen en in de keuken rommelen. Toen ze de kamer weer binnenkwam had ze een kom tomatensoep en een croissantje in haar handen. 'Hier, je lievelingssoep, lekker met gesmolten kaas. Je bent toch niet misselijk?'

Het rook toch wel lekker, opeens voelde Monique dat ze leeg was.

'Ik ga zo werken en dan kom ik gewoon hier slapen, goed? Morgen overdag kan ik misschien nog wat boodschappen voor je doen en dan ga ik weer weg, oké?'

Toen Myra was weggegaan had Monique haar moeder gebeld om te zeggen dat ze het weekend in Utrecht zou blijven. Gelukkig had mamma niet verder gevraagd. Ze vertelde wel dat pappa en zij het volgende weekend naar Parijs zouden gaan en er dus niet zouden zijn. Mooi, had Monique gedacht, weer een week uitstel!

En zo hangt ze alle dagen een beetje rond in haar appartement. 's Morgens ligt ze lang op bed. Ze slaapt slecht, tegen de ochtend valt ze meestal pas in slaap. En al die dagen malen haar gedachten, afwisselend is ze kwaad, verdrietig en wanhopig. Kwaad op God en kwaad op haar vader en ook op zichzelf. Waarom voelde ze niet dat Sander haar halfbroer is? Die laatste gedachte verwart haar, ze schaamt zich dat ze zich lichamelijk zo tot hem aangetrokken voelde. Ook al weet ze met haar verstand dat ze daar niks aan kon doen omdat ze niet beter wist dan dat hij een wildvreemde jongen was, toch geeft het haar op een of andere manier een onbehaaglijk gevoel.

Daarnaast kan ze absoluut niet meer objectief over haar vader denken. Hij is niet langer haar vader, nee, hij is Guus Geluk, de jongen uit de brief van Maria, die seks had op het strand met de vriendin van zijn beste vriend en neef. Had ze die brief maar nooit gelezen! Als ze gewoon had gehoord dat pappa de biologische vader van Sander is, was dat al erg genoeg geweest. Nu ze die brief heeft gelezen, heeft ze als het ware een liveverslag van de gebeurtenissen gehad en dat vindt ze vreselijk! De beelden die al lezend bij haar opkwamen, lijken op haar netvlies gebrand te staan en ze walgt ervan. Zoiets gebeurt in een film, in een boek, maar niet bij haar eigen vader. Hoe kan ze hem ooit weer onder ogen komen zonder hieraan te denken?

En het ergste is natuurlijk dat ze Sander kwijt is terwijl het nog nauwelijks tussen hen begonnen was. Het voelt allemaal zo oneerlijk!

En hoe nu verder? Hoe zal het met Sander zijn? Op zijn kamer is hij niet telefonisch te bereiken. Gisteren wilde ze hem schrijven, maar het lukte gewoon niet, verder dan de aanhef kwam ze niet. Tenslotte is ze huilend op de bank gevallen, de vellen papier tot een prop in de prullenbak.

Gisteravond aan het eind van de avond kwam Wendy weer aan in Utrecht. Monique lag al in bed toen ze de voordeur open hoorde gaan en toen Wendy zachtjes bij haar slaapkamer riep: 'Psst, Moon, ben je nog wakker?' heeft ze zich slapend gehouden en geen antwoord gegeven.

Vandaag zijn de colleges weer begonnen, maar Monique is thuisgebleven. Pas toen Wendy om vier uur thuiskwam, ontmoetten ze elkaar. Maar zelfs tegen Wendy kon ze het niet vertellen. 'Ik blijf een paar dagen thuis, beetje grieperig,' heeft ze gezegd. Direct na het eten moest Wendy alweer weg, eigenlijk was Monique opgelucht het huis weer voor zichzelf te hebben. Tegelijk begrijpt ze dat ze zich niet eindeloos kan blijven verstoppen. Maar wat dan?

Ook dinsdag hangt ze weer wat rond in huis als Wendy naar college is, maar 's middags kleedt ze zich eindelijk weer eens aan en gaat een paar boodschappen doen. Ze is nog maar net terug als er aan de voordeur gebeld wordt. Zal ze opendoen of niet? Stel dat het pappa is... Vanuit haar slaapkamer probeert ze te zien wie er op de stoep staat. Sander! Even staat ze als aan de grond genageld, dan holt ze naar de deur. Daar staan ze tegenover elkaar... Opeens weet ze niet wat ze doen of zeggen moet. 'Kom binnen,' zegt ze dan.

'Monique!' Ze ziet de pijn in zijn ogen. Ze gaat hem voor naar de huiskamer, daar zitten ze wat onwennig tegenover elkaar.

'Hoe is het met jou?' vraagt Monique.

Hij haalt zijn schouders op. 'Beroerd, maar ja... Ik probeer maar keihard te studeren, des te eerder kan ik terug naar Suriname.'

'O Sander!'

'En jij?'

Ze kan er niet tegen als hij met zo'n zachte blik naar haar kijkt, ze voelt de tranen alweer komen. 'Ik ben niet zo flink, geloof ik, ik heb sinds vorig week juist niks gedaan aan mijn studie.'

'Ben je bij je ouders geweest?'

Ze schudt haar hoofd. 'Nee, dat kan ik voorlopig niet, denk ik.'

Even zijn ze allebei stil, dan zegt Sander: 'Ik heb nagedacht, Monique, ik denk dat ik naar mijn... naar jouw vader toe ga en hem de brief geef, hij moet toch de waarheid weten. Daarna zal ik uit zijn en jouw leven verdwijnen, ik denk dat dat het beste is. Anders verpest ik alsnog jouw leven en dat van je moeder en dat wil ik niet.'

'Nee!' Nu huilt Monique voluit. 'O Sander, ik kan het niet, ik kan je niet loslaten.'

'Het moet wel, meisje...'

Hij loopt naar de deur. 'Zorg goed voor jezelf, beloof me dat. Ga weer aan je studie, word gelukkig! Ik laat het je weten als ik bij je vader ben geweest. Hoewel... Wat heeft dat eigenlijk voor zin? Je zult het vanzelf wel aan hem merken, vrees ik.'

Monique loopt achter hem aan. Vlak bij de voordeur pakt ze hem bij de arm. 'Sander?'

Hij kijkt haar aan en geeft haar dan een kus op haar wang. 'Dag zusje!' zegt hij nadrukkelijk.

Ze hoort hoe bitter zijn stem klinkt, hij draait zich om en loopt de deur uit.

Ze kijkt hem na, maar hij kijkt niet meer om. Dan is hij de hoek om. Monique laat de deur dichtvallen en loopt terug naar de kamer. Ze gaat op de bank liggen, ze huilt niet meer. Met droge ogen staart ze naar de muur. Zo ligt ze tot ze de sleutel in het slot hoort en Wendy de kamer binnenkomt.

'Hoi, hoe is het, beetje opgeknapt?' Als ze geen antwoord geeft, komt Wendy naast haar staan. 'Hé, je hebt gehuild! Wat is er?'

Monique schudt alleen maar met haar hoofd. Dan gaat ze rechtop zitten. 'Het is uit tussen Sander en mij, vraag liever maar niet verder, ik wil er niet over praten.' Ze staat op en loopt naar de keuken. 'Ik heb al boodschappen gedaan, ik ga koken, oké?' Zonder op antwoord te wachten doet ze de kamerdeur achter zich dicht. Kom op, ze moet verder, hoe dan ook! Als Sander het kan, kan zij het ook.

Woensdagochtend gaat ze weer naar college en 's avonds zit ze tot laat over haar studieboeken gebogen. Toch neemt ze niet veel op van de leerstof, het lijkt alsof er stopverf in haar hoofd zit. En als ze ten slotte doodmoe in bed ligt kan ze niet slapen, steeds maar weer cirkelen haar gedachten rond Sander en haar vader. Hoe moet ze nu verder? Ze wil pappa echt niet meer zien, maar hoe lost ze dat in de praktijk op? Dit aanstaande weekend heeft het probleem zichzelf opgelost doordat pap en mam naar Parijs gaan, maar de week daarna, hoe moet het dan? Eigenlijk wil ze haar vader nooit meer zien, ze is zo boos, zo in de war.

Zo gaan de dagen verder. Donderdagavond komt Myra weer slapen, maar ze praat nergens over.

'Gaat het een beetje?' vraagt ze alleen.

Monique knikt. 'Ja hoor.' Maar als ze de volgende morgen tegelijk de deur uit gaan, vraagt ze aan Myra: 'Weet jij hoe het met Sander is?'

Myra kijkt haar van opzij aan. 'Ongeveer hetzelfde als met jou, geloof ik. Stil, wallen onder z'n ogen, niet bepaald blij. Is het uit tussen jul-

lie, of mag ik dat niet vragen?' Dat laatste vraagt ze voorzichtig.
'Ja, het is voorbij.'
'Misschien komt het wel weer goed, joh, jullie zijn duidelijk allebei niet gelukkig met de situatie, dus...'
'Dit komt nooit meer goed!' valt Monique haar in de rede. 'Praat er maar niet meer over, ik zal het je binnenkort wel vertellen allemaal, nu kan ik dat nog niet, het is te... te... gewoon te verschrikkelijk allemaal.'
Myra zegt niks meer en zwijgend lopen ze samen verder tot de bushalte, waar Myra moet zijn.
'Sterkte, meid!' Even slaat ze een arm om de schouder van Monique. 'Ik zal voor jullie bidden.'
Monique lacht een beetje schamper. 'Laat maar,' zegt ze, 'dat helpt in dit geval ook niks. Maar toch bedankt, tot ziens.'
Vrijdagavond gaat de telefoon, het is oma. 'Kom je nog naar huis dit weekend?' vraagt ze. 'Als je zin hebt, kom dan zondag bij mij eten.'
'Nee oma, ik blijf maar hier als u 't niet erg vindt. Ik ben een paar dagen niet zo lekker geweest, dus ik doe gewoon een beetje rustig aan tot maandag.'
'Ook goed, meisje. Leuk hè, dat je ouders eindelijk eens een paar dagen samen weg zijn? Daar waren ze echt wel aan toe. Ze zullen wel genieten van Parijs, daar hebben ze ook hun huwelijksreis naartoe gemaakt, maar dat wist je zeker wel?' Oma praat nog wat door en Monique doet haar best om zo opgewekt mogelijk antwoord te geven. Als ze de telefoon heeft neergelegd maakt ze een minachtend geluid. Naar Parijs nog wel, hoe romantisch, net als hun huwelijksreis! Ach, dat hij net een jaar voor zijn huwelijk een kind bij een ander had verwekt deed er niet toe, dat wist toch niemand. En nog steeds niet, nou ja, behalve dat betreffende kind dan en zij, z'n andere kind.
Het is duidelijk dat Sander tot nog toe geen contact heeft opgenomen met pappa. Wanneer zal hij dat doen, of ziet hij er toch van af, is de drempel te hoog?
Zaterdagmiddag doet Monique snel wat boodschappen, verder komt ze het weekend de deur niet uit. Zondagochtend wordt ze wakker van

de kerkklokken, maar ze kruipt diep onder haar dekbed, ze wil die klokken niet horen. Als klein kind dacht ze dat de kerkklok in het dorp 'kom-dan, kom-dan' riep, om de mensen naar de kerk te roepen. Ook later vond ze dat nog een mooie gedachte, nu niet meer. Ze is eigenlijk zelf verbaasd dat dat kan: zo van het ene op het andere moment een heel andere gedachte over God hebben. Ze had blijkbaar een 'mooiweergeloof', denkt ze nu nuchter. Toen het allemaal goed ging, was het zo moeilijk niet om God daarvoor te danken en te denken dat al die voorspoed van Hem afkomstig was, nu opeens denkt ze daar anders over. Want òf Hij heeft haar in de steek gelaten òf Hij heeft nooit de hand gehad in de dingen van haar leven. Ze weet het niet, ze weet alleen dat God ver is, dat ze alleen is en er ook alleen uit zal moeten komen. 'Ik zal voor je bidden,' zei Myra. Myra, met haar blije, kinderlijke geloof, zij zal er ook nog weleens achter komen dat het zo simpel niet is. Of is Myra daar al achter gekomen? Want nu Monique daar verder over nadenkt weet ze dat ook Myra's leven niet altijd even gemakkelijk is geweest. Opgegroeid zonder vader, toen verhuisd van Suriname naar het vreemde Nederland, een stiefvader die, toen het juist allemaal goed leek te worden, verongelukte. Nee, Myra heeft het altijd gemakkelijk gehad, dat is ook wel zo. Ach, ze weet het ook niet allemaal niet meer, ze gaat maar uit bed, van slapen komt toch ook niks meer. Even later zit ze met een kopje thee en een boterham op de bank.

Rita en Gerben hebben het goed in Parijs. Rita is verrast als ze het hotel ziet waar Gerben een kamer heeft gereserveerd. Het is een mooi viersterrenhotel in de wijk Montmartre en vanaf hun kamer op zeshoog hebben ze een prachtig uitzicht over een gedeelte van de stad. De Sacré Coeur ligt op loopafstand. Ondanks dat het januari is en de temperatuur niet al te hoog, is het toch gezellig druk op de pleintjes en markten. De hotelkamer is ruim en luxueus en wat het belangrijkst is: Gerben lijkt eindelijk echt ontspannen. Dat laatste vindt Rita belangrijker dan het hotel en alles wat erbij hoort.
's Avonds eten ze in een klein, gezellig kunstenaarsbistrootje en na

nog een glas wijn beneden in hun eigen hotel gaan ze op tijd naar bed. De volgende dag is het opnieuw fris maar gelukkig droog, en na het ontbijt gaan ze er direct op uit. De auto blijft bij het hotel en met de metro gaan ze de stad opnieuw verkennen. Het is vooral een hoop herkennen, plaatsen die ze ruim twintig jaar geleden hebben bezocht, zien ze opnieuw. 's Middags, als het zonnetje voorzichtig doorkomt, voelt het bijna een beetje lenteachtig en hand in hand lopen ze langs de Seine.

Rita kan er gewoon niet bij: is dit haar eigen Gerben? De man die, zeker de laatste tijd, nooit tijd en aandacht voor haar leek te hebben, die steeds stiller en meer teruggetrokken leek te worden? Het is duidelijk dat het inderdaad de werkdruk moet zijn die hem de laatste tijd zo veranderd heeft, hij is er nauwelijks een paar dagen uit of hij begint zich al te ontspannen. Ze had hem al maanden, ja misschien wel jaren eerder figuurlijk door elkaar moeten schudden.

Ook deze avond zitten ze weer in een knus restaurantje te eten en gaan ze opnieuw op tijd naar hun hotelkamer.

'Nounou, we hebben heel wat gelopen vandaag, je zou er moe van worden. Ik voel mijn benen tenminste wel, jij ook?' vraagt hij als ze in bed stappen.

'Valt wel mee, hoor, jij bent niks gewend, je zit de hele dag achter je bureau of in de auto, je moet eens wat vaker gaan fietsen, meneer Geluk!' Rita lacht, terwijl ook zij lekker onder het dekbed kruipt. 'Heerlijke bedden trouwens!'

'Hm, ze hebben alleen één nadeel...' mompelt Gerben.

'Wat dan?'

'Het zijn twee eenpersoonsbedden, daar houd ik niet van! Tenminste niet als er zo'n mooie, lieve vrouw naast me ligt! Maar aan één bed hebben we ook wel genoeg, toch?' Hij schuift over de rand die de bedden scheidt heen en sluit haar in zijn armen. 'We hebben dat andere bed helemaal niet nodig!'

'Laten we het verhuren, dit hotel is duur zat!' giechelt Rita.

'Nee, dank u, ik kan hier geen pottenkijkers gebruiken.' Hij trekt haar dichter tegen zich aan.

Op zondag maken ze een dienst mee in de Sacré Coeur en 's middags wandelen ze in de tuinen van Les Tuileries. Natuurlijk is ook hier alles winters en kaal, maar opnieuw laat de zon zich zien en is het heerlijk buiten.

'Wat doen we morgen?' vraagt Gerben als ze zondagavond naar bed gaan. 'Wil je nog naar het Louvre of iets anders, of zullen we rustig naar huis rijden? Zeg jij het maar.'

'Wat mij betreft gaan we na het ontbijt richting Nederland, dan kunnen we het rustig aan doen, lekker onderweg een kopje koffie drinken of lunchen en dan zijn we voor de drukte van de spits weer thuis, goed?'

'Prima idee, misschien kunnen we, als we eind van de middag in de buurt van Utrecht zijn, even bij Monique langs rijden, we hebben haar zo lang niet gezien.'

'Hè ja, dat is een goed idee! En dat Louvre, dat komt nog wel een keer, hè Gerben? Ik denk dat het goed is om zeker eens per jaar er samen tussenuit te gaan, al is het maar een weekendje, dat merk je nu wel. Ik heb het echt heerlijk gehad, en jij?'

'Ik ook, het was goed er eens helemaal uit te zijn. Jij bent belangrijker dan de zaak, hoor, al lijkt het er soms misschien niet op. Maar ik ben echt geschrokken twee weken geleden, toen jij zo duidelijk aangaf dat het niet goed ging. Dat had ik echt nodig, dat zie ik nu wel. Ik houd van je, Rita!'

'En ik van jou! Laat er alsjeblieft nooit iets tussen ons komen. Zolang we eerlijk tegenover elkaar zijn en blijven praten, zal het goed gaan, ook al ben je druk met van alles. Beloof je me dat?' Hij knikt, dan kussen ze elkaar, ze gaan slapen.

Gerben ligt nog wakker als hij vanuit het andere bed al lang de regelmatige ademhaling van Rita hoort. Deze dagen waren goed, alle problemen leken ver weg. Tot zo-even, toen Rita die woorden uitsprak 'Zolang we eerlijk tegen elkaar zijn en blijven praten... Beloof je me dat?' Opeens drukt het bange geheim weer op zijn schouders, komen de gezichten van Myra en haar moeder, van die jongen aan zijn voordeur die naar Guus Geluk zocht, het gezicht van Maria en Gijs, weer boven. Ach, hoe kon hij zo naïef zijn om te denken dat alles door een weekendje weg opeens zou verdwijnen.

Hij ligt nog lang wakker, de geluiden op straat zijn allang verstomd als hij eindelijk inslaapt.

Als ze de volgende dag in de auto zitten op weg naar huis, valt het Rita op dat Gerben stil is en er weer een frons op zijn voorhoofd ligt. 'Hé!' zegt ze terwijl ze een hand op zijn knie legt. 'Vandaag is ook nog een beetje vakantie, hoor. Zit je alweer met je hoofd op kantoor? Heb je het niet gewoon te druk, Gerben, moet je niet wat taken proberen af te stoten? Ik heb het idee dat jij sinds pappa's dood zijn en jouw werk allemaal tegelijk alleen wilt doen, dat is toch niet nodig?'

'Jij hebt gemakkelijk praten,' mompelt hij, 'er zijn nou eenmaal dingen die ik zelf moet regelen en ik doe het graag.'

Ze geeft geen antwoord meer, maar de sfeer is weer heel anders dan de voorgaande dagen. Na een korte koffiestop halverwege België rijden ze om halfvijf Utrecht binnen.

'Zou ze al thuis zijn?' vraagt Gerben.

'Volgens mij is ze 's maandags altijd vrij vroeg klaar, we zien het wel.' Als ze uit de auto stappen, zien ze dat er binnen licht brandt. 'Er is in ieder geval iemand thuis en nu maar hopen dat het Monique is.'

Als ze hebben aangebeld duurt het even, maar dan gaat de deur toch open. Rita ziet dat Monique schrikt als ze hen ziet staan. Maar zelf schrikt ze misschien nog meer van het witte, smalle gezichtje van haar dochter. Monique zegt eerst niks, kijkt hen alleen maar aan.

'We dachten, we rijden even langs op de terugweg, komt het gelegen?' vraagt Rita, als Monique blijkbaar geen aanstalten maakt om hen binnen te laten.

Zwijgend doet Monique nu een stap opzij. Rita kust haar op de wang. 'Gaat het wel goed, meisje, je ziet er wat bleekjes uit.'

'Ja hoor, ik ben nogal druk.' Het valt Rita op dat ze geen kus terugkrijgt en naar haar vader kijkt Monique al helemaal niet. Als ze in de kamer komen, blijft ze nog steeds staan. 'Sorry, ik stond eigenlijk op het punt om weg te gaan, maar ik geloof dat ik Wendy hoor.

Dus als jullie koffie of zo willen...'

'Nee, laat maar, we gaan weer,' zegt Gerben. Rita ziet dat hij ontstemd naar Monique kijkt. Ze reageert ook wel vreemd en afstandelijk. Er is duidelijk iets, maar wat?

'Weet je zeker dat alles goed met je is?' vraagt ze nog eens.

'Ja hoor, beetje grieperig geweest en nu erg druk, wat dingen inhalen en zo. Sorry, mam, als ik geweten had dat jullie kwamen had ik natuurlijk gezorgd dat ik meer tijd heb, maar nu moet ik echt weg.'

Wendy is binnengekomen en vangt net de laatste woorden op van Monique. Ze vraagt verbaasd: 'Moet je weg?' Dan begroet ze Gerben en Rita. 'Zal ik dan wat te drinken maken?'

'Nee, we gaan naar huis, we zien je volgend weekend toch, Monique?' vraagt Rita.

'Ik weet het nog niet helemaal zeker, ik bel nog wel.' Monique pakt haar jas en trekt hem aan. 'Was het trouwens leuk in Parijs?' Vanuit de deuropening draait ze zich om. 'Nou, tot ziens, hè?' Dan is ze weg, haar ouders verbluft achterlatend.

Rita gaat op de punt van een stoel zitten. 'Wat is er aan de hand, weet jij dat?' vraagt ze Wendy.

'Ze zit gewoon even niet zo lekker in haar vel, denk ik,' antwoordt Wendy ontwijkend, 'het komt wel weer goed.'

'Ik hoop het. Ik vind echt dat ze heel vreemd doet en ze ziet er slecht uit, vind je niet?' vraagt Rita aan Gerben.

'Dat valt wel mee, hoor. Kom, we gaan! Dag Wendy.'

Verdrietig zit Rita wat later weer naast Gerben in de auto. Er is iets mis met Monique, en Gerben? Gerben reageert weer even bot als voor hun weekendje samen.

11

ALS GERBEN DE VOLGENDE DAG OP KANTOOR KOMT IS MARTINE ER AL.
'Nog wat bijzonders geweest vrijdag of gisteren?' vraagt hij.
'Niets speciaals, de post is al gesorteerd en ik heb een paar afspraken
voor u gemaakt, de aantekeningen liggen op uw bureau. Het meeste
zal wel duidelijk zijn, alleen de afspraak voor het eind van de ochtend
vraagt misschien enige uitleg.'
'Neem koffie mee voor jezelf en mij, dan kijken we alles gelijk even
door.' Gerben heeft zijn koffertje neergezet en bladert door wat post
op zijn bureau. Het meeste legt hij met een goedkeurend knikje weer
neer. Dan pakt hij de notitieblaadjes die Martine heeft neergelegd.
Met het bovenste in zijn hand blijft hij doodstil staan.
'Dinsdag 19 januari 11.00 uur dhr. Bobson', leest hij. Bobson! Een
naam die een explosie lijkt te veroorzaken in zijn hoofd. Maria
Bobson, hij dacht dat hij haar achternaam niet eens geweten had, of
in elk geval niet meer wist, maar nu bij het lezen van die naam weet
hij het opeens weer. Het is alsof er een luikje openspringt. Maar
dan schudt hij het hoofd. Kom, er zijn meer mensen met die achternaam.
Martine komt binnen met twee bekertjes koffie en zet ze op het
bureau.
'Ga zitten, het meeste is me duidelijk, behalve die Bobson die straks
komt. Van welke firma is hij?' Hij slaagt erin zijn stem rustig te laten
klinken als hij zijn secretaresse vragend aankijkt.
'O,' zegt ze, 'ik dacht dat u hem zou kennen, het was privé, zei hij.
Toen ik vroeg of hij u dan niet beter thuis kon bellen, zei hij dat hij u
wilde verrassen. Hij wilde zo snel mogelijk een afspraak, dus ik heb
hem maar voor vandaag in de agenda gezet.'
'Heb je een telefoonnummer van hem?'
'Nee, hij had geen telefoon,' zei hij. Maar als ik straks moet zeggen dat
u hem niet kunt ontvangen... Of zal ik anders uw telefoonnummer
van thuis geven?'
'Neenee, het is goed zo, de rest is duidelijk,' zegt Gerben met een

gebaar naar de post op zijn bureau. 'Dankjewel, ik hoor wel van je als die meneer Bobson er is.'

Als de deur achter Martine is dichtgegaan, zet Gerben zijn ellebogen op zijn bureau en met zijn hoofd in zijn handen blijft hij doodstil zitten. Wie komt er straks zijn kantoor binnen, de vader van Maria, een broer misschien? Of... Nee, dat zal toch niet, dat mag niet waar zijn! In gedachten ziet hij weer de jongen aan zijn voordeur staan en hijzelf boven op de slaapkamer, stiekem glurend voor het raam. Stel dat... En als dat zo is, zou hijzelf dan... of toch Gijs?

Hij belt naar zijn secretaresse. 'Martine, heb je enig idee of het een jonge of een oudere man was die je aan de telefoon had?'

'Welke man bedoelt u?'

'Die Bobson!'

'Ik weet het niet, niet zo oud, dacht ik.'

Hij legt neer zonder verder iets te zeggen. Hij kreunt, springt op van zijn stoel en loopt heen en weer door zijn kantoor, van de ene hoek waar het bureau staat naar de deur en weer terug, en nog eens. Dan laat hij zich weer op de stoel vallen. Wat moet hij doen? Hij zou willen vluchten, gewoon in de auto stappen en wegrijden. Maar hij weet dat dat niet kan, het verleden heeft hem eindelijk ingehaald. Hoe komt hij de uren nog door tot 11 uur? Hij moet hier weg, dit kantoor uit. Hij staat weer op en loopt de kamer uit, hij dwingt zichzelf rustige stappen te nemen tot de kamer van Martine aan de overkant van de gang. 'Ik ben nog even weg, ik zorg ervoor ruim op tijd terug te zijn voor mijn afspraak.'

Ze knikt. Kijkt ze hem bevreemd aan, of lijkt dat maar zo? Met grote stappen loopt hij het pand uit en stapt in zijn auto. Hij start en rijdt weg, het dorp uit. Even later stopt hij en zet hij zijn auto aan de kant van een stille weg. Hij merkt niet eens dat het bijna op dezelfde plek is als waar hij een paar weken geleden stond. Hij legt zijn armen op het stuur en leunt met zijn hoofd daar bovenop. Nog nooit in zijn leven is hij zo bang geweest. Allerlei woorden schieten door zijn hoofd. Die van zijn schoonvader: 'Beloof me dat Rita dit nooit hoort', en Rita's woorden: 'Zolang we maar eerlijk tegen elkaar zijn'. Hij gaat rechtop zitten en staart voor zich uit. Wat gaat er gebeuren? Als zijn ergste vermoeden waarheid blijkt te zijn, als die jongen... Dan zal dat het einde van zijn huwelijk betekenen, het einde van zijn gezinsleven, zijn aanzien in het dorp, iedereen zal erover praten. Ook het einde van zijn bedrijf, Rita bezit de meeste aandelen. Van al die dingen weet hij niet wat hij het ergste vindt, hij is vooral bang, zo bang...

Eindelijk kijkt hij op zijn horloge, hij moet terug.

Dan komt er in zijn hoofd een plan op. Hij kan immers altijd ontkennen? Stel dat er een familielid van Maria of die jongen hem van dingen komt beschuldigen, kan hij toch altijd naar Gijs wijzen? Opgelucht haalt hij adem. Dat hij daar niet eerder aan gedacht heeft! Zelfs als die jongen zou beweren dat hij zijn zoon is, kan hij zeggen dat dat onmogelijk kan, dat Gijs ongetwijfeld zijn vader is. Gijs is toch spoorloos verdwenen, hij kan niks ontkennen.

Wat rustiger rijdt hij terug naar kantoor. Hij neemt een beker warme koffie mee naar zijn kamer en gaat achter zijn bureau zitten. Vanachter dat bureau zal hij straks ook zijn gast ontvangen en niet, zoals gebruikelijk bij bezoekers, in de gemakkelijke zithoek. Op deze manier houdt hij de regie in handen, blijft hij de baas, de sterkste.

Hij kijkt op de klok: tien over halfelf. De tijd kruipt verder. Hoe dichter de grote wijzer bij de twaalf komt, des te nerveuzer hij wordt. Hij heeft het koud, maar voelt tegelijk zijn overhemd aan zijn rug plakken, een straaltje koud zweet loopt langs zijn oksels naar beneden. Bah, hij voelt zich onbehaaglijk, hij zou naar huis willen, onder een warme douche staan. Hij heeft allerlei papieren uitgespreid op zijn bureau, probeert erin te lezen, maar het lukt niet.

Dan een klopje op zijn deur. Martine kijkt om de hoek. 'Meneer Bobson is er.'

'Laat hem maar verder komen en stoor ons niet.'

Een halve minuut later gaat de deur helemaal open. 'Meneer Bobson,' zegt Martine nog eens.

Gerben zit over zijn papieren gebogen, pas als de deur is dichtgegaan kijkt hij op. De jongeman staat nog vlak voor de dichte deur. Ze kijken elkaar aan.

'Meneer Gerben Geluk?' vraagt de jongen, en als Gerben knikt gaat hij verder: 'Oftewel Guus Geluk.' Dat laatste is geen vraag maar een vaststelling. Gerben reageert niet, hij kijkt de jongen alleen maar aan.

Even blijft het stil, dan vraagt Gerben: 'Wat wil je?'

'Ik ben Sander Bobson, de zoon van Maria, en u bent mijn vader.' Zijn stem trilt.

'Ik denk dat Gijs Geluk jouw vader is...'

Sander schudt het hoofd, 'Ik ben op 29 februari 1972 geboren, toen was Gijs al een jaar terug in Nederland.'

'Ik denk niet...'

Maar voor hij verder kan gaan pakt de jongen een envelop uit zijn zak. 'Alstublieft, een brief van mijn moeder. Hij was eigenlijk voor Gijs bestemd, ze dacht dat ik hem via u zou kunnen vinden. Het is allemaal anders gelopen, het heeft nu geen zin meer, ik heb de brief zelf al gelezen, omdat ik zowel Guus als Gijs niet kon vinden...' Gerben ziet hoe de jongen slikt en dan moeizaam verder praat. 'Mijn hele leven heb ik graag een vader willen hebben, maar niet op deze manier, zeker niet op deze manier. En iedereen had mijn vader mogen zijn, behalve u, de vader van Monique, het meisje waar ik verliefd op werd.' Hij legt de brief op het bureau voor Gerben.

'Nee!' Gerben schreeuwt het uit. 'Jullie hebben toch niet...' Hij voelt het bloed uit zijn hoofd wegstromen.

Sander schudt het hoofd, zijn toon is bitter als hij verder praat. 'Nee, maakt u zich maar geen zorgen, we liepen niet zo hard van stapel als u, en als dat wel was gebeurd, was het tenminste nog uit eerlijke liefde geweest, geen gestolen liefde. Ik heb respect voor Monique.'

'Houd je mond!' Gerben heft zijn beide armen op. 'Houd je mond, zeg alleen maar wat je van me wilt. Wil je geld, wil je wraak? Zeg het maar!'

Sander schudt zijn hoofd. 'Ik wil niks. Leest u die brief maar, dat is alles. En verder moet u maar zien wat u ermee doet. Ik studeer zo snel mogelijk af en ga terug naar Suriname, liever geen vader dan een vader als u.' Hij draait zich om. Gerben ziet nog dat er tranen in zijn ogen staan. Met de deurknop al in zijn hand zegt Sander: 'O ja,

Monique heeft de brief ook gelezen, het spijt me, ik wist toen nog niet dat u Guus Geluk was.'

Dan opent hij de deur en loopt weg, de deur zacht achter zich dichttrekkend.

Gerben zit roerloos achter zijn bureau, hij voelt zijn hart wild tekeergaan in zijn borst. Begint zo een hartinfarct? Hij pakt de envelop die Sander op zijn bureau heeft gelegd en stopt hem in een la, onder wat papieren. Dan maakt hij zijn stropdas los en het bovenste knoopje van zijn overhemd, maar nog heeft hij het gevoel nauwelijks adem te kunnen halen. Hij is bang en benauwd, moet hij hulp inroepen? Stel dat zijn hart het nu begeeft, dat hij zo meteen dood achter zijn bureau zit? God! God, help me! Wat moet ik doen? Maar God antwoordt niet, hij is alleen en de benauwdheid neemt toe. Ten einde raad drukt hij op zijn telefoon het nummer van Martine in. Als ze opneemt kan hij nog net 'Kom...' uitbrengen, dan wordt alles zwart voor zijn ogen.

Sander is het gebouw uit gelopen. Hoe lang is hij binnen geweest? Drie, vier minuten hooguit. Toch waren het beslissende minuten, teleurstellende minuten. Wat had hij eigenlijk verwacht? Ach, diep in zijn hart had hij, hoewel tegen beter weten in, gehoopt dat zijn vader hem in zijn armen zou sluiten. Dat er, ondanks het verdriet om Monique en het weten dat hij afstand zou moeten nemen en houden, juist vanwege haar, toch een glimpje liefde in de ogen van zijn vader geweest zou zijn. Maar dat was er niet, er was alleen afweer en angst. Het had hem zelf meer gedaan dan hij voor mogelijk had gehouden, het oog in oog staan met zijn vader.

Mooie vader! Hij schopt tegen een deur als hij door de gang naar de uitgang loopt. Dan is hij buiten. Er valt natte sneeuw, maar hij merkt het niet. Met zijn handen in de zakken loopt hij weg van het kantoorgebouw, richting dorp. Maar dan bedenkt hij zich. Stel dat hij tante Lidia tegenkomt of een van de kinderen, daar heeft hij nu echt geen behoefte aan. Hij loopt de andere kant op, de bebouwde kom weer uit. De eerste paar haltes van de bus slaat hij over, hij moet nu alleen zijn. Alleen met zijn verdriet, pijn en woede.

Monique is thuis, ze heeft het vanochtend weer niet kunnen opbrengen om naar college te gaan. Ze weet dat het niet goed is, ze zal toch verder moeten met haar leven, maar na het korte bezoek van haar ouders gisteren is ze weer totaal uit haar doen. Ze is zelf geschrokken van de intense woede die ze voelde toen ze pappa zag. Ze haatte hem, hoe kon hij! Guus Geluk, ze noemt hem liever Guus Ongeluk. Ze weet zich geen raad met die gevoelens van haat, verdriet en pijn. Nu ligt ze op bed, haar handen onder haar hoofd. Ze is al uren wakker, maar ze heeft gewoon geen zin om op te staan. Als ten slotte haar maag begint te knorren, slaat ze het dekbed toch maar terug en gaat op de rand van het bed zitten. Ze kijkt op haar horloge: halftwee. Geen wonder dat ze trek heeft, ze heeft de hele dag nog niks op. Ze trekt haar badjas aan en zet juist theewater op als de telefoon gaat. Wat zal ze doen, opnemen of laten gaan? Vanochtend is hij ook al een paar keer gegaan, zou het mamma zijn die wil weten wat er met haar aan de hand is? Ach nee, mamma denkt natuurlijk dat ze naar school is. Wie kan het dan zijn, Sander misschien? Als ze haar naam heeft genoemd hoort ze toch haar moeders stem.

'Monique, wat een geluk dat ik je thuis tref! Je moet niet schrikken, maar pappa ligt in het ziekenhuis, ik ben hier nu ook nog. Hij is op kantoor niet goed geworden, het leek op een hartinfarct maar dat schijnt het toch niet te zijn, het lijkt gelukkig allemaal mee te vallen. Maar ze houden hem natuurlijk nog wel voor nader onderzoek. O, ik ben toch zo geschrokken, hij heeft het ook veel te druk gehad de laatste tijd, hij was zo gespannen. Dit kon wel eens een flinke waarschuwing voor hem zijn.' Als haar moeder eindelijk zwijgt, geeft Monique niet direct antwoord.

'Monique, ben je er nog?'

'Ja, natuurlijk, ik geloof het, mam, dat je geschrokken bent. Was er iemand bij pappa of was hij alleen toen het gebeurde?' De gedachten gaan razendsnel door Moniques hoofd.

'Hè, hoe bedoel je? Ik geloof dat Martine zei dat er juist iemand weg was gegaan en dat hij toen dus alleen op zijn kamer was. Hij kon nog net zelf naar Martine bellen, gelukkig maar.' Even blijft het weer stil, dan hoort Monique haar moeder vragen: 'En hoe is het met jou, lieverd, nog niet helemaal in orde? Anders was je nu toch naar college geweest? Als je vanavond bij pappa wilt komen kijken, neem je maar een taxi, hoor, dan hoef je niet met de trein. Hij ligt in Amersfoort. Als je even belt hoe laat je wilt komen, zorg ik dat ik er ook ben, dan betaal ik gelijk je taxi. Maar als je je niet goed genoeg voelt, wacht je tot morgen, hij is echt niet in levensgevaar of zo.'

'Dat is goed, mam, je hoort het nog wel. Vandaag kom ik in geen geval, ik bel je morgen wel, sterkte ermee, daag.' Monique verbreekt de verbinding voor haar moeder antwoord kan geven. 'Als het is wat ik denk, kom je er gauw genoeg achter, mam,' mompelt ze. Dan toetst ze het nummer in van het kantoor van haar vader. Ze krijgt direct Martine aan de lijn. Ze haalt diep adem en zegt dan: 'Hoi Martine, je spreekt met Monique Geluk. Ik hoorde net van mijn moeder wat er gebeurd is. Je bent zeker ook wel vreselijk geschrokken?' Ze luistert nauwelijks naar het antwoord van Martine maar vraagt dan: 'Hij had net bezoek gehad, hoorde ik, misschien een te lang inspannend gesprek geweest?'

'Nou, lang in elk geval niet, dus zo inspannend zal het ook niet geweest zijn. Het was een jonge Surinaamse jongen die je vader van vroeger kende. Hij had vorige week gebeld om een afspraak te maken, hij wilde je vader verrassen, zei hij tegen me. Dus dat kan het ook niet geweest zijn, toch?'

'Nee, natuurlijk niet. Nou, gelukkig dat jij gelijk een ambulance hebt gebeld, en van mijn moeder hoorde ik net dat het allemaal mee lijkt te vallen.'

'Ja, gelukkig maar.'

Langzaam legt Monique de telefoon neer. Dus Sander is geweest, hoe zal het nu met hèm zijn? O Sander, haar hart huilt om hem. En pappa? Ze kan er niks aan doen, maar ze voelt geen enkel medelijden met hem, waarschijnlijk is hij door de schrik onwel geworden. Eigen schuld, denkt ze hardvochtig, hij is niet de enige die lijdt! Naar hem toe gaan? Ze denkt er niet over, ze wil hem voorlopig niet zien!

Ook Rita legt de telefoon neer. Wat reageert dat kind raar, zo ongevoelig lijkt het wel. Rita blijft even staan en schudt haar hoofd. Het gaat niet goed met Monique, dat is duidelijk. Zou het uit zijn met dat vriendje, die Sander? Ze maakt zich echt zorgen om haar dochter. Eigenlijk kan ze dat er nu niet bij hebben, ze is ook al zo ontzettend geschrokken van wat er met Gerben gebeurd is vandaag. En dat net na hun zo ontspannen weekend, ze was juist zo blij dat het allemaal weer beter leek te worden. En dan nu dit: heel andere zorgen, nu om zijn gezondheid. Ze loopt terug van de telefooncel in de hal waar ze naar Monique heeft gebeld naar de afdeling waar Gerben ligt.

'U mag nog even bij hem, dan kunt u beter een poosje naar huis gaan en vanavond weer terugkomen,' zegt de verpleegkundige die ze op de gang tegenkomt.

Zachtjes duwt ze de deur open. Gerben ligt alleen op een kleine kamer, hij heeft de ogen gesloten. Rita buigt zich over hem heen. 'Gerben, slaap je?' vraagt ze zacht.

Hij slaat zijn ogen op en schudt het hoofd.

'Ik heb Monique gebeld, misschien komt ze morgen, is dat goed? Ze voelde zich niet zo lekker, anders was ze vast vandaag wel gekomen.' Gerben reageert niet, hij doet zijn ogen weer dicht. Rita staat besluiteloos bij hem, wat zal ze doen, maar weggaan? Ze pakt juist haar jas van de stoel als de kamerdeur opengaat en een arts binnenkomt. 'Ah, mevrouw, u bent er ook nog, dat treft goed.' Hij wendt zich tot Gerben en gaat verder: 'Meneer, uw hart is prima in orde, het ziet ernaar uit dat u een flinke aanval van hyperventilatie hebt gehad. Dat kan dezelfde verschijnselen geven als een hartinfarct, dus gelukkig valt het mee. Toch willen we u nog een nachtje houden om u te observeren en regelmatig de bloeddruk te meten, want die was wel erg hoog toen u hier binnenkwam.' Hij kijkt even zwijgend naar Gerben en vraagt dan: 'Voelde u de onwelwording duidelijk aankomen en was er iets aan voorafgegaan wat de oorzaak geweest zou kunnen zijn?'

Gerben sluit zijn ogen en zwijgend schudt hij zijn hoofd.

'Niets, geen bijzondere inspanningen of zakelijke problemen?' vraagt de arts.

'We waren net heerlijk een lang weekend weggeweest,' zegt Rita, 'mijn man was daardoor juist heel ontspannen.'

'Zag u er daardoor misschien tegenop om de drukte weer aan te gaan?' probeert de arts nog.

Opnieuw schudt Gerben het hoofd, hij blijft stilliggen, de ogen gesloten. De dokter kijkt even op hem neer en zegt dan tegen Rita: 'Laat uw man maar uitrusten, dit soort dingen kan veel energie kosten, gewoon door de schrik. We houden hem hier goed in de gaten en waarschijnlijk mag hij morgen alweer naar huis.' Hij geeft haar een hand en loopt de kamer uit. Rita blijft nog even besluiteloos staan, maar Gerben doet zijn ogen niet meer open. 'Ik ga ook maar, tot vanavond, Gerben.' Ze geeft hem voorzichtig een kus en gaat ook de kamer uit.

Terwijl ze naar huis rijdt, tobt ze over Gerben en over Monique. Er klopt gewoon iets niet en dat geldt voor allebei. Bij Gerben is het waarschijnlijk de veel te hoge werkdruk en bij Monique... Zou het toch iets met dat vriendje te maken hebben? Ze besluit om haar vanavond nog eens te bellen.

Maar na het eten rijdt ze eerst weer naar het ziekenhuis in Amersfoort. Het valt haar tegen dat ze Gerben precies hetzelfde aantreft als eerder die dag. Hij ligt nog steeds achterover in zijn kussens, de ogen gesloten. Ze schrikt er eigenlijk van. 'Gerben?' zegt ze als ze binnenkomt.

Hij doet zijn ogen open en glimlacht mat tegen haar. 'Hallo Rita.'

'Hoe is het, heb je wat gegeten en voel je je wat beter?'

'Ik heb geen trek.' Hij sluit z'n ogen weer.

Rita heeft een stoel onder het bed vandaan getrokken en gaat zitten. 'Je krijgt de groeten van moeder,' zegt ze om de stilte wat op te vullen. 'Ze was ook wel geschrokken, maar gelukkig kon ik haar gelijk geruststellen dat het allemaal meevalt en dat je waarschijnlijk morgen alweer thuiskomt.' Als hij geen antwoord geeft gaat ze verder: 'Van kantoor hebben ze ook nog gebeld, vooral Martine was erg geschrokken, maar ja, zij was natuurlijk ook als eerste bij je toen het gebeurde.'

Als ze weer geen antwoord krijgt, vraagt ze: 'Heb je liever dat ik wegga, Gerben, wil je slapen?'

'Ja, als je 't niet erg vindt, graag. Ik ben moe.'

Even aarzelt ze, dan staat ze op en schuift de stoel weer onder het bed. 'Dan bel ik morgen hier naartoe en hoor ik wel of ik je kan komen halen, goed? Tenslotte kun je thuis ook verder uitrusten, toch?' Ze geeft hem een kus op zijn wang. 'Tot morgen, jongen.'

Hij mompelt wat, maar kijkt haar niet aan. Langzaam loopt ze de deur uit, voor ze de hoek omgaat kijkt ze nog even naar hem om, maar hij ligt nog hetzelfde, de ogen gesloten.

Als ze naar huis rijdt, is ze ongerust. Dit is toch niet gewoon? Als er niets bijzonders aan de hand is, alleen een aanval van hyperventilatie en flauwvallen, dan zou hij nu toch weer gewoon rechtop in bed moeten zitten? Wat zei die arts vanmiddag ook alweer, zijn bloeddruk was te hoog, maar word je daar zo apathisch van?

Als ze thuiskomt zet ze eerst koffie voor zichzelf, dan pakt ze de telefoon om Monique te bellen. Ze betrapt zich erop dat ze daar ook al tegenop ziet, want ook Monique reageert zo vreemd als ze elkaar spreken. Als ze het nummer heeft ingetoetst hoort ze de telefoon zeven, acht keer overgaan voordat Wendy opneemt. Als Rita naar Monique vraagt, hoort ze de aarzeling in de stem van Wendy voordat ze zegt dat Monique er niet is. Of verbeeldt ze zich dat?

'Hoe laat komt ze thuis?' vraagt ze.

'Ik weet het niet.'

'Wil je vragen of ze mij even terugbelt?'

'Ja, natuurlijk, maar ik weet niet hoe laat ze thuiskomt, dus als het erg laat is... Ik zal haar in elk geval de groeten doen. Alles goed bij u?'

Even blijft Rita stil. 'Heb je Monique na vanmiddag nog gesproken?' vraagt ze dan.

'Ja, we hebben samen gegeten.'

'Heeft ze dan niet verteld dat mijn man in het ziekenhuis ligt?'

Nu valt Wendy stil, maar dan zegt ze vlug: 'Ja, ja natuurlijk, dat ver-

gat ik even, stom van me! Hoe is het nu?'
'Wel goed, hoor. Tot ziens, Wendy.' Rita gaat op de bank zitten. Dit is echt te gek voor woorden. Het was heel duidelijk dat Wendy loog en niets wist van de ziekenhuisopname van Gerben. Heeft Monique het niet verteld, of hebben die twee elkaar helemaal niet gesproken? Maar op de een of andere manier wil Wendy Monique de hand boven het hoofd houden. Wat gebeurt er toch allemaal daar in Utrecht? Monique zag er zo slecht uit de laatste keer dat ze haar zag en ook aan de telefoon klonk ze anders, probeerde ze steeds het gesprek zo snel mogelijk te beëindigen. Als Rita terugkijkt, is dat zo vanaf Nieuwjaar, toen Monique terugging naar Utrecht. Ze zal toch niet zwanger zijn? Rita schrikt zelf van die gedachte, maar het kan toch? Wat is die jongen, die Sander, eigenlijk voor iemand? Is het niet vreemd dat Monique, die normaal zo openhartig is, hierover steeds zo geheimzinnig doet? Rita zit te piekeren tot ze opschrikt door het geluid van de telefoon. Het is haar moeder.
'Ha Rita, je bent er weer, hoe was het in het ziekenhuis, weer wat beter?'
'Niet echt, ik vond hem nog wel wat stilletjes, maar dat zal de schrik wel zijn. Misschien mag hij morgen alweer naar huis, zei de dokter.'
'Dat is fijn! Heb je soms zin om een poosje hier te komen of blijf je liever rustig thuis?'
'Nee, het is goed, ik kom naar u toe, hier zit ik toch maar te prakkiseren...' Ze kan het puntje van haar tong wel afbijten, zie je, daar heb je het al. 'Te prakkiseren? Maak je je zoveel zorgen om Gerben dan, of is er wat anders?'
Lastig soms, dat moeder haar zo goed kent, denkt Rita.
'Nee hoor,' zegt ze opgewekter dan ze zich voelt, 'niks aan de hand, u ziet me zo!' Ze sluit de deuren af en stapt in de auto. Even nog vraagt ze zich af of ze niet beter thuis kan blijven om op een telefoontje van Monique te wachten, maar ze weet dat dat geen zin heeft: Monique belt beslist niet vanavond.
Haar moeder heeft al koffiegezet, als Rita binnenkomt staat ze meteen op om in te schenken. Rita is blij dat ze gegaan is, het praten

met haar moeder leidt haar af van al haar zorgelijke gedachten. Eerst praten ze over Gerben, maar daarna over wat dorpsnieuwtjes en andere onbenulligheden. Rita vertelt ook nog wat over het heerlijke weekend dat ze in Parijs hadden. 'Het lijkt nu opeens zo ver weg, terwijl we gisteren pas teruggekomen zijn, raar is dat,' zegt ze. 'Het was voor u zeker wel saai?' Meestal drinken ze zondags na kerktijd koffie bij moeder en anders komt Rita toch zeker op zaterdagmiddag wel even bij haar langs.

'Dat viel wel mee, hoor, mevrouw Schouten is zondagmiddag een poosje geweest, het is toch zo'n lief mens.'

'Mevrouw Schouten?' Vragend kijkt Rita haar moeder aan. 'Wie is dat?'

'Je kent haar toch, die Surinaamse vrouw,' zegt haar moeder verbaasd.

'Heet zij Schouten dan? Ik dacht dat ze Doelwijt heette, Myra heet toch zo?'

'Ja, Myra en haar broertje Jeffrey heten Doelwijt, zij hebben immers een Surinaamse vader, maar na haar scheiding is Lidia later in Nederland getrouwd geweest met een man die Ben Schouten heette. Hij is helaas een paar jaar geleden verongelukt, maar dat zul je wel van Monique gehoord hebben. Hoe is het trouwens met Monique? Anders belt ze nog wel eens, maar de laatste tijd hoor ik niet veel van haar, heeft ze soms een vriendje?' Ze lacht als ze dat laatste vraagt, maar Rita's gezicht betrekt als ze antwoordt: 'Ik weet het niet, wij horen of zien haar de laatste weken ook niet veel. Ze had het pas wel over een jongen, maar meer dan een naam weten we niet van hem.'

'Heet hij soms Sander?'

Verbaasd kijkt Rita haar moeder aan. 'Ja, hoe weet u dat, heeft ze er met u over gesproken?'

'Nee, niet direct, maar als ik bij de familie Schouten ben en de naam van neef Sander valt, krijgt ze een kleur van heb ik jou daar. En Myra maakt ook af en toe een opmerking die te denken geeft, vandaar. Ik heb hem weleens ontmoet, het is een alleraardigste jongen, maar wel...'

'Och heden! Nou, als dat zo is, dan begrijp ik waarom Monique er zo beroerd uitziet en niet echt enthousiast tegen haar vader doet. Ze weet natuurlijk dat Gerben er niet blij mee zal zijn, en dat is nog heel zacht uitgedrukt.' Verslagen kijkt Rita haar moeder aan. 'Dat zal een hoop ellende geven in huis!'

'Tja, als het echt zo is, zal hij er toch aan moeten wennen. Ik begrijp ook niet wat hij tegen die mensen heeft. Maar ja, daar hebben we het al vaker over gehad, misschien dat dat nu een keer boven tafel komt als dit echt door zou gaan. Waarschijnlijk gaat het eigenlijk nergens over, misschien vroeger in z'n jonge jaren eens ruzie gehad met iemand van buitenlandse afkomst of zo. Als hij Sander leert kennen is dat snel genoeg over.'

'Ik hoop het, maar ik moet het allemaal nog zien. Ach, die arme Monique, nu snap ik ook waarom ze zo afstandelijk was tegen Gerben toen we gisteren bij haar waren. Ze keek gewoon langs hem heen. We zullen er heel snel eens over moeten praten, want dit lost natuurlijk niks op. Ze kan hem niet blijven verstoppen.' Rita staat op. 'Ik ga maar eens op huis aan, morgenvroeg kan ik naar het ziekenhuis bellen om te horen of ik hem op mag halen.'

Woensdagochtend om negen uur belt Rita naar het ziekenhuis. Ze wordt doorverbonden met de afdeling waar Gerben ligt. Op haar vraag of ze Gerben al op mag halen, vertelt de verpleegkundige dat de dokter eerst langs moet komen en dat hij de beslissing dan neemt. 'Als u vanmiddag op bezoek komt, weten we waarschijnlijk meer, misschien kan hij dan gelijk met u mee naar huis.'

Als ze tegen twee uur op de afdeling komt, wordt ze opgewacht door een verpleegster. 'Mevrouw Geluk? Heeft u een momentje, de behandelend arts van uw man wil u even spreken. Komt u maar mee.'

De schrik slaat Rita om het hart, wat heeft dit te betekenen? 'Gaat het niet goed met mijn man?' vraagt ze, terwijl ze de verpleegkundige volgt door de gang. Maar ze krijgt geen antwoord.

Ze wordt in een kleine wachtruimte gelaten. 'Een ogenblikje, dokter Spilman komt zo bij u.' De deur gaat weer dicht. Rita is te onrustig om te gaan zitten, ze gaat voor het raam staan zonder echt iets te zien van de kale tuin waarop ze uitkijkt. Gelukkig gaat al heel snel de deur weer open en stapt de arts binnen. Het is dezelfde arts als degene die ze de vorige dag aantrof bij Gerbens bed. Hij geeft haar een hand terwijl hij zegt: 'Gaat u even zitten, schrikt u niet, er is niets ernstigs aan de hand met uw man, maar wel iets vreemds en daar wil ik het met u over hebben.' Hij pauzeert even en gaat dan verder: 'Uw man wil niet naar huis.'

Onderzoekend kijkt hij haar aan en vervolgt: 'Behalve een wat verhoogde bloeddruk hebben we niks verkeerds kunnen ontdekken, maar hij ligt apathisch in z'n bed en zegt dat hij zich te ziek voelt om op te staan. Maar ik krijg sterk de indruk dat er niets lichamelijks aan de hand is. Toen ik zei dat hij rustig thuis verder kan opknappen, smeekte hij me bijna hem niet naar huis te sturen. Hij kon of wilde niet zeggen waarom, maar daarom wilde ik eerst even met u spreken. Is er iets gebeurd thuis waardoor die angst reëel is?'

Rita kijkt hem verbaasd aan, haar mond valt bijna open. 'Hij wil niet naar huis?' herhaalt ze in opperste verbazing. Ze weet gewoon niet wat ze zeggen moet, maar als de arts haar aan blijft kijken zegt ze: 'Ik heb echt geen idee, er is helemaal niks gebeurd. Is hij niet op zijn hoofd gevallen of zo, toen hij flauwviel?'

De dokter schudt zijn hoofd. 'Nee, zoals ik al zei: alles is in orde, lichamelijk dan. Hij mag met u mee naar huis, maar als het problemen blijft geven, zullen we een afspraak maken met de psychiater. Maar misschien is dat niet nodig en kan hij tegen u vertellen wat de reden is van zijn gedrag. Hij is op kantoor onwel geworden, begreep ik, misschien is daar iets gebeurd wat de oorzaak kan zijn?' De arts is opgestaan. 'In elk geval hoeft hij hier niet langer te blijven. Ik loop even met u mee naar zijn kamer.'

Rita knikt maar wat, ze begrijpt er niks van, ze voelt zich totaal overdonderd door de woorden van de arts. Zwijgend loopt ze naast hem door de gang naar de kamer waar Gerben ligt. Als de deur opengaat, ziet ze hem nog precies zo liggen als toen ze de vorige avond wegging. Op zijn rug, de ogen gesloten.

'Zo, meneer Geluk, uw vrouw is er, u mag u aankleden en mee naar huis. U krijgt een recept mee voor medicijnen voor de bloeddruk. Laat dat over een paar weken opnieuw controleren bij uw huisarts, er gaat een brief naar hem toe over wat er gisteren gebeurd is. Het beste ermee.'

Gerben heeft zijn ogen opengedaan en Rita schrikt van de wanhoop in zijn blik, maar ze slaagt erin te glimlachen als ze zegt: 'Hoi. Nou, gelukkig, dat is allemaal meegevallen, hè?' Terwijl de arts hem een hand geeft en zich zonder commentaar af te wachten omdraait en de kamer uit loopt, doet Rita de kast open en pakt Gerbens kleding. 'Ik heb een trui voor je meegenomen en je jack, dan hoef je dat pak niet aan.' Ze draait zich weer om, hij ligt nog steeds stil onder de deken. Ze gaat op de rand van het bed zitten, de trui in haar hand. 'Wat is er toch?' vraagt ze zacht. Hij geeft geen antwoord, kijkt haar alleen maar aan.

'Kom, kleed je aan, dan gaan we naar huis, daar praten we verder.' Eindelijk staat hij op en begint zich aan te kleden, als hij klaar is komt de verpleegkundige weer binnen. 'Mooi, u bent klaar om naar huis te gaan. Hier is een recept, dokter Spilman heeft verteld dat het voor de hoge bloeddruk is, hè? Het beste ermee, en laten we hopen dat we elkaar niet gauw weer zien!' Ze lacht en steekt haar hand uit. 'Dag meneer Geluk, mevrouw Geluk.' Dan lopen ze de gang op en even later zitten ze in de auto. Rita zit achter het stuur en Gerben zit ineengedoken naast haar. Hij zegt onderweg niks.

Rita zegt of vraagt ook niks. Pas als ze thuis zijn, de auto in de garage staat en ze hun jas uit hebben gedaan, verbreekt ze de stilte. 'Wil je wat eten of drinken?' Hij schudt zijn hoofd en gaat op de bank zitten, maar kijkt haar niet aan.

Rita gaat ook zitten en kijkt naar hem. 'We moeten praten, Gerben, wat is er aan de hand, is er op kantoor iets gebeurd?'

Nu kijkt hij haar wel aan. Vermoeid zegt hij: 'Ja, we moeten praten, Rita, maar vandaag niet. Laat me alsjeblieft, ik ben zo moe.' Rita weet niet wat ze ermee aan moet. Even blijft ze besluiteloos zitten, dan zegt ze: 'Ik zal Monique bellen om te zeggen dat je weer thuis bent, stel dat ze helemaal voor niks naar het ziekenhuis reist om bij je op bezoek te gaan.' Zonder antwoord af te wachten staat ze op en pakt de telefoon. Het duurt lang, maar eindelijk neemt Monique op.

'Hoi, met mamma, ik wilde je even vertellen dat pappa alweer thuis is, gelukkig is het allemaal meegevallen. Hoe is het met jou?'

'Goed hoor. Mam, nu ik je toch spreek, aanstaand weekend blijf ik in Utrecht, ik heb afgesproken met wat mensen hier.'

'O...' Rita valt even stil, maar dan zegt ze: 'Ik dacht dat je wel even bij pappa zou komen kijken?' Het klinkt een beetje verwijtend, dat hoort ze zelf.

'Het gaat toch weer goed? Ik zie hem een andere keer wel...'

'Wil je hem anders nu even spreken? Wacht maar, ik geef hem wel even...'

'Nee mam, laat maar, ik moet ophangen. Doe hem de groeten maar.' Voor Rita kan reageren heeft Monique de verbinding al verbroken. Langzaam legt ook Rita neer, dan draait ze zich om en loopt naar Gerben. 'Het heeft met Monique te maken, hè?' vraagt ze. 'En met haar vriendje zeker.' Dat laatste is geen vraag maar een vaststelling.

Gerben zit met zijn handen voor zijn gezicht. 'Goed,' zegt hij, 'je wilt de waarheid, hè, nou, hier is de waarheid...' Even aarzelt hij nog, dan gaat hij verder: 'Ja, Monique had een vriend, Sander. Ik zeg: had, want ze zijn erachter gekomen dat Sander haar halfbroer is...'

'Haar halfbroer is...?' zegt Rita niet-begrijpend. Ze is midden in de kamer blijven staan.

Nu kijkt hij haar vol aan. 'Ja, Sander is mijn zoon, de zoon van mij en een Surinaams meisje, Maria, de vriendin van Gijs.' Hij slaat zijn blik weer neer, hij wil haar schrik en pijn niet zien.

Rita is neergezakt op de punt van een stoel. De woorden willen niet doordringen in haar hoofd, het lijkt of ze opeens midden in een absurde droom terecht is gekomen. 'De vriendin van Gijs... jouw zoon... Ik begrijp het niet.' Verwezen kijkt ze hem aan.

'Zo moeilijk is dat niet te begrijpen, dacht ik. Ik heb op Aruba een kind verwekt bij Maria, maar ik zweer je, Rita, ik wist het niet!'

'Je wist het niet? Je sliep terwijl je bij haar in bed kroop? Laat me niet lachen!' Haar stem klinkt schril. 'Of was je dronken?' Ze begint hysterisch te lachen. 'Je wist het niet!' zegt ze nog eens.

'Dat wist ik wel, dat we... Maar ik wist niet dat ze zwanger was, echt niet.'

'Maakt dat wat uit? Als ze niet zwanger was geworden, was het dan minder erg geweest? We waren verloofd, Gerben, en al die jaren heb je gewoon verder geleefd, ben je rustig met me getrouwd, heb je me niks verteld. Ja, jammer dat er nu een kind blijkt te zijn, anders was het niet erg geweest? Je hebt me bedrogen, ons hele huwelijk heb je me bedrogen!' Ze staart hem met droge ogen aan, dan begint ze opnieuw hysterisch te lachen. 'Vertel eens, met wie ben je nog meer naar bed geweest? Misschien kun je dat ook beter maar gelijk vertellen, dan hoef je niet te wachten tot er weer een kind opduikt.' Ze is gaan staan, maar dan laat ze zich weer zakken op de stoel. 'Arme Monique, arm kind!' Nu pas dringt tot haar door wat Gerben over Sander zei met betrekking tot Monique. Ze zit daar maar en kijkt naar hem, ze zegt niks meer. Langzaam lopen de tranen over haar wangen. 'Rita, het spijt me zo...'

'Ga weg, o, ga alsjeblieft weg!' Ze fluistert. En als hij blijft zitten staat ze zelf op en loopt langzaam de kamer uit. Even later hoort hij de garagedeur opengaan en haar wegrijden.

Hij blijft achter, doodstil zit hij op de bank. Eindelijk, eindelijk is hij van zijn geheim bevrijd, maar het lucht niet op, integendeel.

Rita heeft maar één gedachte: ze moet naar haar dochter. Ze is zomaar in de auto gestapt, ze heeft niks bij zich, zelfs geen jas aan. Ze rilt als ze de snelweg op rijdt, automatisch zet ze de autoverwarming hoger. Het begint al donker te worden als ze Utrecht binnenrijdt. Pas als ze de wijk nadert waar Monique woont, gaat ze wat langzamer rijden. Als Monique er maar is, als ze maar opendoet. Wat moet ze anders? Ze gaat zeker niet terug naar huis, nou ja, eerst maar kijken.

Als ze heeft aangebeld, wordt de deur opengedaan door Wendy.

'Is Monique er?'

'Mevrouw Geluk!' zegt Wendy verbaasd. 'Komt u binnen, Monique is op haar slaapkamer.'

Monique heeft haar moeders stem herkend. Ze komt de gang in, er ligt een afwerende trek op haar gezicht. 'Sorry mam, je hoeft me echt niet te komen halen, het gaat toch weer goed met pappa?'

'Ach meisje!' Rita slaat haar armen om haar dochter heen en wiegt haar heen en weer alsof ze nog een peuter was. Ze ziet over de schouder van Monique dat Wendy de gang uit loopt naar haar eigen kamer en de deur achter zich sluit.

'Pappa heeft het verteld,' zegt ze gesmoord in Moniques haar. 'Ik vind het zo vreselijk voor je.'

Nu begint Monique te huilen. Ze trekt haar moeder mee naar haar slaapkamer. Samen gaan ze op het bed zitten, de armen om elkaar heen.

'Ik vind het ook zo vreselijk voor jou, mam,' snikt Monique. 'Hoe kon pappa dat toch doen? Jullie waren al verloofd! Hoe kun je hem ooit nog vertrouwen?'

Rita geeft geen antwoord, ze streelt zachtjes over Moniques haren. Monique snikt: 'Ik hield van Sander, het was zo anders dan bij andere jongens, het voelde zo vertrouwd, zo goed... en nu...'

'Ach, meisje van me...' Stil zitten ze een hele poos naast elkaar. Langzaam bedaart het snikken van Monique. Rita voelt zich vreemd rustig, ze wil sterk zijn voor haar kind, zij heeft haar nu nodig. Haar eigen pijn komt nog wel, daar is later tijd voor. Haar hoofd kan het nauwelijks allemaal bevatten.

'Hoe lang weet je het al?' vraagt ze ten slotte. 'Had me toch eerder in vertrouwen genomen, lieverd!'

'Sinds twee weken. Maar mam, ik kón het niet tegen je zeggen, ik kon het gewoon niet! Hoe ben je erachter gekomen, heeft pappa het verteld? Sander is gisteren bij hem op kantoor geweest, hè?'

'O, was dat het? Ja, nu begrijp ik het allemaal, daarom is hij natuurlijk ingestort. Ach, die jongen, hij kan er ook niks aan doen. Heeft hij familie hier in Nederland, woont zijn moeder hier soms?' Bij die laatste vraag gaat Rita rechtop zitten. Heeft Gerben nog steeds contact met die vrouw?

Maar Monique schudt het hoofd. 'Nee, zijn moeder is vorig voorjaar overleden, zij woonde in Suriname. Hij heeft wel een oom en tante in Amsterdam en dan natuurlijk Lidia en de kinderen. Lidia is een zus van zijn moeder.'

'Daarom heeft pappa zo'n hekel aan hen, dan moet hij toch iets geweten of in elk geval vermoed hebben. Hij zei net tegen mij dat hij niet wist van het bestaan van een zoon, maar ook dat vraag ik me nu af. Ach kind, laat ook maar, dat zijn mijn problemen.'

Monique pakt de hand van haar moeder. 'Het is ons gezamenlijk probleem, denk ik, mam, het is voor jou minstens even erg als voor mij. Tussen Sander en mij begon het nog maar net, maar jullie...' Ze begint weer te huilen en ook Rita voelt de tranen langs haar wangen glijden. In de kamer ernaast horen ze Wendy rommelen, dan roept ze door de dichte deur: 'Moon, ik ga weg, hoor, ik zie je straks of morgen wel weer. Dag mevrouw Geluk.'

'Ja, daag!'

'Weet Wendy er vanaf?' vraagt Rita als de voordeur is dichtgevallen.

'Nee, ik schaamde me zo voor pappa. Myra weet het ook niet, ik heb hun alleen verteld dat het uit is tussen Sander en mij. En Sander heeft ook niks verteld, dat weet ik zeker.'

Sander... Rita heeft een raar gevoel als ze aan die jongen denkt. Het kind van Gerben. Vorig jaar stond hij aan de deur op zoek naar Guus Geluk. Wie was dat dan?

'Weet jij inmiddels wie Guus Geluk is?' vraagt ze.

'Pappa werd zo genoemd op Aruba, heb je die brieven niet gelezen die je bij opa had meegenomen?'

'Nee, niet echt, zo hier en daar een stukje. Maar nu weet ik het weer, stom dat ik dat niet eerder bedacht had, hij heeft het mij toen ook wel eens geschreven.'

Ze ziet zichzelf weer naar boven lopen en aan Gerben vragen, die net wilde gaan douchen, of hij in zijn familie iemand kende met de voornaam Guus. En Gerbens ontkenning: nee, nooit van gehoord! Opeens vallen er een heleboel puzzelstukjes op hun plaats: vanaf die tijd is Gerben ook veranderd, onrustig geworden, slecht gaan slapen. Geen wonder, de waarheid begon de leugen in te halen. Wat zou hij gedaan hebben als Sander niet langs was gekomen, op zoek naar zijn vader? Nee, dan zou ze het waarschijnlijk nooit gehoord hebben. Ze voelt woede in zich opkomen, een woede groter dan haar verdriet. Wat zou er gebeurd zijn als de verkering van Sander en Monique verder was gegaan, als die twee verdergegaan zouden zijn dan een kus? Of zouden ze...

'Monique, jij en Sander, jullie hebben toch niet...?'

'Mam! Wat denk je nou van me? We kenden elkaar pas een paar maanden. Weet je, ik vind het idee dat we gezoend hebben al raar, het idee, zo zoenen met je broer. Net of ik iets heel smerigs heb gedaan... Maar intussen voelt hij nog steeds absoluut niet als mijn broer, of halfbroer. Ik ben zo in de war! Ik weet echt niet hoe ik verder moet, wat ik met die gevoelens moet. En pappa, hoe kan ik pappa ooit weer gewoon aankijken? Ik ben zo kwaad op hem! Maar dat is voor jou natuurlijk nog veel erger, wat zit ik toch over mezelf te zeuren! Mam, hoe moet het nou verder met jullie?'

'Ik weet het niet.' Rita zit stil voor zich uit te kijken. 'Het komt wel weer goed, maak jij je daar maar geen zorgen over, je hebt genoeg aan jezelf. Mag ik vannacht bij jou blijven slapen? Ik ben te moe om nog naar huis te rijden. Nu komt je extra kamertje weer mooi van pas.'

'Ja, natuurlijk, ik smeer een paar boterhammen voor ons, goed? Of wil je warm eten, dan maak ik wat, hoor.'

'Nee, twee boterhammen is prima.'

Na het eten zitten ze samen in de woonkamer. Monique heeft de tv aangezet, maar geen van beiden zijn met hun gedachten bij het programma. Af en toe zegt een van hen iets, steeds over hetzelfde onderwerp: pappa en Sander. Om negen uur zegt Rita: 'Ik ga naar bed als je het niet erg vindt, ik ben zo moe.'

Monique loopt met haar mee naar het kleine slaapkamertje en pakt een schoon hoeslaken. 'Red je het zo? Er ligt wel een nieuwe tandenborstel in het laatje van de badkamerkast. De rest kun je van mij gebruiken.'

'Goed hoor, jij ook lekker slapen. Hoe laat moet je morgen naar college? Gewoon gaan, hoor, je moet verder! En ik ga morgen weer naar huis.' Rita geeft Monique een stevige knuffel.

'Ik ben zo blij dat je er bent, mam, en dat we erover gepraat hebben.'

'Ik ook, Moniki,' zegt Rita met het troetelnaampje van toen Monique klein was. 'Welterusten en laten we niet vergeten te bidden om een oplossing.'

Monique knikt, dan doet ze de deur achter zich dicht.

Rita ligt in het donker te staren, uur na uur. De mooie woorden die ze tegen haar dochter heeft gezegd, gelden niet voor haar. 'Het komt wel weer goed,' zei ze tegen Monique en: 'Vergeet niet te bidden.' Bidden? Ze voelt alleen maar bitterheid! En: het komt wel weer goed? Dit kan nooit meer goed komen, haar hele huwelijk is op een leugen gebaseerd. Ze denkt aan hun eerste huwelijksnacht. Ze dacht dat het voor hun allebei de eerste keer was, maar dat was dus niet zo. Zou Gerben op dat moment gedacht hebben aan die andere keer of misschien zelfs wel keren? Zou hij haar vergeleken hebben met dat andere meisje? Ho, stop! Ze wil die dingen niet bedenken! Allerlei momenten van hun leven samen gaan door haar hoofd. Nog maar een paar dagen geleden het weekend samen in Parijs, hun gesprekken van die laatste week. 'We kunnen elkaar alles vertellen, we hebben toch geen geheimen voor elkaar?' Al die dingen gaan door haar heen, ze kan het niet stopzetten. Heel even denkt ze: Hoe zou het nu met Gerben zijn, zit hij nog op de bank? Of ligt hij lekker ontspannen te slapen, alleen in hun bed, dromend van Maria? Ze gaat rechtop zitten, ze wíl niet meer denken, maar het maalt maar door in haar hoofd. Ze hoort Wendy thuiskomen en zachtjes van de badkamer naar haar slaapkamer gaan. Het wordt weer stil in huis, maar de slaap komt niet.

Ook Monique ligt lang wakker. Ze is wel blij dat haar moeder er is, dat ze het eindelijk met iemand kon delen, al haar pijn, haar boosheid. Tegelijk is ze bezorgd om haar moeder, hoe moet het nu verder? Zullen zij en pappa gaan scheiden? Eigenlijk wil ze dat toch ook niet, o, wat is het ingewikkeld allemaal. Ze is zo kwaad op haar vader, het is allemaal zijn schuld! Hij heeft zoveel kapotgemaakt, eerst bij Maria en Gijs en nu bij Sander en haar en ook bij mamma. 'Laten we niet vergeten te bidden,' zei mamma. In het donker schudt ze haar hoofd. Bidden! 'God,' mompelt ze half hardop, 'het is zo'n puinhoop, wat moet ik ermee en waarom laat U dat gebeuren?' Wat heeft het voor zin om te bidden? Al die dingen zijn nu toch al gebeurd, wat zou Hij er nog aan kunnen doen? Ze draait zich om en om, ook zij hoort Wendy thuiskomen, maar dan valt ze toch in slaap.

Gerben is achtergebleven op de bank, als verdoofd zit hij daar. Hij beseft dat zijn huwelijk voorbij is, zijn gezin kapot. Niet in de eerste plaats door die ene keer van ontrouw, ruim twintig jaar geleden, maar vooral door al die jaren van zwijgen daarover. Hij had het niet moeten opbiechten bij zijn schoonvader maar bij Rita, nog voor hun trouwen. Misschien had ze dan hun verloving verbroken, misschien ook niet, maar in elk geval zouden ze eerlijk aan de toekomst begonnen zijn. Hij denkt aan al die gemiste kansen, al die keren dat hij het alsnog had kunnen vertellen, hoe moeilijk en pijnlijk dat ook geweest zou zijn. Maar hij heeft het niet gedaan. Pas nu, nu het is uitgekomen, heeft hij Rita de waarheid verteld. En hij beseft dat ze hem dat het meest zal kwalijk nemen. Want ze heeft gelijk, als Sander niet op zoek naar hem was gegaan en hier in het dorp was opgedoken, had hij het vast nooit tegen Rita verteld.

Sander, zijn zoon... Dat is ook zo'n vreemde gedachte, hoewel, als hij eerlijk is, is hij vanaf het eerste moment dat de jongen aan de deur stond, daar bang voor geweest. Toch dacht hij toen nog dat het wellicht de zoon van Gijs zou kunnen zijn. Hoewel hij de brief nog niet heeft gelezen, twijfelt hij daar nu niet meer aan, de geboortedatum van Sander zegt genoeg. Een zoon... ja, die had hij altijd graag willen hebben, maar niet op deze manier.

Hij heeft een dochter, Monique. Maar hij is ook haar waarschijnlijk voorgoed kwijt, want zal ze hem ooit kunnen vergeven wat haar door zijn schuld is aangedaan? Langzaam voelt hij tranen uit zijn ogen druppen. Hij kan zich niet herinneren wanneer hij voor het laatst gehuild heeft. Hij verbergt zijn gezicht in zijn handen en zit daar tot de kamer in donker is gehuld. Ten slotte gaat hij liggen, zijn schoenen schopt hij uit. Zo ligt hij op de bank terwijl de nacht komt en de gedachten door zijn hoofd blijven malen. Hij had een vriend, een vrouw, een zoon en een dochter. Nu heeft hij niks meer.

Tegen de ochtend wordt hij wakker. Even begrijpt hij niet waar hij is, dan dringt de werkelijkheid weer tot hem door. Ondanks dat de verwarming aanstaat, is hij koud en vooral stijf geworden van het liggen op de bank. Hij gaat zitten en wrijft over zijn gezicht. Wat moet hij nu doen, en waar is Rita? Waarschijnlijk is ze naar Utrecht gereden, naar Monique. Zal ze straks terugkomen en wat dan? Hij knipt een schemerlamp aan en kijkt op zijn horloge, het is tien voor halfzeven. Met stijve passen loopt hij de kamer uit, de trap op. Hij kleedt zich uit en gaat onder de warme straal van de douche staan, terwijl hij probeert na te denken. Rita heeft niets meegenomen, dus ongetwijfeld komt ze zo meteen naar huis. Opeens bevangt een gevoel van paniek hem. Hij kan haar niet onder ogen komen! Hij draait de kraan dicht en droogt zich af. Als hij zich heeft aangekleed, gaat hij naar beneden en in de keuken zet hij koffie. Hij smeert een paar boterhammen en als hij begint te eten, merkt hij dat hij trek heeft. De afgelopen dagen heeft hij ook nauwelijks iets gegeten.

Om kwart over zeven trekt hij de deur achter zich dicht, maar pas dan ontdekt hij dat zijn auto natuurlijk nog bij kantoor staat. Rita is met haar eigen wagentje weggereden, dus er zit niets anders op dan de fiets te pakken. Als hij de fiets naar buiten heeft gereden, bedenkt hij zich en gaat terug naar binnen. Met grote sprongen neemt hij de trap en boven propt hij snel wat kleren en toiletartikelen in een kleine koffer. Dan gaat hij opnieuw naar buiten, doet het koffertje onder de snelbinders van de fiets en rijdt weg. Als hij om iets over halfacht op kantoor komt, is er gelukkig nog niemand. Hij loopt naar zijn kamer en zet het koffertje onder zijn bureau.

Even aarzelt hij, dan zoekt hij de envelop die Sander hem twee dagen eerder gegeven heeft. Hij haalt de velletjes eruit en zijn ogen vliegen langs de regels. Als hij alles gelezen heeft, leunt hij stil achterover en beseft dat hij niet alleen de levens van zijn vrouw en dochter verwoest heeft, maar ook die van Maria en Gijsbert. Hij slaat de handen voor het

gezicht en kreunt: 'O God! Wat heb ik allemaal gedaan?'
Dan hoort hij een tikje tegen de deur. Martine kijkt om de hoek. 'Bent u er alweer?' vraagt ze verbaasd, om dan bezorgd verder te gaan: 'Gaat het wel goed?'
Hij haalt zijn handen weg en probeert te glimlachen: 'Ja, ik ben nog een beetje moe, maar van thuiszitten knapt niemand op, ik ga vandaag weer rustig een beetje opbouwen. Ik wil geen afspraken en laat me maar een beetje met rust, als ik je nodig heb, hoor je het wel.'
'Prima, alle afspraken had ik natuurlijk toch al afgebeld, we hadden u niet zo snel terugverwacht.' De deur gaat achter haar dicht. Hij blijft stil zitten. Wat nu, hoe nu verder? Dat zijn de enige vragen die hem de hele dag bezighouden. De tijd kruipt voorbij, tussen de middag vraagt hij Martine een broodje voor hem te halen in de kantine, verder ziet hij de hele dag niemand. Maar of hij wil of niet, de tijd gaat verder en tegen vijf uur begrijpt hij dat hij toch een beslissing moet nemen, hij kan hier niet de hele dag blijven zitten. Naar huis gaan, de eventuele confrontatie met Rita aangaan? Of zal ze er niet zijn? De andere mogelijkheid is om naar een hotel te gaan, maar eens zal hij toch naar huis moeten, dingen moeten regelen. Tegen zes uur staat hij eindelijk op, het koffertje laat hij onder zijn bureau staan.
Buiten is het donker en koud. Hij loopt de bijna lege parkeerplaats op tot hij opeens bedenkt dat hij geen autosleutels bij zich heeft. Waar zijn die eigenlijk gebleven eergisteren? Liggen ze nog op zijn kantoor? Hij heeft geen zin om weer langs de portier te lopen, daarom loopt hij weer terug naar de fietsenstalling. Ook daar is het bijna leeg, alleen zijn fiets staat er als symbool van eenzaamheid.
Langzaam trapt hij naar de Austerlitzlaan. Als hij vlak bij zijn huis komt, ziet hij dat er licht brandt. Rita's auto staat op de oprit. De overgordijnen zijn niet gesloten. Hij ziet haar aan tafel zitten, ze staart naar een punt dat hij niet kan zien. Zelfs vanaf buiten door het raam kan hij zien hoe verdrietig ze eruitziet. Het schuldgevoel trekt als een vloedgolf over hem heen. Hij zet zijn fiets neer en aarzelt, hij durft bijna niet naar binnen te gaan. Hoe langer hij daar staat, hoe moeilijker het wordt. Hij rilt. Dan steekt hij eindelijk zijn hand met de sleutel uit,

doet de deur open en gaat naar binnen. Met zijn jas aan loopt hij de kamer in. Ze kijkt even op, dan wendt ze haar blik af en staat op. 'Er staat eten voor je in de magnetron, ik ga naar mijn moeder.'

'Rita, ik wil graag met je praten, ik...'

'Nee, nu wil ík niet meer praten, je hebt ruim twintig jaar de tijd gehad om te praten.'

'Rita...'

Maar ze is de kamer al uit en even later ziet hij de achterlichten van haar auto verdwijnen in het donker. Hij doet zijn jas uit en loopt naar de keuken, ondanks alles voelt hij dat zijn maag knort. Er staat een schaal spaghetti met tomatensaus in de magnetron. Hij warmt het op en aan de keukentafel eet hij de schaal leeg. Als hij daarna naar boven loopt om zijn pak te verwisselen voor een gemakkelijke trui, ziet hij dat er iets veranderd is in hun slaapkamer. Op het bed ligt nog maar één kussen en als hij de kledingkast opendoet, ziet hij ook hier direct de verandering: alle kleding van Rita is weg. Hij loopt de overloop op, de deur van de logeerkamer staat open, het bed is opgemaakt en op het kussen ligt Rita's nachthemd. Langzaam loopt hij de trap af, hij neemt wat te drinken en gaat dan weer naar boven, naar zijn studeerkamer. Rita is nog steeds niet thuis, ook niet als hij zich om elf uur uitkleedt en alleen in het brede bed gaat liggen. Pas een halfuur later hoort hij de auto weer het pad op rijden. Als hij de volgende ochtend naar kantoor gaat, is alles boven nog stil.

Als hij die middag naar huis rijdt, heeft hij zich vast voorgenomen om met Rita te praten. Hij weet niet wat hij wil zeggen, maar zo kan het niet verder. Maar als hij bij zijn huis aankomt, ziet alles er verlaten uit. Rita's auto is weg en binnen is alles donker. Op de eettafel ligt een briefje: *Ik ben het weekend bij Monique.* Meer staat er niet op.

Eigenlijk is hij blij met dit uitstel. Hij kijkt in de magnetron, maar vandaag staat er niets voor hem klaar. Hij bakt een paar eieren en smeert drie boterhammen. Wat nu? En hoe moet dit verder? Langzaam loopt hij de trap op en gaat boven achter zijn bureau zitten. Werken is nog altijd de beste afleiding voor hem geweest in allerlei situaties. Maar hij merkt dat hij zich slecht kan concentreren. Om halftien gaat hij naar beneden en maakt een fles wijn open, maar als ruim een uur later de fles voor het grootste gedeelte leeg is, heeft Gerben nog steeds geen rust gevonden. Hij gaat naar bed, maar slaapt slecht. De volgende dag wordt hij wakker met hoofdpijn, maar ook met een plan voor de komende tijd. Bijna opgelucht stapt hij uit bed, neemt een douche, kleedt zich aan en rijdt al vroeg naar kantoor. Er moet vandaag heel wat geregeld worden, ook al is het zaterdag.

12

RITA IS VRIJDAGMIDDAG AL BIJTIJDS NAAR UTRECHT GEREDEN. VAN TEVOren heeft ze Monique gebeld om te vragen of ze het goedvond dat ze een paar dagen kwam. Monique had blij gereageerd. 'Juist fijn, mam!' Maar toen had ze er wat minder enthousiast achteraan gezegd: 'Het gaat dus helemaal niet goed bij jullie.'
'Ach, dat heeft allemaal even tijd nodig.' Rita heeft geprobeerd haar stem luchtig te laten klinken, maar of Monique daar intrapt?
Om halfvier zet ze haar auto op de parkeerplaats. Haar koffertje laat ze nog maar even in de auto staan, straks als Wendy weg is pakt ze dat wel. Op deze manier hoopt ze dat het onopgemerkt blijft dat zij het hele weekend hier in Utrecht zal zijn. Want natuurlijk zal dat vragen oproepen bij Wendy en liever wil ze die voorkomen. Hoewel, het is een slimme meid, ze heeft waarschijnlijk al een heleboel door. Rita zucht, ze hoopt maar dat Wendy thuis niet te veel loslaat, want dat is het nadeel van wonen in zo'n klein dorp: iedereen weet bijna alles van iedereen en soms is dat niet echt handig.
Maar Wendy schijnt niets in de gaten te hebben, of ze doet alsof. Ze staat op het punt om naar haar ouders te gaan. 'Nou, gezellige dag verder samen,' zegt ze, 'en tot ziens maar weer. Rijd jij vanavond met je moeder mee naar huis of blijf je hier?' vraagt ze Monique.
'Ik zie nog wel, als je niks hoort blijf ik hier, dan zie ik je maandag wel.'
Het blijft even stil als Wendy de deur uit is gegaan, dan vraagt Monique: 'Hoe is het, mam, en hoe gaat het... thuis?'
Opnieuw forceert Rita een kleine glimlach als ze zegt: 'Met mij gaat het goed, hoor, natuurlijk ben ik ook in de war, maar dat komt allemaal wel weer goed, maak je over mij maar geen zorgen. Maar hoe is het met jou, gaat het een beetje?'
Monique haalt haar schouders op. 'Het zal wel moeten. Maar mam, je hoeft voor mij echt niet zo flink te doen, ik snap heus wel dat het tussen pappa en jou helemaal mis is, anders zou je hier niet zijn.'
'Nou, helemaal mis,' probeert Rita het nog wat af te zwakken,

'natuurlijk hebben ook wij tijd nodig de dingen op een rijtje te krijgen, daar heb je wel gelijk in. Heb je nog wat van Sander gehoord?' vraagt ze dan voorzichtig.

Monique schudt haar hoofd. 'Nee, ik hoor wel via Myra dat hij zich helemaal op zijn studie gooit, hij wil zo snel mogelijk terug naar Suriname.'

'Is hij dan al bijna klaar met zijn opleiding?'

'Nee, maar hij probeert het laatste anderhalf jaar nu in één jaar te doen, zodat hij eerder terug kan.'

Rita ziet het verdriet in haar ogen. 'Meisje toch,' zegt ze, ze slaat haar armen om Monique heen. Even staan ze zo, dan zegt Rita: 'Wij gaan hier niet de hele dag zitten treuren. Om te beginnen gaan we vanavond samen uit eten, jij weet vast wel een leuk restaurantje. En morgen zien we wel weer wat we doen, goed?'

Het kost Rita een bijna onmenselijke inspanning om deze dagen door te komen met een rustige glimlach op haar gezicht, maar het is het waard. Ze merkt dat Monique ervan opknapt om samen gezellige dingen te doen. Eigenlijk is ze verbaasd hoe veerkrachtig haar dochter is. Hoewel ook zij soms opeens even kan inzakken, ziet ze dat ze over het algemeen lijkt te genieten van de dingen die ze ondernemen. Als ze zondagavond samen in de kamer zitten, worden ze beiden stiller. Rita tobt over de week die voor haar ligt. Ze kan toch niet elke dag naar haar moeder gaan? Ze heeft donderdag wel verteld dat Gerben en zij wat problemen hadden, maar ze was niet in details getreden en haar moeder had ook niks gevraagd. Maar zoiets kan ze natuurlijk geen weken volhouden.

Monique is ook stil, ze piekert over Sander en ook over haar vader. 'Mam,' zegt ze aarzelend, 'het is zo gek, ik ben hartstikke boos op pappa, maar ik vind het ook een soort zielig voor hem. Hoe moet dat nou verder met jullie, gaan jullie uit elkaar?'

Rita pakt de hand van haar dochter. 'Ik weet het niet,' zegt ze dan eerlijk, 'ik weet het echt allemaal niet.' Weer blijft het stil, dan vraagt Monique: 'Heb je een hekel aan Sander?'

'Een hekel aan Sander?' vraagt Rita verbaasd. 'Nee, eigenlijk niet.

Misschien wel aan zijn moeder, maar zij leeft niet meer, begreep ik. Met hem heb ik alleen maar medelijden, tenslotte heeft hij er niet om gevraagd om op deze manier op de wereld gezet te worden. Hoewel ik het eerlijk gezegd wel moeilijk vind dat hij er is. Maar dat is heel iets anders dan een hekel aan hem persoonlijk te hebben.'

'Ik heb een brief van zijn moeder gelezen, mam, zij... zij wilde het eigenlijk ook niet, ze hadden allebei wat te veel gedronken en waren eenzaam, ze...'

Rita steekt haar hand op. 'Ik wil het niet horen, Monique, ik wil het niet horen!' Haar stem klinkt schril.

'Sorry.' Verschrikt schuift Monique wat verder van Rita af. 'Sorry, mam, ik weet het ook allemaal niet, mijn gevoel is zo dubbel.'

Nu slaat Rita haar arm weer om de schouder van Monique. 'Het is ook allemaal verwarrend. Laten we zo maar gaan slapen. Ik ga morgen weer naar huis en dan zal er toch gepraat moeten worden tussen pappa en mij. Probeer jij je niet te veel zorgen te maken over ons, in elk huwelijk kunnen dingen gebeuren en hier moeten wij zelf uitkomen. Jij hebt genoeg aan jezelf, probeer flink te zijn, Monique, ga weer stevig aan je studie, neem wat dat betreft een voorbeeld aan Sander. Je kunt het, je bent een sterke meid!'

Dan moeten ze toch allebei weer huilen.

Als Rita om halftien haar huis binnenstapt, ziet ze in één oogopslag dat alles er netjes uitziet. Het aanrecht is leeg en de vaatwasser is uitgeruimd. Langzaam loopt ze de trap op met haar koffertje in de hand. Gelijk maar een was aanzetten, denkt ze, Gerben zal ook wel het een en ander in de wasmand gedeponeerd hebben. Maar als ze in de badkamer komt, treft ze een vrijwel lege wasmand aan. Ze loopt naar hun slaapkamer, op het bed staat een grote koffer. Hij is opengeklapt en bijna helemaal vol met kleding van Gerben. Stil blijft ze staan, haar hand gaat naar haar keel. Hij gaat weg! Wil ze dat echt? Keurige stapeltjes overhemden liggen naast ondergoed en sokken. Broeken, jasjes en een paar truien, hij gaat zo te zien niet voor een of twee dagen op reis. Langzaam loopt ze de kamer weer uit. Misschien is het beter zo. Toch voelt ze zich niet opgelucht. Is dit het einde van hun huwelijk?

Ze maakt haar eigen kleine koffer leeg, gooit wat ondergoed in de wasmand, zet haar tandenborstel in de badkamer en legt wat andere dingen over de stoel in de logeerkamer. Als Gerben weg is, kan ze weer terug naar haar eigen bed, denkt ze automatisch.

Dan hoort ze beneden een deur opengaan. Ze blijft stilstaan op de overloop en kijkt langs de trap naar beneden. Daar komt Gerben. Met grote stappen neemt hij de trap, dan staan ze tegenover elkaar. Hij is duidelijk verrast dat ze er al is.

'Ik ga op reis,' zegt hij.

'Dat zie ik.' Ze vraagt niet waar hij naartoe gaat, ze kijkt langs hem heen.

'Ik moet nodig eens naar de kantoren in Keulen en Stockholm.'

Ze knikt, nu kijkt ze hem aan: 'Hoelang blijf je weg?'

'Zo lang als jij wilt.'

Ze knikt. 'En dan?'

'Ik weet het niet, Rita. Ik denk dat het goed is dat jij tijd krijgt om alles op een rijtje te zetten, om te kijken hoe jij verder wilt.' En zachter gaat hij verder: 'En of je nog verder wilt.'

Ze zwijgt, stil staat ze voor hem.

'Rita, het spijt me zo vreselijk, ik...'

'Dat het uitgekomen is? Deze discussie hebben we al eerder gehad. Je hebt gelijk, Gerben, ik heb tijd nodig, het is goed dat je gaat.' Ze loopt langs hem heen, de trap af. Even later hoort ze hem naar beneden komen. Daar staat hij, de zware koffer naast hem op de grond, zijn jas over zijn arm.

'Dan ga ik maar,' zegt hij.

Ze knikt, 'Ja, goeie reis.'

'Ik bel je, doe de groeten aan Monique, zeg haar... Ach, laat ook maar.' Hij draait zich om en loopt naar de deur, de koffer aan zijn hand.

Haar hart knijpt samen, ze voelt de tranen in haar ogen. Moet haar huwelijk nu zo eindigen? Maar tegelijk ziet ze de beelden van Gerben en een mooi donker meisje; van de jongen Sander en van het verdrietige gezicht van Monique. Ze haalt diep adem, dan zegt ze, voor hij de deur achter zich dichttrekt: 'Gerben, één vraag: waarom heb je het niet eerder verteld?'

Even twijfelt hij, dan zegt hij met de rug naar haar toe: 'Ik had je vader beloofd te zwijgen.'

'Mijn vader! Hoe wist hij het dan?'

Hij zet de koffer weer neer en draait zijn hoofd om: 'Ik had zo'n spijt, ik durfde het jou niet te vertellen maar biechtte het direct op aan je vader toen ik thuiskwam van Aruba. Hij liet me beloven het nooit aan jou te vertellen.'

'Wat een slap excuus!'

'Je hebt gelijk.' Hij draait zich weer om en pakt de koffer. Zonder verder nog iets te zeggen loopt hij naar buiten, de deur valt achter hem dicht.

Rita loopt langzaam naar boven, in haar slaapkamer is geen enkel spoor meer van Gerben. Ze haalt haar eigen kussen vanuit de logeerkamer en legt het weer op bed. Dan laat ze zich languit op het dekbed vallen en ze huilt zoals ze al deze dagen nog niet gehuild heeft.

De volgende dagen heeft ze het gevoel dat ze in een soort vacuüm leeft. Ze ligt 's morgens lang op bed en als ze eindelijk opstaat komt er de hele dag niets uit haar handen. 's Avonds blijft ze lang beneden zitten, omdat ze opziet tegen de nacht. Af en toe rijdt ze naar haar moeder, aan wie ze verteld heeft dat Gerben voor een paar weken naar de buitenlandse kantoren is gegaan. Haar moeder heeft niet laten merken of ze doorhad dat er meer aan de hand was dan een gewoon werkbezoek, wel heeft ze een keer tegen Rita, die op het punt stond naar huis te gaan, gezegd: 'Als er wat is, kun je altijd bij me terecht, dat weet je, hè?'

Rita had geglimlacht, terwijl ze zei: 'Ik weet het, mam,' daarna was ze snel de deur uit gelopen.

Vrijdagavond komt Monique. Rita ziet tot haar verrassing dat haar dochter er wat beter uitziet dan de vorige week.

'Ha meisje, fijn dat je er bent.'

'Ja, vind ik ook,' zegt Monique terwijl ze haar rugzak met een plof op de grond laat vallen.

'Mam,' vraagt ze dan, 'zeg eens eerlijk, was deze reis van pappa al gepland of is het om...'

'Van allebei een beetje,' zegt Rita. 'Hij moest nodig weer eens naar beide andere filialen, dus we dachten dat het wel goed was om dat nu te doen en de hele zaak even een beetje te laten betijen.' Ze probeert het luchtig te zeggen.

'Dus jullie gaan niet scheiden of zo?' vraagt Monique, al half opgelucht.

'Welnee, meid, dat is helemaal niet aan de orde.'

'Je vindt me vast raar,' zegt Monique dan, 'maar hoe boos ik ook ben op pappa, ik zou het echt vreselijk vinden als jullie uit elkaar zouden gaan, hij is toch mijn vader.'

'Dat begrijp ik best, hoor,' antwoordt Rita. Ze is blij als Monique op een ander onderwerp overgaat. Een scheiding, geen scheiding? Ze weet het niet, maar waarom zou ze haar dochter daarmee belasten? Dit is iets tussen Gerben en haar. Voor het eerst is ze oprecht blij dat Monique niet meer thuis woont en dus niet alles meemaakt wat hier gebeurt en gezegd wordt.

Het wordt een vreemd weekend. Leek Monique eerst redelijk opgewekt, na een bezoekje aan Myra op zaterdagmiddag komt ze weer heel verdrietig thuis.

'O mam, als ik daar ben, mis ik hem zo! Hij was echt mijn maatje, ik kon alles met hem bespreken. Het leek echt wel meer 'houden van' dan verliefdheid. En nu... En ik maak me ook zo bezorgd om hem, hij zit daar helemaal alleen in Amsterdam.'

Die woorden van Monique blijven haken in Rita's hoofd. 's Avonds begint ze er voorzichtig over als Monique lusteloos wat onderuitgezakt voor de tv hangt.

'Monique, ik wil je wat vragen en daar moet je voor jezelf eens heel goed over nadenken. En zeker niet boos op me worden, misschien zit ik er helemaal naast, hoor.'

Monique kijkt haar afwachtend aan, dan gaat Rita aarzelend verder:

'Vanaf het begin dat je me over Sander vertelde, benadrukte je dat het zo vertrouwd met hem voelde, zo anders dan bij andere jongens, en ook vanmiddag zei je dat hij zo echt je maatje was, meer houden van dan verliefd zijn. Daarom dacht ik, zou dat misschien te maken hebben met het feit dat hij toch je halfbroer is, zou er na de pijn van de teleurstelling toch niet een goede band als broer en zus mogelijk zijn?' Monique kijkt haar met grote ogen aan, ze is rechtop gaan zitten terwijl Rita praatte. Nu zegt ze kwaad: 'Je snapt er niks van, mam, helemaal niks! Natuurlijk was ik ook verliefd op hem, anders had ik toch niet met hem gezoend? Je zoent toch niet met je broer?' Ze staat op en loopt met grote, boze stappen de deur uit.

Rita hoort haar de trap op bonken. Ze blijft achter in de kamer. Heb ik dit nou ook weer verkeerd ingeschat? vraagt ze zich af. Toch houdt ze, ondanks Moniques felle reactie, haar twijfels. Dat zoenen, daar komt Monique steeds op terug. Het lijkt wel of ze zich daar het meest voor schaamt: dat ze intiem gekust heeft met haar halfbroer, ook al wist ze dat op dat moment niet. Ondanks alles moet Rita een klein beetje glimlachen, wat is Monique met haar achttien jaar soms toch opeens nog een kind.

Ze blijft nog een uurtje beneden zitten, maar Monique komt niet meer naar beneden. Dan doet ze de lichten maar uit, zet de verwarming laag en gaat zelf ook naar boven. Onder de deur van Moniques slaapkamer komt geen licht meer. Zachtjes doet ze de deur open. Haar dochter slaapt, maar bij het vage licht dat vanaf de overloop naar binnen schijnt, ziet ze sporen van tranen op haar wangen.

Zat ze er dan toch naast met haar opmerking vanavond? Stil gaat ze de kamer weer uit en gaat zelf ook naar bed, maar net zoals iedere andere avond ligt ze nog uren wakker.

Nadat Monique op maandagochtend is vertrokken, zit Rita weer alleen in de kamer. Hoe komt ze deze week door en hoe moet het toch verder? Ondanks al haar gepieker en getob is ze nog niks verder dan een week geleden. Gerben heeft één keer gebeld om te zeggen dat hij in Keulen is en daar nog tot deze maandag zal blijven. Vandaag reist hij dus door naar Stockholm, waar hij ook een dag of tien blijft. En dan? Ze weet het niet, het ene moment vraagt ze zich af waar ze zich zo druk over maakt: iets dat ruim twintig jaar geleden is gebeurd, nog voor hun huwelijk, moet ze zich daar zo gekwetst door voelen? Het andere moment overheerst de boosheid dat hij haar al die tijd gewoon voor de gek heeft gehouden, niet eerlijk is geweest. Daar komt nog bij dat ze niet weet hoe ze met de teleurstelling van Monique moet omgaan, en de laatste vraag is: wat moeten ze met die jongen? Want hoe je het wendt of keert: hij is Gerbens zoon. Kunnen ze hem gewoon negeren, terug laten gaan naar Suriname, alsof ze nooit van hem gehoord hebben? Of moeten ze hem als de verloren zoon binnenhalen? Maar kan Monique dat ooit aan en als ze eerlijk is: kan zijzelf dat aan?

Zo tobt Rita ook deze week de dagen weer door. Eigenlijk is dit hele gebeuren niet als een donderslag bij heldere hemel gekomen, het was haar al maanden duidelijk dat er iets goed mis was bij Gerben. Alleen, dat dit het zou zijn, nee, dat had ze niet kunnen bedenken of verzinnen.

Donderdag gaat ze aan het eind van de middag naar haar moeder, maar als ze daar aankomt vindt ze haar moeder niet thuis. De achterdeur zit op slot en als ze aanbelt, wordt er niet opengedaan. Ach ja, opeens herinnert ze zich dat moeder verteld heeft, een dag naar een oude vriendin te gaan die onlangs in een serviceflat in Amersfoort is gaan wonen. Langzaam loopt ze weer naar haar auto, maar juist als ze wil instappen hoort ze haar naam roepen. Ze kijkt om en ziet Lidia, de moeder van Myra, aan de overkant van de straat aankomen.

'Ah, mevrouw Geluk, hoe is het met u? Ik was juist onderweg naar uw moeder, ik ga vragen of ze zin heeft een poosje bij mij te komen en misschien te blijven eten.'

'Mijn moeder is niet thuis, ik bedacht me net dat ze de hele dag naar Amersfoort is.'

'Dat is leuk voor haar. Maar misschien heeft u dan zin een kopje thee bij mij te drinken, dan bent u ook niet helemaal voor niks gekomen.'

Even twijfelt Rita, maar dan knikt ze. 'Graag, dan laat ik de auto hier maar staan, u woont hier vlakbij toch?'

'Ja, net om de hoek. Leuk, dan leren we elkaar eindelijk eens wat beter kennen. Uw dochter kennen we al goed, we vinden het zo'n lieve meid.' Wat later zit Rita in de gezellige huiskamer en kijkt rond, terwijl Lidia in de keuken theezet. Rita kan zich voorstellen dat Monique het hier naar haar zin heeft, de hele sfeer ademt warmte.

Dan komt Lidia de kamer alweer binnen. 'Jeffrey en Lise zijn allebei weg, Lise had een verjaardag gelijk uit school vandaan en Jef is net vertrokken naar z'n sportclub. Voor hem bewaar ik op donderdag altijd wat eten, want hij komt pas om halfacht thuis.' Ze zet de theeglazen neer en pakt een koekschaal. 'Echte Surinaamse koekjes,' zegt ze, 'net vanochtend gebakken.'

'Lekker, mijn moeder vertelde pas al dat u zo geweldig kunt koken en bakken.'

'Zeg tochLidia en jij,' zegt Lidia met een glimlach.

'Graag, ik heet Rita.'

Rita voelt zich zo op haar gemak dat ze al pratend bijna haar hele ellende even vergeet, maar dan kijkt ze op haar horloge en zegt verschrikt: 'Ik moet gaan, je moet vast nodig aan je eten beginnen.'

'Nee hoor, dat staat al bijna helemaal klaar. Hoe laat komt jouw man thuis?'

Rita's gezicht betrekt: 'Hij is op zakenreis tot volgende week.' Ze staat op, opeens is ze weer met beide benen op de grond.

'Maar blijf dan bij mij eten, anders zitten we allebei alleen en ik had eigenlijk al op je moeder gerekend, dus eten genoeg.'

Even staat Rita in dubio, maar de gedachte aan haar lege huis en eenzame avond doen haar algauw beslissen. 'Nou, graag!' Ze is zelf verbaasd hoe snel ze zich op haar gemak voelt bij Lidia. Zou Monique zo'n soort gevoel bij Sander hebben gehad? De gedachte aan die twee maakt haar weer somber, maar ze probeert het niet te laten merken.

'Kan ik je helpen?' vraagt ze als Lidia opstaat om naar de keuken te gaan.

'Nee hoor, het is zo klaar, eigenlijk alleen even warm maken.'

Lidia dekt de tafel en zet een paar heerlijk ruikende gerechten neer.

'Zo, kom maar zitten, dan kunnen we beginnen.'

Als Rita is gaan zitten vouwt Lidia de handen en spreekt een gebed uit. 'Eet smakelijk!' zegt ze hartelijk. Na het eten zitten ze nog een poos aan tafel en dan komt het gesprek toch op Sander. Rita merkt al snel dat Lidia wel weet dat hij en Monique elkaar niet meer zien, maar de reden daarvan niet kent.

Gelukkig voor haar wordt juist op dat moment Lise thuisgebracht en als die net uitverteld is over het verjaardagsfeestje, komt ook Jeffrey binnen.

Rita staat op, ze zet de borden van Lidia en haar op elkaar en brengt ze naar de keuken. 'Ik ga maar eens op huis aan,' zegt ze als ze de kamer weer in komt.

'Voor mij hoef je nog niet weg, hoor, ik breng Lise even naar bed en dan heb ik de hele avond de tijd. We zouden nog koffie of thee kunnen drinken, maar voel je vooral niet verplicht, hoor.'

Opeens aarzelt Rita, maar het idee van weer een lange avond alleen thuis doet haar zeggen: 'Nou goed, zal ik dan onderwijl even afwassen?'

'Graag. Hier, Jef,' Lidia zet een bord voor Jeffrey op tafel, 'lekker gesport?'

Hij knikt en gaat aan tafel zitten, terwijl Lidia zegt: 'Lise, jij alvast naar boven en kleed je uit, mamma komt eraan. Rita, hier staat de afwasteil en daar een theedoek.' Het voelt allemaal zo gewoon, alsof Rita al jaren een vaste gast bij hen is.

Een kwartiertje later, als Jeffrey naar boven is gegaan met zijn schooltas en Lise in bed ligt, zitten ze weer samen in de kamer. Opeens heeft Rita spijt dat ze is gebleven. Haar stemming is zomaar weer helemaal ingezakt en verdrietig staart ze voor zich uit, ze heeft helemaal geen zin meer om zich sterk te houden en opgewekt te praten.

'Rita,' zegt Lidia dan, terwijl ze even haar hand op Rita's arm legt, 'als je wilt praten, mag dat. Ik kan je misschien niet helpen, maar soms helpt het gewoon je eens uit te spreken en ik zal nooit verder vertellen wat iemand mij toevertrouwt.'

En voor ze het weet, is Rita begonnen. Ze vertelt alles aan de vrouw die ze voor vandaag nauwelijks kende, maar die ze meer vertrouwt dan wie ook van haar vriendinnen of kennissen. Lidia luistert rustig, ze valt haar niet één keer in de rede. Als Rita eindelijk zwijgt, blijft het even stil. Dan vraagt Lidia: 'Rita, wat vind je nou het allerergst? De ontrouw van je verloofde of het bestaan van Sander?'

'Die vraag heb ik mezelf natuurlijk ook al gesteld, maar dat is geen van beide het belangrijkste.'

'Ik begrijp het,' zegt Lidia, 'zijn verzwijgen door de jaren heen, dat doet je het meest pijn, hè?'

Rita knikt. 'Ja, zeker dit laatste halfjaar, toen hij duidelijk met iets zat, maar toch niets vertelde. Als Sander nooit in beeld was gekomen, had hij het er beslist niet zo moeilijk mee gekregen en er zeker ook nooit over gesproken.'

'Daar zeg je het zelf...'

'Wat zeg ik zelf?'

'Dat je man het er heel moeilijk mee heeft gehad. Stel je voor, Rita, en dit vraag ik niet om de zaak te bagatelliseren, hoor, maar stel dat er geen Sander was geweest en je man zou je nu, na ruim twintig jaar, opbiechten dat hij vroeger als jonge knul op Aruba één keer flink in de fout was gegaan, hoe zou je dan reageren? Zou je 't hem kunnen vergeven?'

'Ik weet het niet. Zoals ik net al zei, het zwijgen van hem zit me meer dwars dan het feit op zich, hoewel dat natuurlijk ook geen leuke gedachte is.'

'Maar hij heeft gezwegen uit angst om jou te verliezen, hij was een jongen van net twintig jaar. Als hij een gewetenloze knul was geweest, had hij er zeker niet met jouw vader over gesproken.'

'Het lijkt wel of je het voor Gerben opneemt,' zegt Rita verongelijkt. 'En dat terwijl hij nota bene jouw zus zo heeft behandeld, jij hebt minstens zo veel reden als ik om kwaad op hem te zijn.' Ze kijkt Lidia verbaasd aan. 'Ja, dat dringt eigenlijk nu pas tot me door, jouw zus heeft meer te lijden gehad van het geheel dan ik. Hoe kun je dan zo mild over hem praten?'

'Natuurlijk was ik in het begin ook woedend op de onbekende man die mijn zusje zwanger had gemaakt en haar toen liet zitten, zeker toen ik zag hoe daardoor ook haar relatie met Gijs kapot was gemaakt. Maar de Here Jezus heeft me laten zien dat ik moet vergeven.'

'Dat klinkt wel heel gemakkelijk!'

'Dat was het niet, zeker niet. Toch heb ik het geleerd, Rita. Mijn eigen leven is ook niet zo gemakkelijk geweest. Weet je dat mijn eerste man mij met twee kinderen in de steek heeft gelaten? Dat was ook niet bepaald eenvoudig, in die tijd heb ik ook tegen God geschreeuwd, daar kun je van op aan. Maar later heb ik geleerd dat iedereen, dus ook ikzelf, dagelijks vergeving nodig heeft. Of dat nu voor grote of kleine dingen is, in Gods ogen maakt dat niet zoveel verschil. En God is zo goed, ik mag elke dag uit Zijn liefde en blijdschap leven, ook al zijn de omstandigheden heus niet altijd even gemakkelijk. Maar het heeft mij wel geleerd om ook anderen te vergeven, daar gaat het om in het leven.'

Rita geeft niet direct antwoord, haar hele hart komt in opstand tegen de woorden van Lidia.

Ten slotte zegt ze: 'Sorry, Lidia, maar ik vind dat toch wel heel simpel gedacht. Natuurlijk ben ik blij voor jou als je dat zo voelt,' haast ze zich erachteraan te zeggen, 'maar voor mij is dat toch anders.'

'Dat begrijp ik, ik heb dat zelf ook niet in één of twee dagen geleerd. Denk er eens rustig over na. Mag ik misschien met je bidden?'

Een beetje gegeneerd kijkt Rita haar aan. Zo'n vraag is haar nog nooit gesteld door een vriendin tijdens een kopje koffie. Ze knikt aarzelend. Dan heeft Lidia haar beide handen al gepakt en vraagt om vrede voor het hart van Rita, maar ze bidt ook voor Gerben, Monique en Sander. Als ze amen heeft gezegd, staat ze op: 'Zo, nu ga ik Jeffrey eens naar bed sturen, het is hoog tijd voor hem en daarna zal ik nog wat te drinken voor ons inschenken.'

Rita is blij dat ze heel even alleen in de kamer is. Ze pakt een zakdoekje en snuit haar neus. Tijdens het gebed van Lidia voelde ze de tranen over haar wangen lopen, nu lijkt haar hele hoofd een warboel. Als Lidia weer binnenkomt, staat Rita op. 'Als je 't niet erg vindt, ga ik naar huis, ik moet nadenken,' zegt ze met een waterig glimlachje.

'Dat is goed, en weet dat je altijd welkom bent!'

Dan loopt Rita buiten. Haar auto staat nog bij haar moeder voor het huis, er brandt licht achter de overgordijnen. Rita hoopt dat haar moeder de auto niet heeft opgemerkt toen ze thuiskwam. Ze stapt in en rijdt langzaam naar huis.

Ze ligt lang wakker die nacht. Gedachten dwarrelen door haar hoofd, de woorden van Lidia komen terug, maar ze wordt er niet rustiger van. Ze heeft het gevoel dat ze steeds verder in de war raakt. Eindelijk slaapt ze in, haar laatste gedachten zijn de woorden van het gebed van Lidia.

Monique volgt deze week weer trouw de colleges. Ze merkt dat ze er ook weer wat meer plezier in krijgt, hoewel ze ook maar blijft denken over alles wat er de laatste weken gebeurd is. En of ze wil of niet, steeds komen de woorden van haar moeder weer in haar gedachten over haar verhouding met Sander. Na de eerste boosheid die die woorden opriepen, is ze toch diep in haar hart een beetje gaan twijfelen. Zou het waar zijn, kan ze ooit naar Sander gaan kijken als een broer? Ze komt er niet uit.

Als Myra donderdagavond na haar werk naar het appartement komt en ze met hun drieën nog wat zitten te kletsen, begint Monique opeens te vertellen. Onbewust van het feit dat haar moeder op datzelfde moment Lidia in vertrouwen neemt, vertelt zij haar twee vriendinnen wat er gebeurd is. Zonder in details te treden over het hoe en wanneer vertelt ze dat Sander haar halfbroer is. Zowel Wendy als Myra kijken haar sprakeloos aan. Het blijft een poosje stil als Monique is uitgesproken.

'Joh... Monique...' Meer zegt Wendy niet.

Ook Myra is stil. Ten slotte zegt ze: 'Ik weet gewoon niet wat ik zeggen moet, wat vreselijk voor je en natuurlijk ook voor Sander.'

Ze zitten zwijgend bij elkaar. Monique zit stilletjes te huilen, Myra slaat een arm om haar heen.

'En je ouders, hoe gaat dat nu verder?' vraagt Wendy na een poosje voorzichtig.

Monique haalt haar schouders op. 'Ik weet het niet,' zegt ze, 'het is zo'n puinhoop allemaal.'

Ze zitten nog een poos bij elkaar, er wordt niet veel meer gezegd. Ten slotte staat Monique op. 'We gaan maar slapen, hè?' zegt ze. 'Ik hoef natuurlijk niet te zeggen dat niemand hier iets vanaf weet behalve Sander, mijn ouders en ik? Ik vertrouw erop dat jullie ook je mond houden, ook naar je familie toe. Laten we eerst maar afwachten hoe het verdergaat. Als mijn ouders uit elkaar gaan is het nog vroeg genoeg om het te vertellen. In een dorp als het onze is zoiets dan snel genoeg bekend.'

Als Myra al naar haar slaapkamer is gegaan vraagt Wendy: 'Denk je echt dat je ouders gaan scheiden, Monique?'

'Ik weet het niet. Mijn vader is zogenaamd op zakenreis voor een paar weken, dat zegt mij al genoeg. Weet je dat ik dat allemaal bijna nog erger vind dan voor mezelf? En toch was ik echt wel gek op Sander, maar mijn ouders...'

'Dat snap ik best, ik zou er ook niet aan moeten denken dat zoiets bij mijn ouders zou gebeuren.' Dan gaat Wendy aarzelend verder: 'Monique, denk je dat je ooit kunt leven met de gedachte dat Sander je broer is? Ik bedoel: zul je hem ooit zo kunnen zien, zonder dat dat pijn doet?'

Monique kijkt haar peinzend aan en zegt dan: 'Als je dat twee weken geleden had gevraagd, was ik woedend geworden, maar nu zeg ik: zeg nooit nooit! Raar, hè?'

Dan gaan ze elk naar hun slaapkamer en ook Monique ligt, evenals haar moeder, nog lang te piekeren. Ze is verbaasd over zichzelf: zat haar verliefdheid voor Sander zó aan de oppervlakte dat ze nu al, al is het heel voorzichtig, erover denkt om hem als broer te kunnen zien? Daar moet ze toch weer om huilen. Ze huilt om het verlies van Sander en ook om het verlies van haar liefde. Als haar tranen eindelijk op zijn, valt ze in slaap.

Ook dit weekend gaat Monique weer naar haar moeder. Ze schrikt als ze binnenkomt: mamma ziet er slecht uit.

'Gaat het een beetje, mam?'

Ze ziet dat haar moeders ogen verdrietig blijven als ze glimlachend zegt: 'Ja hoor, het gaat best.'

Opeens voelt Monique zich boos worden. 'Ik ben geen klein kind, hoor mam, waarom doe je zo flink? Wees nou eens gewoon eerlijk!'

'Hoe bedoel je: wees nou eens gewoon eerlijk, wil je zeggen dat ik oneerlijk ben?'

Gekwetst kijkt Rita haar dochter aan.

'Natuurlijk ben je niet oneerlijk, mam, maar ik bedoel dat je altijd in alle omstandigheden de beheerste, sterke, volmaakte moeder probeert te zijn. Dat irriteerde me opeens, sorry!'

Rita geeft geen antwoord, ze gaat naar de keuken om eten klaar te maken. Monique komt achter haar aan. 'Ben je nou boos, mam?'

'Nee, misschien heb je wel gelijk. Maar dat heb ik nou eenmaal altijd geleerd en het is denk ik ook mijn karakter, niks laten merken, me beheersen wat er ook gebeurt.' Ze draait zich om naar haar dochter. 'Je hebt gelijk, dat is misschien niet altijd goed. En nee, het gaat niet zo lekker allemaal, ik loop de hele week al te tobben, ik vind het allemaal erg moeilijk, Monique.' Ze glimlacht nu echt. 'Zo beter?'

'Veel beter, nu ben je tenminste eerlijk tegenover mij.'

Als ze wat later samen aan tafel zitten zegt Rita: 'Ik ben donderdag bij Lidia geweest, ik heb haar alles verteld en daarna een heel goed gesprek met haar gehad. Wat een lieve vrouw is dat, zeg!'

'Maar je bent er niet echt wijzer van geworden? Ik bedoel, zij had natuurlijk ook geen kant-en-klare oplossing of wijze raad voor je?'

'Dat niet, maar ze heeft me wel aan het denken gezet en jij zonet ook trouwens.'

'Ik, hoezo?'

'Met je opmerking dat ik altijd zo sterk probeer over te komen, nooit eens mijn zwakke kanten durf te laten zien. Ik heb daar juist zelf deze dagen ook over lopen denken, ik denk dat ik pappa daarmee vaak voor het hoofd gestoten heb. Ik was altijd de beheerste, de volmaakte vrouw, snap je wat ik bedoel? Dat maakte het voor hem natuurlijk helemaal onmogelijk ooit met zijn verleden naar buiten te komen.'

'Dus nu opeens stap je daar overheen?'

'Welnee, zo simpel is het niet. Maar ik ben wel zover dat ik ontdekt heb dat ik niet alle schuld in pappa's schoenen kan schuiven. Tenminste, van dat niets vertellen in elk geval. Het feit op zich... ja, dat blijf ik moeilijk vinden, ook al is het ruim twintig jaar geleden.'

Het blijft even stil, dan zegt Monique: 'Mam, ik ben blij dat je nu zo eerlijk tegen me bent.'

'Misschien is dat ook weer niet goed, jij bent onze dochter en geen partij in dit hele gebeuren.'

'Dat ben ik denk ik wel, door Sander... En ook door het feit dat ik die brief gelezen heb. Ik wou dat ik die niet gelezen had!'

'Weet je, Monique,' zegt Rita aarzelend, 'Lidia heeft met me gebeden. Ik vond het eerst een beetje raar, maar het was zo goed, achteraf heeft het me zoveel rust gegeven.'

'Het is echt een geweldige vrouw, nou ja, in elk geval heeft ze een sterk geloof, daar ben ik best jaloers op.'

'Ik eigenlijk ook, haar geloof is echt de kracht waaruit ze leeft, daar schiet ik nogal eens tekort in, dat mag je best weten.'

13

GERBEN IS OP ZIJN HOTELKAMER IN STOCKHOLM. HIJ HEEFT NET BENE-
den in het restaurant gegeten en doet nu de deur van zijn kamer achter zich dicht. Hij heeft de uitnodiging van de vestigingsmanager om
vanavond bij hem thuis te komen, afgeslagen. Hij doet zijn colbertje
uit en gooit het over een stoel. Dan laat hij zich op bed vallen en pakt
de afstandsbediening van de tv. Na alle zenders langs gezapt te hebben, doet hij de televisie weer uit. De avond strekt zich opnieuw lang
en eenzaam voor hem uit. Hij kijkt op zijn horloge: pas halfnegen.
Wat zou Rita aan het doen zijn, en Monique? Is ze voor het weekend
bij haar moeder of is ze in Utrecht gebleven? Na dat ene telefoontje
vorige week heeft hij geen contact meer gezocht. Wat zou hij moeten
zeggen? Rita weet in welk hotel hij zit, dus als ze hem nodig heeft kan
ze hem bereiken. Verder hebben ze elkaar op dit moment niet veel te
vertellen.

Gerben heeft het moeilijk. Overdag gaat het wel, hij heeft gesprekken
met de mensen op kantoor en met andere zakenrelaties. Maar zodra
hij het pand uit loopt, begint zijn lange avond. Een enkele avond had
hij een zakendiner, maar de meeste avonden eet hij alleen en gaat
daarna naar zijn kamer. Zo ging het in Keulen en zo gaat het ook nu
hier in Stockholm. Hij heeft veel tijd om na te denken, te veel tijd
zelfs. Ook nu ligt hij weer op zijn bed, de handen onder het hoofd.
Steeds meer gaat hij beseffen wat hij iedereen heeft aangedaan: Rita
en Monique door zijn verzwijgen van het verleden, maar zeker ook
Maria, Gijs en Sander. En voor die laatste drie kan hij het zeker niet
meer goedmaken. Gijs is al jaren geleden verdwenen, Maria is na een
moeilijk en eenzaam leven gestorven en Sander is zonder vader opgegroeid.

Sander... Soms betrapt hij zich erop dat hij ook een soort blijdschap
voelt omdat hij een zoon heeft. Maar onmiddellijk stopt hij dat gevoel
weer weg, het geeft immers geen pas om blij te zijn met een buiten-
echtelijk kind? Maar toch komt het steeds weer boven. De jongen
heeft wel lef! Zoals hij tegenover hem stond en zei dat hij liever geen

vader had dan hem, Gerben, als vader. En hoe hij alleen in het vreemde Nederland als achttienjarige jongen toch maar aan de studie is
gegaan. Nee, een watje is zijn zoon zeker niet! Zijn zoon! Nu denkt hij
het weer...

Dan komen zijn gedachten weer bij Rita. Raar is dat, als je op afstand
van elkaar bent, lijkt het of je de dingen veel duidelijker gaat zien. Hij
mist Rita. Waarom heeft hij het toch zover laten komen? Hij vond het
wel gemakkelijk zich te verschuilen achter de belofte aan zijn schoonvader om Rita nooit de waarheid te vertellen, maar het klopt natuurlijk voor geen meter. Het was laf en oneerlijk van hem, hij had eerlijk
moeten zijn, hoe de gevolgen ook geweest zouden zijn. Als hij Rita
over zijn misstap had verteld, zou ze nu ook niet zo geschrokken zijn
van het plotseling opduiken van Sander. Had hij maar... Ja, wat heb je
aan die gedachte!

Hij staat op en pakt uit het koelkastje op zijn kamer een flesje wijn.
Dan pakt hij een map uit zijn tas en gaat bij het kleine bureautje zitten. Hij gaat nog maar wat werken, het is te vroeg om naar bed te
gaan. Maar hij kan zijn gedachten moeilijk bij de voor hem uitgestal-
de stukken houden.

Later, als hij in bed ligt, gaan zijn gedachten weer naar Rita. Hoe moet
het toch verder met hen? Binnenkort zal hij toch weer naar huis moeten, en dan? Waar moet hij gaan wonen en zal Monique hem ooit nog
willen zien? En Sander, kan hij hem voorstellen zijn verdere studie te
bekostigen? Want dat is toch wel het minste wat hij voor de jongen
doen kan. Of mag hij hem dat helemaal niet voorstellen? Hij is duidelijk genoeg geweest in zijn mening over zijn vader.

Zuchtend draait Gerben van de ene op de andere zij. Slapen, hij moet
slapen!

Zaterdagochtend vindt Rita een al aangeklede Monique aan de ont-
bijttafel. 'Zo, jij bent vroeg, moet je weg?'

'Ik ga naar Amsterdam, ik wil weten hoe het met Sander is.'

'Is dat wel verstandig?'

'Misschien niet, maar ik kan niet anders, mam.'

'Zal ik met je meegaan?'

'Hè? Wat zeg je nou, jij met me meegaan?'

Rita kijkt haar rustig aan. 'Ja,' zegt ze, 'ik zal toch ook eens kennis met hem moeten maken, het is tenslotte jouw halfbroer.'

'Mam, nou wil je weer zo flink doen! Het is mijn halfbroer, ja, maar ook het buitenechtelijke kind van je man, besef je dat wel?'

Rita slikt even. 'Ja, dat besef ik heel goed. Maar ik meen het echt, Monique, hoe meer ik erover nadenk, hoe minder moeite ik met de jongen krijg. Dat pappa en dat meisje... dat vind ik moeilijk, maar het gevolg daarvan, Sander dus, daarmee heb ik minder moeite, hoe raar dat misschien ook klinkt. Eigenlijk heb ik vreselijk medelijden met hem. En daar komt bij...' Ze aarzelt even. '... dat ik je eigenlijk niet alleen wil laten gaan. Je zult het moeilijk krijgen straks als je hem weer zict.'

Monique staat op en slaat haar armen om haar moeders hals. 'Je bent een schat, maar ik ga toch alleen. Maar ik vind het geweldig hoe je over Sander praat, ik weet helemaal niet hoe hij hier in staat en ikzelf heb ook nog erg veel moeite om hem als broer te gaan zien, maar misschien, eens, komt er een tijd dat dat wel kan. En dan is het fijn dat jij er zo tegenover staat.' Ze gaat weer zitten en eet haar boterham verder op.

Tegen halftwaalf loopt ze de straat in waar het studentenhuis staat waar Sander zijn kamer heeft. Haar hart bonst in haar keel als ze aanbelt en de deur wordt opengetrokken. Door de schemerige gang loopt ze de trappen op. Boven staat Sander.

'Monique!' Zijn stem klinkt afwerend. 'Wat kom jij hier doen?'

Ze blijft staan en zegt wat bedremmeld: 'Ik wilde weten hoe het met je gaat.'

'Kom maar binnen dan.' Hij gaat haar voor zijn kamer binnen. 'Hoe is het met jou?' vraagt hij als ze de deur achter zich heeft dichtgedaan. Ze haalt haar schouders op. 'Ik ben nog steeds in de war, maar ik geloof dat ik je in de toekomst liever als broer ga zien dan helemaal niet meer zien.'

Verlegen kijkt ze hem aan als ze verdergaat: 'Je vindt het misschien heel raar wat ik ga zeggen, en ik weet ook niet zo goed hoe ik het zeggen moet, maar... Weet je nog dat ik regelmatig zei dat ik me zo vertrouwd en op m'n gemak met jou voelde... Misschien was dat een teken dat ik toch niet zo verliefd was maar meer... Nou ja, gewoon van je houd, dus misschien wel als broer...' Ze heeft haar ogen neergeslagen, ze durft hem niet aan te kijken, bang hem nog meer te kwetsen dan hij al gekwetst is door alles.

Het blijft stil. Eindelijk slaat ze haar ogen naar hem op. 'Ben je boos?' Hij pakt haar zachtjes bij de schouders en zegt: 'Misschien heb je gelijk. Weet je, ik was deze weken meer kapot van het idee jou verloren te hebben dan van het hele gebeuren van mijn... jouw vader. En daar voelde ik me dan weer schuldig over. Het zal even wennen zijn, even tijd kosten om die knop om te zetten, maar ik wil jou echt wel als klein zusje! Want dat heb ik ook nog nooit gehad, een zusje!' Hij spreekt het woord zusje met blijde verbazing uit. Dan laat hij haar weer los en zegt: 'Maar het moet nog wel even wennen, ik heb een hele poos gedacht dat we... Het is wel verwarrend, hè?'

Dan slaat Monique spontaan haar armen om hem heen en geeft hem een kus op z'n wang. 'Ik durf het tegen niemand te zeggen, ze zullen vast vinden dat ik me wekenlang heb aangesteld als ik nu zo gemakkelijk overschakel, maar het voelt geweldig: een broer!'

Rita is alleen achtergebleven toen Monique vertrok. Ze is bezorgd, hoe zal dat gaan, kan Monique het allemaal aan?

Als ze de ontbijtbordjes heeft weggeruimd en koffie voor zichzelf heeft gezet, gaat de telefoon. Het is haar moeder.

'Kom je nog langs vandaag, Rita, alleen als je er zelf behoefte aan hebt, hoor.'

'Ja, ik kom straks, is dat goed?'

Als ze de telefoon heeft neergelegd, piekert ze weer verder. Wat zei Gerben voordat hij vertrok vorige week op haar vraag waarom hij niet eerlijk was geweest?

'Ik had je vader beloofd te zwijgen.' Was dat een excuus?

Wat zei Monique gisteravond tegen haar?

'Waarom wil je altijd zo'n beheerste, volmaakte vrouw zijn?'

Was dat een excuus voor Gerben?

Ja, zij heeft ook fouten gemaakt in haar huwelijk, dat weet ze wel. Ze voelde zich, misschien onbewust, toch altijd de sterkere, de meerdere van Gerben. Ze was er trots op altijd haar zelfbeheersing te kunnen bewaren, haar gevoelens onder controle te hebben. Is dat wel zo'n goede eigenschap, vraagt ze zich nu af, is het niet beter je emoties te durven tonen? Ze zucht, het is niet eenvoudig om eerlijk tegenover zichzelf te zijn.

Dan gaan haar gedachten naar Monique. Hoe zal het haar vergaan straks in Amsterdam? Ze maakt zich zorgen om haar kind. Was het niet overmoedig van haar om naar Sander toe te gaan, of is het juist moedig? Monique is iemand die doet wat haar hart haar ingeeft, dat heeft ze bepaald niet van haar moeder, denkt Rita spijtig. Waarom kan ze zelf toch niet wat spontaner zijn?

Ze staat op en giet de koffie door de gootsteen. Ze kan beter maar nu meteen naar haar moeder gaan en daar koffiedrinken. Ze pakt haar jas en even later stapt ze op de fiets. Tien minuten later zit ze al in de warme kamer bij haar moeder, die inderdaad de koffie al klaar heeft.

'Wanneer komt Gerben thuis?' vraagt haar moeder als ze even over wat oppervlakkigheden hebben gesproken.

Rita aarzelt even. 'Ik weet het niet,' zegt ze dan eerlijk.

'Aha!' Meer zegt of vraagt haar moeder niet. Het blijft even stil, dan zegt Rita: 'Mam, ik moet u het een en ander vertellen...'

Haar moeder knikt. 'Ik luister, kind.'

Even hapert Rita nog, ze haalt diep adem en zegt dan: 'Sander is de zoon van Gerben!' Als het eruit is kijkt ze haar moeder aan.

'Och...' Meer zegt ze niet. Dan vertelt Rita beknopt hoe het allemaal in elkaar zit en wat de gevolgen tot hiertoe zijn. Als ze uitgesproken is, zegt ze: 'Ja, mam, en dan nog één ding: toen Gerben vorige week op het punt stond weg te gaan en ik hem vroeg waarom hij jaren geleden niet eerlijk was geweest, zei hij dat pappa ervan had geweten, maar dat die hem had laten beloven nooit iets tegen mij te zeggen.' Ze kijkt haar moeder aan. 'Wat moet ik daar nou mee? Pappa is er niet meer om zich te verdedigen...'

Haar moeder zit stil voor zich uit te kijken. 'Het is allemaal heel wat, Rita, wat je me nu vertelt. Ik had natuurlijk best in de gaten dat er iets helemaal fout zat bij jullie, maar dit... Nee, dat had ik niet gedacht.' Het blijft even stil, beiden zijn vol van hun eigen gedachten. Dan neemt Rita's moeder het woord weer. 'Hoe je over Sander praat, doet me vermoeden dat je met zijn bestaan op zich niet eens de meeste moeite hebt, klopt dat?' En als Rita knikt gaat ze verder: 'Maar je vaders rol hierin, ja, je hebt gelijk. We kunnen hem niet meer vragen waarom hij zo gehandeld heeft. Daarom heeft het ook weinig zin om daar lang over na te denken. Ongetwijfeld heeft hij jou willen sparen, ook al ben ik het met je eens dat dat geen verstandige beslissing is geweest. En Gerben? Ach, dat hij er met pa over gesproken heeft is al een teken dat het hem heel erg dwarsgezeten heeft, anders had hij zeker zijn aanstaande schoonvader niet in vertrouwen genomen. En ja, ik denk dat hij maar al te graag die belofte om nooit iets te vertellen, heeft gedaan. Je bent mijn dochter, Rita, en ik houd zielsveel van je, maar ik zie ook jouw zwakke punten wel. Jij bent, ook ten opzichte van Gerben, niet zo heel benaderbaar. Snap je wat ik bedoel? Je straalt kracht en zelfbeheersing uit, op zich heel mooi, maar soms... Je neemt het me toch niet kwalijk dat ik dat zo zeg?'

Rita schudt haar hoofd, 'Nee, integendeel, al doet het wel zeer. Maar mam, eigenlijk zei Monique gisteravond net zoiets tegen me, al was het met wat andere woorden. Ik kom steeds meer tot de slotsom dat ik Gerben ook nooit de kans heb gegeven om eerlijk te zijn over die dingen, hij was denk ik te bang voor mijn reactie.'

Moeder leunt naar voren in haar stoel en pakt Rita's hand. 'Wel oppassen dat je jezelf nu niet helemaal de grond in boort, hè? Laten we ook niet vergeten dat wat Gerben deed echt niet kon, dat dat helemaal fout was, zowel tegenover jou als tegenover dat meisje en zijn beste vriend Gijs. En ook zijn houding van de laatste tijd verdient niet bepaald de schoonheidsprijs. Zodra Sander in beeld kwam, had hij alsnog schoon schip kunnen maken.'

'Maar hij wist niet dat Maria zwanger van hem was geraakt, hij dacht in eerste instantie dat Sander de zoon van Gijs was, of laat ik zeggen: dat hoopte hij nog. Natuurlijk was hij bang dat het zijn eigen zoon was. En die complicatie met Monique, ja, dat heeft hij natuurlijk ook nooit kunnen voorzien.'

'Ach ja, dat arme kind! Hoe is het nu met haar, is ze het weekend thuis?'

'Natuurlijk is ze verdrietig, maar het is een sterke meid, mam, ze redt het wel!' Rita besluit om maar niet te zeggen dat ze nu alleen naar Amsterdam is, anders maakt moeder zich daar ook weer zorgen om.

'Gelukkig! En nu?' onderbreekt moeder haar gedachten.

'Ik weet het niet,' zucht Rita. 'Nauwelijks twee weken geleden was ik ervan overtuigd dat dit nooit meer goed zou kunnen komen tussen Gerben en mij, maar nu... Ik mis hem en ja, ik heb veel nagedacht, ook over mijn eigen houding ten opzichte van hem, daar hadden we het net al over. Hij zit nu nog in Zweden, we laten het maar even zo.' Ze staat op. 'Ik ga zo maar weer eens op huis aan.' Terwijl ze naar de deur loopt zegt ze: 'Ik ben deze week een avondje bij Lidia geweest. Daar heb ik echt fijn mee gepraat, wat een bijzondere vrouw is dat.'

Haar moeder knikt. 'Dat is het zeker.'

'Ga maar niet mee naar de deur, er staat een koude wind, ik kom er wel uit. Bedankt voor het gesprek, mam.'

'Jij bedankt voor je vertrouwen en sterkte met alles. Ik bid voor jullie allemaal, vergeet dat niet!' Ze kust Rita. 'Tot gauw en de groeten aan Monique.'

Nadenkend fietst Rita naar huis. Daar aangekomen is het nog stil, Monique is er nog niet.

Ze gaat op een stoel bij de tafel zitten, haar hoofd in de handen, leunend op het tafelblad. Alle woorden van haar moeder gaan weer door haar hoofd, maar ook dat wat Monique gisteren tegen haar zei. En ten slotte komt ook het gesprek met Lidia weer bij haar boven. Ze is zo moe, langzaam voelt ze tranen langs haar wangen lopen. Waar is haar kracht, haar zelfbeheersing gebleven? Ze legt haar hoofd neer op tafel en hardop huilt ze, misschien voor het eerst sinds haar kindertijd. In haar hart komen de woorden van Lidia over vergeving en liefde. Ze wist niet dat vergeven zo moeilijk was en toch weet ze dat dat de enige weg is om verder te gaan. De liefde tussen Gerben en haar heeft alleen kans als er vergeving is, en dat van twee kanten. Zij zal Gerben zijn misstap en zijn zwijgen moeten vergeven, maar ook zij heeft vergeving nodig voor haar trotse houding, waarmee ze hem zo dikwijls heeft afgestoten. En samen zullen ze de liefde van God nodig hebben om hun huwelijk weer te laten helen. Want er is nog een lange weg te gaan, voor hen, maar ook voor Monique en voor Sander. Het zal niet een gemakkelijke weg zijn, maar ze wil ervoor gaan.

Ze staat op en gaat naar boven. In de badkamer wast ze haar gezicht en maakt zich wat op, opeens bang dat Monique binnen zal komen en haar zo ontreddend aantreft. Ze maakt een grimas in de spiegel. Ho, nu gaat ze alweer de fout in! Ze mag best laten zien dat ze kwetsbaar is, ook aan haar volwassen dochter. Sporen van tranen zijn geen schande!

Dan zoekt ze het telefoonnummer op van het hotel in Stockholm waar Gerben waarschijnlijk logeert. Ze kijkt op haar horloge. Kwart voor twee, ach, waarschijnlijk zit hij nu niet op zijn hotelkamer. Toch maar proberen? Ze toetst het nummer in en als ze iemand van de receptie krijgt, vraagt ze naar Gerben.

'A moment please...'

Dan hoort ze zijn stem. 'Geluk.'

'Gerben, met mij, wanneer kom je naar huis?'

'Rita! Ik weet het niet, waarom vraag je dat?'

'Ik wil graag dat je terugkomt.'

Even blijft het stil, dan zegt hij: 'Ik boek de eerste vlucht naar huis!'

Ze hoort er een veel grotere belofte in dan het simpele boeken van een vliegticket. Hij komt terug bij haar! ✗